dtv

Reihe Hanser

Aura weiß gar nicht, wie ihr geschieht. Eben noch war sie tief unter Wasser und nun liegt sie im Hafen von Chalki. Ein Erdbeben hat die gesamte Inselwelt heimgesucht, die junge Telchine an den Strand gespült und die über 30 Meter hohe Statue des Sonnengottes Helios, des Schutzgottes der Rhodier, auf Rhodos zerstört. Flucht zurück ins Meer ist der einzige Ausweg. Doch ohne die Hilfe der Fischerjungen Kimon und Milo wird sie es nie schaffen. Aber wie kann sie die beiden davon überzeugen, dass sie kein Dämon ist, der sie durch einen einzigen bösen Blick, der den Telchinen nachgesagt wird, töten kann?

Katherine Roberts, geboren 1962 in Torquay/England, studierte Mathematik und arbeitete danach zunächst in der Computerbranche und bei Pferderennen. 1999 erschien ihr erster Roman mit großem Erfolg. Das Buch wurde mit dem Branford Boase Award ausgezeichnet. In der *Reihe Hanser* sind von ihr bereits mit großem Erfolg die folgenden Weltwunder-Bände erschienen: ›Der große Pyramidenraub‹ (dtv 62256), ›Die Drachen von Babylon‹ (dtv 62257) und ›Der magische Stein der Amazonen‹ (dtv 62283), ›Mord im Mausoleum‹ (dtv 62303) und ›Gefahr für Olympia‹ (dtv 62325).

Katherine Roberts

Die Prophezeiung
von Rhodos

Aus dem Englischen von
Christa Broermann

Deutscher Taschenbuch Verlag

Das gesamte lieferbare Programm der *Reihe Hanser*
und viele andere Informationen finden Sie unter
www.reihehanser.de

In neuer Rechtschreibung
April 2008
Deutscher Taschenbuch Verlag GmbH & Co. KG,
München
© Katherine Roberts 2005
Published by arrangement with Katherine Roberts
Originaltitel: ›The Colossus Crisis‹
Collins Voyager (Imprint von HarperCollins
Publishers Ltd.), London
© 2008 der deutschsprachigen Ausgabe:
Carl Hanser Verlag München Wien
Umschlagillustration: Almud Kunert
Satz: Satz für Satz. Barbara Reischmann, Leutkirch
Druck und Bindung: Druckerei C. H. Beck, Nördlingen
Gedruckt auf säurefreiem, chlorfrei gebleichtem Papier
Printed in Germany · ISBN 978-3-423-62345-2

Für Liz Kessler

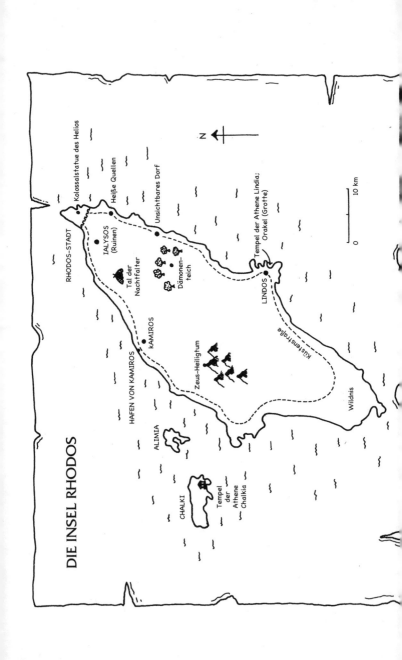

DIE INSEL RHODOS

Kolossalstatue des Helios

Heiße Quellen

Unsichtbares Dorf

N

Tempel der Athene Lindia:
Orakel (Grotte)

10 km

0

RHODOS-STADT

IALYSOS
(Ruinen)

Tal der
Nachtfalter

Dämonen-
teich

LINDOS

KAMIROS

HAFEN VON KAMIROS

Zeus-Heiligtum

Küstenstraße

ALIMIA

Wildnis

CHALKI

Tempel
der
Athene
Chalkia

DAS ERDBEBEN

Der Tag, an dem das Erdbeben Auras Welt aus den Angeln hob, begann wie jeder andere.

Vor dem Frühstück griff sie sich den Sack für die Schwämme und ihr Messer, ließ ihre Mutter schlafend in der Hütte zurück und ging tauchen. Sie arbeitete allein. Ab und zu sah sie durch das klare, türkisfarbene Wasser andere Taucher von den Nachbarinseln, sprach jedoch nie mit ihnen, und die anderen hüteten sich, ihr zu nahe zu kommen. Aura war das gerade recht. Sie liebte es, zwischen den bunten Schwämmen durchzugleiten, in denen ganze Schwärme von Fischen ihre nackten Beine kitzelten und das Wasser ihr leise in den Ohren gluckste. Hier unten, tief unterhalb der Menschenwelt, konnte sie vergessen, dass sie ein Mischwesen und eine Außenseiterin war – wenigstens so lange, bis ihr die Luft ausging und sie wieder auftauchen musste.

Sie kümmerte sich nicht um das erste warnende Zittern, das Sand vom Grund aufwirbelte. Leichte Erdstöße waren in dieser Inselgegend keine Seltenheit und unter Wasser war man am sichersten, wenn Poseidon die Erde beben ließ. Außerdem hatte sie gerade einen ungewöhnlichen blauen Schwamm entdeckt, der knapp außerhalb ihrer Reichweite in einer Spalte saß.

Aura lächelte und stellte sich das Entzücken ihrer Mutter vor, wenn sie ihn nach Hause brachte. Dann geschah etwas Fürchterliches. Als sie ihr Messer unter den kostbaren Fund zu schieben versuchte, klaffte der Meeresboden auseinander wie eine riesige Muschel, saugte sie nach unten, wirbelte sie in einem mächtigen Strom von Luftblasen herum und schloss sich wieder – um ihren Knöchel.

Der Schmerz war so unerwartet und scharf, dass sie Wasser schluckte. Und was für einen Schwall! Voller Panik drehte sie ihren Fuß in alle Richtungen, bis er blutete, aber er saß fest. Das Meer, das ruhig gewesen war, als sie tauchen ging, trübte sich nun durch fallendes Gestein. Große Blöcke, bedeckt mit federfeinen Anemonen, stürzten die Unterwasserklippen rings um sie her hinab.

Sie zwängte ihr Messer in den Spalt und hebelte mit aller Kraft, um ihren Fuß freizubekommen. Noch mehr Blut färbte das Wasser dunkel, als der Fels ihren Knöchel wund scheuerte, aber sie steckte weiter fest. Sie fasste nach einem Gesteinsvorsprung über ihrem Kopf und zog. Es half nichts. Ihre Lungen drohten zu platzen. Da Aura zur Hälfte von den Telchinen abstammte – uralten Meeresbewohnern –, konnte sie länger die Luft anhalten als ein menschlicher Taucher. Aber wenn sie nicht aus dieser Spalte herauskam, musste auch sie sterben.

Großer Poseidon, betete sie. *Hilf mir!*

Instinktiv fasste sie nach dem Schwamm. Er leuchtete von innen her und fühlte sich ungewöhnlich warm an, aber sie hatte keine Zeit, sich darüber zu wundern. Als die Luft aus ihren Lungen entwich, erschienen schwarze Löcher vor ihren Augen und etwas sehr Merkwürdiges geschah. Durch die Löcher sah sie ... *die Dächer einer Stadt ... einen Hafen ... winzige Menschen flüchten ... Häuser einstürzen ... die Erde von unten her auf sich zurasen ...* So plötzlich, wie die Vision gekommen war, verschwand sie wieder und ihr Kopf füllte sich mit lauter Regenbogen. Sie waren schön und schmerzhaft und mit nichts zu vergleichen, das Aura bisher erlebt hatte.

Wäre sie nicht so verzweifelt gewesen, hätte sie vielleicht noch mehr Angst gehabt. Aber sie war dem Ertrinken nahe, daher fragte sie sich nicht, warum ihr der Gott geantwortet hatte, obwohl er das doch noch nie getan hatte. *Ich bin Aura von der Insel Alimia, Tochter des Leonidus von Rhodos und der Telchinin Lindia!*, sagte sie zu Poseidon. *Ich bin unter Wasser gefangen. Mein Fuß ist eingeklemmt! Bitte öffne die Felsen, damit ich zu meiner Mutter zurückkehren kann. Sie braucht mich.*

Die Regenbogen verblassten. Poseidon sprach nicht mehr zu ihr. Er war jetzt wirklich zornig, öffnete Schluchten im Meeresboden und spuckte tote Fische aus den Eingeweiden der Erde.

Aura hatte keine Zeit mehr zum Beten. Wenn ihr der Gott des Meeres nicht half, musste sie sich eben selbst helfen. Sie steckte den Schwamm in ihren Sack und nahm das Messer entschlossen in die Faust. Es war ihre dicke Schicht Telchinenfett, die sie gefangen hielt. Sie setzte die Klinge oberhalb ihres Knöchels an, biss die Zähne zusammen und schnitt das Fleisch sorgfältig vom Knochen. Für kurze Zeit wurde ihr schwarz vor den Augen und das Messer entglitt ihrer Hand und kreiselte in die Tiefe. Doch sie konnte ihren Fuß in einer Wolke von Blut aus der Spalte zerren und war frei.

Entkräftet schwamm sie Richtung Oberfläche. Aus ihrem Mund und aus ihrer Nase kamen schon eine Weile keine Luftblasen mehr. Sie merkte, dass sie Wasser in den Lungen hatte, schwer und kalt. *Eigentlich müsste ich tot sein*, dachte sie. Aber jetzt, da sie nicht mehr versuchte, die Luft anzuhalten, war der Schmerz in ihren Lungen verschwunden. Sie schwamm wie im Traum, nur mit einem Bein paddelnd, und zog den verletzten Fuß hinter sich her, während das Licht über ihr langsam heller wurde.

Dann tauchte ihr Kopf aus dem Wasser auf. Sie schnappte gierig nach Luft und ihre Lungen brannten wieder wie Feuer, sie hustete und hustete, bis sie dachte, sie müsse sich übergeben. Als ihr Herzschlag sich auf das normale Tempo beschleunigte, floss zugleich mehr Blut aus ihrem Knöchel. Das traumartige Gefühl verschwand.

Wellen türmten sich rings um sie auf, mit schäumenden Kronen. Weiter weg erblickte sie einen Hafen mit Booten, die an den Felsen zerschellt waren. Das Erdbeben musste schlimmer gewesen sein, als sie gedacht hatte. Vor ihr lag Chalki, die größte Insel vor der Küste von Rhodos. Sie war weit abgetrieben von der Stelle, an der sie zu tauchen begonnen hatte. Aura hielt ängstlich nach ihrer Heimatinsel Ausschau, konnte aber das kleine Alimia in der wogenden See nicht sehen. Um jetzt noch dorthin zu schwimmen, war sie ohnehin zu schwach.

Bleib weg von Chalki! Die Warnung ihrer Mutter hallte wie ein Echo durch ihren Kopf. Die Menschen, die dort lebten, würden über ihre dicken Schenkel, die Schwimmhäute zwischen ihren Zehen und die Narben an ihren Fingern spotten. Sie würden sie eine Meeresdämonin nennen und sie verletzen, weil sie nicht begreifen würden. Aber es blieb ihr nichts anderes übrig.

Wenn ihre Mutter keine Hilfe bekam, musste sie sterben.

TEIL 1

DIE MENSCHENWELT

Dir, o Helios,
errichteten die Menschen von Rhodos
diesen Koloss aus Erz,
hoch in den Himmel ragend,
als sie die Wogen des Krieges
beschwichtigt und ihre Stadt
prächtig mit Beute geschmückt hatten.

KAPITEL 1

CHALKI

Als Aura den Hafen von Chalki erreichte, war der Schrecken, der sie anfangs vorwärtsgetrieben hatte, schon etwas abgeklungen. Zähneklappernd kletterte sie aus dem Wasser und zog den Sack mit den Schwämmen die geborstenen Stufen hinauf. An Land fühlte sich ihr Körper bleiern und schwerfällig an. Ihre Wunde, die im Wasser erträglich gewesen war, tat jetzt höllisch weh, sodass ihr vor Schmerz übel wurde.

Am Kai von Chalki ging es drunter und drüber. Wohin Aura blickte, sah sie Menschen, die von einstürzenden Gebäuden verletzt worden waren und vor Schmerzen stöhnten oder vor Verzweiflung weinten. Fischer und Schwammtaucher beeilten sich, ihren Fang aus den beschädigten Booten zu bergen. Auf einem Schiff, das die schwere See gegen die Hafenmauer gedrückt hatte, wimmelte es von Seeleuten, die den gebrochenen Mast und die Segel retten wollten, ehe es sank. Alles rannte und schrie. Niemand hatte Augen für Aura.

Alle ihre Instinkte drängten: *Versteck dich!*, aber die Vernunft machte ihr klar, dass sie Hilfe brauchte. Als zwei Priesterinnen in weißen Gewändern mit einer Trage an ihr vorübereilten, fasste sie die nähere am Umhang und sagte: »Bitte, helft mir ...«

»Bleib, wo du bist, Liebes!«, sagte die Ältere, als sie das Blut an Auras Knöchel sah. »Es kommt gleich jemand und hilft dir. Wir haben noch schlimmere Fälle im Ort. Die Hälfte der Häuser ist die Klippen hinabgestürzt. Wir bringen alle Verletzten hinauf in den Tempel, damit die Göttin Athene sie heilen kann.«

»Aber meine Mutter ...«, stieß Aura zwischen ihren klappernden Zähnen hervor.

Mitleid malte sich auf dem Gesicht der Priesterin. »Du bist von den Deinen getrennt worden? Keine Sorge, deine Mutter wird wissen, dass sie dort oben nach dir suchen muss.«

Während sie sprach, erzitterte der Kai unter einem Nachbeben und Wellen schlugen gegen seine gesprungenen Mauern. Eine angstvolle Stille legte sich über den Hafen. Aura brach kalter Schweiß aus. Als sie sich wieder umsah, waren die Priesterinnen verschwunden.

Aura hielt sich an einem der Poller zum Vertäuen von Schiffen fest und zog sich hoch, bis sie stand. Als der Kai sich vor ihr drehte, schloss sie die Augen. Der Sack mit den nassen Schwämmen war schwer und sie nahm ihn erst auf die eine, dann auf die andere Schulter. Mit zusammengebissenen Zähnen humpelte sie auf die einzige Reihe von Booten zu, die das Beben offenbar unbeschadet überstanden hatten.

Zwei Jungen von Chalki standen im letzten Boot

am fernen Ende der Reihe, die Beine gespreizt, um das Gleichgewicht zu halten, und stritten sich. Der ältere, der muskulös und stämmig war und dunkle Locken hatte, wollte offenbar nach Rhodos hinüberrudern und Hilfe holen. Der jüngere sah aus, als hätte er geweint.

Aura erkannte sie. Sie waren Brüder und tauchten manchmal in der Nähe von Alimia nach Schwämmen. Sie hießen Milo und Kimon.

»Bitte, helft mir!«, rief sie von dem geborstenen Kai aus hinüber. »Ich muss nach Alimia zurück. Kann ich euer Boot leihen?«

Die beiden blickten sich überrascht um und sahen ihr tropfnasses silbernes Haar, ihren blutenden Knöchel und die leere Scheide ihres Messers, die an ihrem Schenkel befestigt war.

Der Jüngere, Kimon, machte mit gekreuzten Fingern ein Zeichen in ihre Richtung. »Pass auf – das ist die Meeresdämonin! Geh weg, Telchinin! Du bist an alledem schuld. Unser Dach ist eingestürzt. Vater wurde am Kopf getroffen und Mutter kann ihn nicht wach kriegen.«

Angst durchflutete Aura bei dem Gedanken daran, was vielleicht mit ihrem eigenen Haus geschehen war. »Ich kann doch die Erde nicht beben lassen, du Dummkopf!«, sagte sie. Dann wurde ihr klar, dass der Junge sicher ebenso viel Angst hatte wie sie selbst. In sanfterem Ton sagte sie: »Das war Poseidon – das weißt du doch. Bitte leiht mir euer Boot. Ich bringe es gleich wieder zurück und ... ich kann dafür bezahlen.«

»Lass uns in Ruhe!«, sagte Kimon und spritzte mit seinem Ruder Wasser in ihre Richtung. »Schwimm dorthin zurück, wo du hergekommen bist, und nimm deinen bösen Blick mit. Sonst geht mein Bruder auf dich los.«

»Red keinen Unsinn, Kim«, sagte Milo. »Du siehst doch, dass sie zu schwer verletzt ist, um den weiten Weg schwimmen zu können.«

Sein Blick ruhte auf Auras Sack. »Du hast Schwämme da drinnen, nicht wahr?«

Aura nickte verhalten.

»Ist was Ordentliches dabei?«

Sie kämpfte eine neue Welle von Übelkeit nieder. »Vielleicht.«

Der ältere Junge lächelte und winkte sie her. »Zeig mal.«

Aura blickte zweifelnd auf die schaukelnden Boote. Sie dachte daran, wie leicht ihr Körper sie im Stich ließ, sobald sie außerhalb des Wassers war, selbst ohne einen verletzten Knöchel.

»Nein, Milo!«, sagte Kimon, als er begriff, was sein Bruder im Sinn hatte. »Lass sie nicht unser Boot betreten! Sie bringt es bestimmt zum Sinken!«

»Sei nicht so dumm, Kim. Das wird sie auf keinen Fall tun, wenn sie es braucht, um nach Hause zu kommen.« Milo verschränkte die Arme und starrte Aura herausfordernd an. »Nun, Telchinen-Mädchen? Willst du unser Boot leihen oder nicht?«

Aura dachte an den wunderschönen blauen Schwamm in ihrem Sack. Sie dachte daran, dass er ihre Mutter für mehrere Tage ernähren würde. Dann dachte sie an die eingestürzten Häuser von Chalki und daran, was auf Alimia in ihrer Abwesenheit passiert sein konnte.

Sie biss sich auf die Lippen und trat vorsichtig in das erste Boot. Milos dunkle Augen folgten ihr. Es war nicht leicht, ihren verletzten Fuß hoch genug zu heben, aber sie schaffte es. Dann musste sie ihr Gewicht auf den Fuß verlagern, den Schmerz verbeißen ... und war im zweiten Boot, auch wenn es heftig schwankte und sie mit den Armen rudern musste, um das Gleichgewicht zu halten. Kimon ging in die Hocke und hielt sich mit einem beunruhigten Blick an den Seitenwänden des Bootes fest. Aber Milo stand mit der mühelosen Balance des Inselbewohners da und beobachtete jeden ihrer Schritte mit einem Funkeln in den Augen.

Die Sonne, die glitzernd vom Wasser gespiegelt wurde, war gleißend hell. Aura konzentrierte sich nur auf die Boote. Als sie den Fuß über das letzte hob, wich Kimon hastig vor ihr zurück und die ganze Reihe schlug gegeneinander. Die Rufe der Menschen am Kai verhallten. Auras verletzter Fuß rutschte, schlüpfrig vom Blut, zwischen die Ränder der beiden letzten Boote. Sie schrie auf, als sie ihren Knöchel einklemmten.

Milo rief etwas, das wie eine Warnung klang. Aber es war, als hätte Poseidon die Erde erneut beben lassen. Das Boot bäumte sich vor Aura auf und Meer und Himmel wurden eins.

Sie fiel seitwärts. Kimon machte einen Satz weg von ihr. Milo sprang auf sie zu, zweifellos, um sie ins Wasser zu stoßen, damit er sie auslachen konnte. Sie packte ihn am Arm und brachte ihn aus dem Gleichgewicht. Am Ende landeten alle drei im Wasser, spuckend und fluchend. Die Jungen strampelten heftig, um ihre Köpfe über Wasser zu halten, während Aura wie ein Fisch hineinglitt. Am liebsten hätte sie über die vertauschten Rollen gelacht, aber sie hatte keine Kraft mehr dazu.

Noch ehe sie Zeit hatte, sich darüber zu freuen, dass sie wieder im Wasser war, wo ihr Gewicht kein Hindernis war, griff jemand nach ihrem Sack. Sie wehrte sich, aber sie verheddderte sich in der Schnur. Sie schluckte Wasser und hustete. Ihre Ohren dröhnten und Regenbogen leuchteten in ihrem Kopf auf.

Einen schrecklichen Augenblick lang dachte sie, Poseidon wolle wieder zu ihr sprechen. Dann riss etwas und Dunkelheit hüllte sie ein.

Aura hatte einen wunderbaren Traum. Sie war wieder bei ihren Eltern auf Alimia, damals, ehe ihr Vater weggegangen war. Das war eine glückliche Zeit, als sie noch klein war und nicht wusste, dass Schwimmhäute zwischen den Fingern und Zehen nicht normal waren. Ihre Mutter hatte auch welche. Ihr Vater nicht, daher war er der Sonderling. Im Traum kniete sie im warmen Sand und sah zu, wie er ihre Mutter mit frischen Schwämmen fütterte, die er gerade gefunden hatte – braune, rote und gelbe. Die leeren Augenhöhlen der Telchinin wandten sich Aura zu und sie lächelte. »Aura, probier mal«, sagte sie. »Schwämme sind gut für Telchinen. Machen uns stark.« Aber Aura konnte das zähe Fleisch der Meeresgeschöpfe nicht kauen, die halb Pflanze, halb Tier schienen. Sie stöhnte und leckte sich die trockenen Lippen. Ein knochiger Arm stützte ihren Kopf. Flüssigkeit rann gluckernd in ihren Mund und sie schluckte dankbar.

»Ich bin zu menschlich, nicht wahr?«, flüsterte sie. »Tut mir leid, Mutter ...«

»Ruhig, Liebes«, sagte eine Stimme, die sie kannte, ohne zu wissen, woher. »Es ist alles in Ordnung. Es hat dich böse erwischt, aber jetzt bist du in Sicherheit. Der Schwammjunge hat dich hergebracht. Hat dich selber die Felsstufen hochgetragen. Einen guten Freund hast du da, würde ich sagen.«

Einen Freund? Aura hatte keine Freunde.

Sie öffnete die Augen und sah Marmorsäulen Himmel und Meer einrahmen. Sonnenlicht kam von Osten her und fiel schräg über Matten, auf denen Verletzte mit Verbänden und vielerlei Wunden lagen. Sie setzte sich mühsam auf. »Was ist geschehen? Wo bin ich?«

»Im Tempel der Göttin Athene, Liebes. Ich bin die Priesterin Themis. Wir haben dich unten am Hafen gesehen, erinnerst du dich? Ich habe dir gesagt, du solltest bleiben, wo du bist. Du musst ausgerutscht und ins Wasser gefallen sein.«

Ins Wasser gefallen, ja. Langsam kam die Erinnerung wieder. Milo und Kimon, die Reihe der Boote, ihr Schwammsack ... Sie blickte sich um. Noch immer hatte sie die alte Tunika an, die sie zum Tauchen trug und die peinlich eng an ihrem massigen Körper anlag. Die Scheide ihres Messers und der Sack waren verschwunden.

»Wo sind meine Sachen?«, fragte sie ängstlich.

Die alte Priesterin drückte sie sanft wieder auf ihre Matte zurück. »Ganz ruhig, Liebes. Dein Messer muss herausgefallen sein, aber die Scheide ist zusammen mit deinem Schwammsack gut und sicher im Innenhof aufgehoben. Alles war klatschnass, als der Junge dich zu uns brachte. Wir haben es zum Trocknen in die Sonne gelegt.«

Aura setzte sich wieder auf. »Nein, die Schwämme dürfen nicht trocken werden! Ich will sie wiederhaben! Jetzt gleich! Ich muss nach Hause. Meine Mutter ist allein auf Alimia. Sie ist auf mich angewiesen, weil Vater nicht da ist.«

Die Priesterin warf ihr von der Seite her einen seltsamen Blick zu. »Der Schwammjunge hat gesagt, du würdest alleine dort draußen leben.«

»Nein, ich … meine Mutter ist eine Telchinin. Sie verbirgt sich vor den Menschen.«

»Eine Telchinin? Bist du sicher, Liebes? Meeresdämonen wurden in der Gegend von Rhodos nicht mehr gesehen, seit die Götter auf Erden weilten, allerdings könnte sie vielleicht einen Anteil Telchinenblut haben – das würde die Schwimmhäute zwischen deinen Zehen erklären.«

Die Priesterin murmelte etwas und setzte den Wasserkrug ab, den sie in der Hand hielt. Sie schob Aura einen Teller mit Brot und Meeresfrüchten hin. »So, jetzt ruh dich erst einmal aus und iss etwas. Ich muss nur eben die Göttin befragen, dann hole ich deine Sachen.«

Aura ließ sich zurücksinken, froh über den Aufschub. Ihr Knöchel war säuberlich verbunden worden, während sie schlief, aber wenn sie den Fuß belastete, tat er wieder weh. Sie aß ein wenig von den Meeresfrüchten, angestarrt von den übrigen Verletzten. Sooft sie jemanden ansah, machte er dasselbe Zeichen, das Kimon drunten im Hafen gemacht hatte, und schützte sein Gesicht gegen ihren »bösen Blick«. Da ignorierte sie die Leute, so gut sie konnte.

Nach einer Weile, die ihr endlos vorkam, kehrte die Priesterin Themis mit ihrer Messerscheide und ihrem Schwammsack zurück. Sobald Aura ihn sah, wusste sie, dass er geöffnet worden war. Er baumelte allzu leicht an seiner Schnur und der Knoten sah anders aus als vorher. Sie entriss der Priesterin den Sack. Drinnen waren drei kleine braune Schwämme, noch nicht ganz tot. Der seltene blaue war weg.

Ihre Finger schlossen sich so krampfhaft um den Sack, wie es ihr das Herz zusammenschnürte. »Milo«, zischte sie.

»Das ist er. Das ist der Schwammjunge, der dich hier heraufgebracht hat.« Die Priesterin lächelte strahlend. »Vorhin ist mir sein Name nicht eingefallen. Ein starker Junge. Hast du ihn beim Tauchen kennengelernt?«

Stark genug, einen Brocken wie mich all diese Stufen hinaufzutragen, meint sie, dachte Aura. Ehe die Priesterin noch weitere Fragen stellen konnte, warf sie die Scheide des Messers in den Sack zu den noch übrigen Schwämmen, band die Schnur wieder zu und stand schwerfällig auf. Sie warf sich den Sack über die Schulter und humpelte zur Tür. Die braunen Schwämme waren besser als nichts.

»Wohin willst du?«, fragte die Priesterin und eilte ihr nach.

»Heim, nach Alimia«, sagte Aura. »Dorthin, wo die Leute nicht stehlen.«

Plötzlich waren vier Priesterinnen zwischen ihr und der Tür – Frauen in weißen, blutbefleckten Gewändern.

»Du musst dich ausruhen«, sagte Themis und fasste

sie fest am Ellbogen. Die anderen nickten und bildeten einen Ring um sie, behutsam, aber entschlossen.

Aura entzog Themis ihren Arm und bekam Herzklopfen. »Lasst mich gehen! Meine Mutter macht sich bestimmt schon Sorgen um mich.« Als die Priesterinnen einander ansahen, fiel ihr wieder ein, was ihr Vater sie über die Umgangsformen der Menschen gelehrt hatte. »Vielen Dank, dass ihr euch um mich gekümmert und meinen Fuß verbunden habt, aber jetzt komme ich gut zurecht. Ihr könnt meine Matte jemand anders geben.«

Themis schüttelte den Kopf und fasste sie wieder am Ellbogen. »Ich fürchte, du musst hierbleiben, Liebes. Ich hatte gehofft, ich müsste dich nicht unnötig ängstigen, aber die Göttin sagt, wir sollten uns um dich kümmern, bis jemand von Rhodos herüberkommt und dich abholt.«

»Ihr könnt mich nicht hierbehalten!«, protestierte Aura und ihr Magen zog sich zusammen. »Ich kenne niemanden auf Rhodos …« Dann erinnerte sie sich, dass ihr Vater von Rhodos stammte. Vielleicht hatte er dort Verwandte, von denen er ihr nichts gesagt hatte. Sorgten sie sich um sie wegen des Erdbebens? Das kam ihr sehr merkwürdig vor. »Ich darf nicht nach Rhodos gehen«, sagte sie.

»Es tut mir leid, aber wir müssen tun, was die Göttin befiehlt. Außerdem braucht dein Knöchel sowieso Ruhe. Eine hässliche Schnittwunde hast du da. Woher hast du sie? Bist du hingefallen, als die Erde bebte?«

Während sie sprachen, drängten sie sie zurück zu ihrer Matte. Eine weitere Priesterin, eine dünne Novizin mit langen, schwarzen Haaren, die aussah, als sei sie in Auras Alter, kam mit einer Flasche angerannt. Themis zog den Stöpsel heraus und versuchte Aura zum Trinken zu bewegen. Die Novizin starrte sie mit großen blauen Augen an. Misstrauisch stieß Aura das Getränk weg. »Ich bin nicht durstig.«

»Es ist nur etwas, das dich gut schlafen lässt«, meinte die alte Priesterin besänftigend. »Wenn du wieder aufwachst, wirst du dich schon viel besser fühlen ...«

»Nein!« Aura schmetterte den Becher auf den Boden, dass alle zurücksprangen, und bahnte sich den Weg zwischen den Frauen hindurch. Sie schaffte es zur Tür hinaus und die Treppe zu einem Hof mit rissiger Erde hinunter, dann stolperte sie, weil ihr Knöchel zu schwach war. Ein Tempelwächter fing sie auf. Er hielt sie sehr fest und bedeckte mit einer Hand ihre Augen, während sie sich wehrte und ihn anschrie, er solle sie loslassen.

Jetzt holten die Priesterinnen sie ein und schoben sie rückwärts gegen den Rand des Brunnens. Wasser spritzte auf Auras Haare. Aber das Wasser reichte nicht, um sich hineinzuretten. Sie saß an Land in der Falle, konnte sich nicht helfen und hatte Schmerzen.

Die Priesterin Themis goss einen anderen Becher mit dem Trank voll und schob ihn ihr zwischen die Lippen, während der Wächter ihr die Nase zuhielt, um sie zum Schlucken zu zwingen. Als sie schluckte, nahm der Wächter die Hand von ihren Augen. Die Novizin sah schweigend zu.

Auras Glieder erschlafften. Der Wächter legte sie sich über die Schulter. Er trug sie die Treppe hinauf und an den Reihen der Verletzten vorbei, zurück zu ihrer Matte. Mit einem Seufzer der Erleichterung setzte er sie dort ab.

»Die Göttin weiß es am besten«, sagte Themis und strich Aura die Haare aus den Augen. »Das ist kein Leben für ein junges Mädchen, dort draußen auf dem kleinen Felsen. Du brauchst keine Angst zu haben. In Rhodos-Stadt wird man sich ordentlich um dich kümmern und Athene wird über dich wachen. Sie hat dort auch einen Tempel. Sie wird jetzt alle beschützen helfen, nachdem der Sonnengott gefallen ist. Schlaf jetzt, Liebes, wehre dich nicht dagegen.«

Da war etwas, woran sich Aura zu erinnern suchte. Einen Augenblick lang war sie wieder unter Wasser, ihr Knöchel saß in der Spalte fest und sie betete zu Poseidon … aber allmählich fiel es ihr schwer, sich zu konzentrieren.

Als der Schlaftrank ihre Gedanken einlullte, hörte sie die Priesterin mit der Novizin flüstern.

»Schau mich nicht so an, Elektra! Athene sagt, es sei zu ihrem Besten. Das arme Mädchen hat Fieberträume. Glaubt, ihre Mutter sei eine Telchinin! Der Junge, Milo, hat gesagt, er wisse nichts von einer Mutter, und ihr Vater ist offenbar schon vor Jahren verschwunden. Sie muss ganz allein dort draußen gelebt haben, das arme Ding. Je früher sie in der Stadt in guten Händen ist, desto besser. Man sagt, vom Schwammtauchen werden am Ende alle verrückt. Habe ich dir von dem alten Mann unten im Dorf erzählt, der behauptet, er könne die Schwämme beim Trocknen schreien hören …?«

Ihre Stimmen entfernten sich. Aura glitt in seltsame, verworrene Träume hinein und kam dann wieder halb zu sich. Der Schlaftrank schwächte sie so, dass sie nicht aufstehen und davonlaufen konnte. Die Priesterinnen beteten mit gedämpfter Stimme und die Verletzten wurden nacheinander in das Allerheiligste getragen, einen kleinen Raum im Herzen des Tempels, wo sie eine Weile dicht vor der Statue der Athene lagen. Als Aura an der Reihe war und zur Göttin gebracht wurde, wurde sie nicht wie die anderen zu ihrer Matte zurückgetragen, sondern in dem kleinen, fensterlosen Raum zurückgelassen. Die Tür des Allerheiligsten schloss sich und Aura hörte einen Riegel fallen.

Ihr war, als fiele ihr eine schwere Last aufs Herz.

Im Laufe der Nacht wurde ihr Kopf ein wenig klarer und sie hörte, dass sich jemand leise im Raum bewegte. Einen Augenblick lang dachte sie, sie sei wieder zu Hause in ihrer Hütte auf Alimia, und lächelte. Dann reizte der Weihrauch sie zum Niesen und alles fiel ihr wieder ein. Sie war im Tempel der Athene Chalkia, wo man ihr einen Trank eingeflößt hatte, damit sie die Schwämme, die sie gefunden hatte, nicht ihrer Mutter nach Hause bringen konnte.

Sie stieß einen Protestschrei aus.

»Pst!«, flüsterte jemand nervös. »Sonst hören uns die Wächter und dann werfen sie mich hinaus. Ich dürfte eigentlich nicht hier sein.«

Mühsam drehte Aura sich um. Sie hob ihre Arme, die sich so schwer wie Tempelsäulen anfühlten, und rieb sich die Augen. Dann richtete sie den Blick auf ein schmales Gesicht, das von dunklem Haar umrahmt wurde, und erkannte die Novizin wieder. Das Mädchen kauerte vor Auras Füßen und befühlte die Schwimmhäute zwischen ihren Zehen. Der verbundene Knöchel fühlte sich steif an, aber das Heilmittel, mit dem die Priesterinnen der Athene ihn behandelt hatten, war offenbar sehr wirksam, denn die Schwellung war weg.

»Was ist?«, fragte Aura mit rauer Stimme, erleichtert, dass ihr Knöchel besser war. »Hast du noch nie den Fuß einer Meeresdämonin gesehen?«

Das Mädchen sah sie unsicher an. »Die Priesterin Themis sagt, du kannst nicht wirklich eine ... ist ja egal. Tun dir die Schwimmhäute weh?«

»Warum sollten sie?« Aura kicherte fast. Sie kämpfte gegen die Benommenheit an und setzte sich auf. »Du bist Elektra, nicht wahr?«

Das Mädchen nickte.

Aura beugte sich vor und fasste sie am Handgelenk. »Ich heiße Aura. Bitte hilf mir, Elektra! Ich muss nach Hause. Meine Mutter ist blind und sie ist darauf angewiesen, dass ich ihr etwas zu essen bringe. Sie muss inzwischen sehr hungrig sein.«

»Eine blinde Telchinin?«, flüsterte Elektra und starrte auf die Narben an Auras Fingern.

»Ja!«

Im Allerheiligsten war es fast dunkel, aber die Glut des Weihrauchs ließ die Statue der Athene erglänzen. Die Göttin hielt in der einen Hand einen Speer und trug einen goldenen Helm über Marmorzöpfen. Um ihren Hals hing ein sanft leuchtender blauer Anhänger, umschlossen von Kupferdraht. Aura wurde wieder schläfrig und dachte, das sei ihr blauer Schwamm.

Sie schüttelte sich, um aufzuwachen.

»Bitte, Elektra! Wenn du mir hilfst, aus dem Tempel hinauszukommen, kann ich nach Alimia zurückschwimmen.«

Elektra schüttelte den Kopf und machte sich los, den Blick noch immer auf Auras Finger gerichtet. »Nein, das kannst du nicht. In dem Trank, den wir dir gegeben haben, war Alraune, und dein Knöchel ist immer noch in einem schlimmen Zustand, obwohl die Göttin Athene ihn schon gebessert hat. Sie scheint die Menschen nicht mehr so wirksam zu heilen wie früher, aber ich denke, das liegt daran, dass sie bei den unzähligen Verletzten nach dem Erdbeben so viel zu tun hat. Außerdem sind Wächter draußen im Hof. Die Priesterin Themis hat ihnen befohlen, auf dich aufzupassen, bis das Schiff aus Rhodos dich holen kommt. Es wird morgen früh hier sein.«

Aura lief es kalt über den Rücken.

»Hat die Göttin wirklich gesagt, ihr solltet mich gefangen halten?«

Elektra errötete. »Also ... die Priesterin Themis hat mit der Göttin über dich gesprochen. Aber ich bin in der Ausbildung zur Orakelpriesterin, also werde ich auch bald mit ihr sprechen können. Wenn ich die richtigen Kräuter verbrenne und den Anhänger der Göttin berühre, kann ich manchmal schon ein paar Worte hören. Aber ich werde noch besser werden! Themis sagt, ich hätte die Gabe und jetzt sei es nur noch eine Frage der Übung.«

In ihrer Stimme lag Stolz. Aura gab den Gedanken an Flucht auf. Bestimmt konnte sie noch nicht einmal stehen. Sie erinnerte sich wieder, wie sie unter Wasser zu Poseidon gebetet hatte. Sie war schon beinahe zu der Überzeugung gelangt, die Vision, die er ihr geschickt hatte, sei gekommen, weil sie fast ertrunken war. Aber diese Priesterinnen schienen zu glauben, die Götter sprächen zu ihnen.

»Was hat die Priesterin Themis gemeint, als sie sagte, der Sonnengott sei gefallen?«, fragte sie.

Elektra begann zu kichern. »Sie hat die Riesenstatue des Sonnengottes Helios drüben in Rhodos-Stadt gemeint! Sie ist gestern beim Erdbeben umgefallen. Alle haben schon immer gesagt, sie würde eines Tages umfallen, weil sie so groß war.« Als Aura sie verwirrt ansah, fügte sie hinzu: »Du weißt doch, der weltberühmte Koloss! Du musst ihn von Alimia aus gesehen haben. An klaren Tagen kann man ihn angeblich sogar von Anatolien aus sehen!«

Aura erinnerte sich an die riesige Bronzestatue, die sie bei Sonnenuntergang an der Nordspitze von Rhodos hatte glänzen sehen, und daran, dass ihr während ihrer Vision die Erde von unten her entgegenzurasen schien. War ihre Vision vielleicht von Helios gekommen statt von Poseidon? Sie hatte noch nicht einmal gewusst, dass die Statue den Sonnengott darstellte. »Ich weiß nicht viel über Rhodos«, gestand sie.

»Wenn du von dem Koloss nichts weißt, dann weißt du *gar nichts*.« Elektra schüttelte den Kopf. »Haben dir deine Eltern nichts von ihm erzählt?«

»Ich glaube nicht, dass meine Mutter jemals auf Rhodos war.«

Elektra sah sie von der Seite her an. »Ist sie wirklich eine Telchinin?«

»Ja, das habe ich dir doch schon gesagt. Warum glaubt mir bloß niemand?«

»Ich glaube dir.« Elektra starrte wieder auf ihre Zehen und sagte dann: »Was ist mit deinen Fingern geschehen?«

»Nichts.« Aura versteckte ihre Hände unter den Achseln, verwirrt von dem plötzlichen Themenwechsel.

»Du hast an den Fingern auch Schwimmhäute gehabt, nicht wahr? Du bist auch eine Telchinin!«

»Ich bin nur zur Hälfte Telchinin«, murmelte Aura. »Mein Vater ist ein Mensch.«

»Warum hat er dir dann nichts von dem Koloss erzählt?«

Aura hatte die Fragen der Novizin allmählich satt. »Wenn du es unbedingt wissen willst: Vor sieben Jahren ist er nach Alexandria gereist, weil er in die Bibliothek dort wollte, und seither habe ich ihn nicht mehr gesehen.«

Elektra sah sie mitleidig an. »Das ist sicher der Grund dafür, dass Athene gesagt hat, wir sollten dich hierbehalten. Allerdings hat Themis gesagt, ihre Anweisungen seien nicht so klar gewesen wie sonst, und manchmal bin ich mir nicht ganz sicher, dass uns die Göttin die allerbesten Ratschläge gibt ...«

Sie schlug die Hand vor den Mund und starrte zu der Statue hinauf, als fürchte sie, die Göttin würde sie auf der Stelle erschlagen. »Oh, das hätte ich nicht sagen dürfen! Bitte sag es nicht der Priesterin Themis. Das mit dem Schlaftrank tut mir leid, aber es blieb mir nichts anderes übrig. Ich habe ihn nicht so stark gemacht, wie ich hätte sollen. Ich hoffte, du würdest so früh wieder aufwachen, dass wir noch miteinander reden können, ehe du weggehst. Ich wusste, dass du die Wahrheit sagst. Ich könnte deiner Mutter eine Nachricht bringen, wenn du willst. Ihr sagen, wohin du gegangen bist und dass du in Sicherheit bist. Ihr vielleicht etwas zu essen bringen.« Unsicher brach sie ab. »Was essen denn Telchinen? Wenn sie Hunger hat, isst sie bestimmt alles. Ich auch! Themis lässt mich jede Woche zwei Tage fasten, denn sie sagt, wir hören die Götter viel besser, wenn wir hungrig sind.«

Kein Wunder war das Mädchen so dünn. Aura betrachtete sie. »Hast du keine Angst, nach Alimia zu gehen?«

»Nein ... na ja, vielleicht ein bisschen. Aber wenn ich Orakelpriesterin werden will, muss ich lernen, mich vor so was wie Meeresdämonen nicht zu fürchten.«

Aura brachte ein Lächeln zustande. »Vielen Dank, Elektra. Allerdings hätte meine Mutter mehr Angst vor dir als du vor ihr. Aber du brauchst dir keine Sorgen zu machen, denn jetzt bin ich ja wieder wach und lasse mich von niemandem nach Rhodos bringen.«

Elektra warf ihr einen zweifelnden Blick zu. »Vielleicht bleibt dir gar nichts anderes übrig. Die Wächter haben Anweisung, dich demjenigen zu übergeben, der mit diesem Schiff kommt, wer immer es ist.«

Wieder lief es Aura kalt den Rücken hinunter. Aber das Schiff musste an Alimia vorbeifahren, wenn es nach Rhodos wollte. Sie konnte einfach über Bord springen. Ihre Mutter hatte Hunger und sie musste sich vielleicht eine Weile verstecken, ehe sie nach Hause gehen konnte.

»Wenn du tatsächlich helfen willst, kannst du ihr die Schwämme bringen, die ich gefunden habe«, sagte sie. »Das ist ihre Nahrung. Sie sind wohl gerade noch frisch genug. Aber sie muss sie bekommen, ehe sie trocken geworden sind.«

Elektra verzog das Gesicht. »Sie isst *Schwämme*?«

»Natürlich. Sie ist eine Telchinin, kein Mensch.«

»Aber sie sind grässlich und schleimig und ...« Die Tür ging auf und Elektra huschte von Auras Lager weg.

Ein Tempelwächter schaute herein und blickte stirnrunzelnd auf Elektra. »Ich dachte doch, ich hätte Stimmen gehört! Was hast du hier drinnen zu suchen? Komm sofort heraus! Und wieso ist das Mädchen aus Alimia wach? Ich habe gemeint, du hättest ihr etwas gegeben, das sie so lange schlafen lässt, bis sie sicher auf dem Weg nach Rhodos ist?«

Elektra duckte sich unter dem Arm des Wächters durch und nahm dabei Auras Schwammsack mit. Sie lächelte den Mann von unten her an. »Ich habe nur nach ihr gesehen. Es geht ihr jetzt gut.«

Der Wächter sah mit gerunzelter Stirn auf Aura hinab, die sich auf ihr Lager zurücksinken ließ und kläglich stöhnte. Mit einem Knurren schloss er die Tür.

»Ist auch egal. Mit diesem Knöchel kommt sie sowieso nicht weit. Wenn sie wach ist, muss ich sie wenigstens nicht zum Hafen hinuntertragen. Ich hab mir fast die Schulter ausgerenkt, um sie hier reinzukriegen.«

Ein anderer Wächter draußen lachte leise vor sich hin, und Aura stieg das Blut in die Wangen. Aber sie reagierte nicht. Sollten sie nur glauben, sie sei hilflos und schwach. Dann würden sie sie vielleicht nicht so streng bewachen, wenn sie sie hinausführten.

Das Lachen verhallte und Aura blieb allein im Allerheiligsten zurück. Jetzt konnte sie alles überdenken, was geschehen war. Aber ihr Kopf war noch so benommen von den Nachwirkungen des Trankes, dass sie nicht viel begriff.

Poseidon ließ die Erde beben, dachte sie. Und der Sonnengott Helios ist umgefallen.

Vielleicht ist das Ende der Welt gekommen.

KAPITEL 2

DIE ÜBERFAHRT

Bis zum Morgen hatte Aura beschlossen, demjenigen, der mit dem Schiff kam, die Wahrheit über ihre Mutter zu sagen, wer immer es sein mochte. Sollte er ihr ebenso wenig glauben wie die Priesterin Themis, würde sie ihn dazu überreden, sie nach Alimia zu bringen, und ihm ihre Mutter zeigen – obwohl sie das möglichst vermeiden wollte, denn Fremde würden die Telchinin nur erschrecken.

Mit diesem Entschluss gewappnet, stand sie wackelig im Hof des Tempels neben dem Brunnen, von einem Wächter am Arm festgehalten, während ein Mann mit einem purpurgesäumten Gewand die geborstenen Stufen vom Hafen heraufstieg. Als er näher kam, sah sie, dass in seinem Haar und seinem Bart schon silberne Strähnen waren und dass er graue Augen hatte.

Etwas außer Atem von seinem Aufstieg blickte der Mann sie von oben herab an, als sei sie ein Schwamm, der ihm missfiel. Mit einem knappen Befehl gebot er den beiden Soldaten, die ihm gefolgt waren, Aura zum Hafen hinabzuführen und sie an Bord des Schiffes sicher unterzubringen. Aura hatte keine Möglichkeit, ihm irgendetwas zu sagen. Sie glaubte nicht, dass er ihren verbundenen Knöchel bemerkt hatte, geschweige denn die Schwimmhäute an ihren Zehen. Aber als die Soldaten sie wegführten, sah sie, wie er die Finger seiner rechten Hand spreizte und ihr mit zusammengekniffenen Augen nachblickte. Er blieb zurück und sprach so laut mit der Priesterin Themis, dass seine Stimme im Hof widerhallte. Er befahl, am Kai Ordnung zu schaffen, den Tempel instand zu setzen, die Stufen zu reparieren, die Schutzstatue von Chalki wieder herzurichten …

Aura konzentrierte sich darauf, ihre Füße sorgfältig auf die Stufen zu setzen. Unter den Nachwirkungen des Trankes zitterten ihr die Beine und sie war froh, die beiden Soldaten neben sich zu haben, die verhinderten, dass sie fiel. Sie stützte sich dankbar auf sie und versuchte nicht zu fliehen. Die Soldaten ihrerseits schienen erleichtert, dass sie sich vernünftig benahm. Der eine lächelte sie an, sodass sich die Haut um seine Augen in Fältchen legte. »Der Chef kommt bald runter«, sagte er. »Wir sind im Handumdrehen auf Rhodos und dann kannst du etwas essen und dich gemütlich ausruhen.«

»Wer ist er?«, fragte sie.

Der Soldat zog die Augenbrauen hoch. »Weißt du das nicht? Du warst wohl noch nie in Rhodos-Stadt, was? Du kannst von Glück reden, denn der Mann, der dort oben mit eurer Priesterin redet, ist kein anderer als Ratsherr Iamus persönlich.«

Als sie ihn verständnislos ansah, fügte er hinzu:

»Ratsherr Iamus ist Besitzer der Schule für Redekunst. Er ist sehr reich und wichtig. Auf Rhodos und den anderen Inseln geschieht nicht viel, ohne dass er davon weiß.«

Das klang ziemlich beängstigend, aber Aura fragte mit ruhiger Stimme: »Und warum will er mich haben?«

Die Soldaten blickten sich über ihren Kopf hinweg an. »Also, soviel ich gehört habe, steckt ein Gesuch aus dem Helios-Tempel dahinter«, sagte der erste Mann mit einem Husten. »Er weiht uns nicht in die Einzelheiten ein. Wir arbeiten nur für ihn.« Aber ihre Hände fassten Auras Ellbogen ein wenig fester. Aura senkte den Kopf und hinkte etwas stärker, bis sie wieder lockerer ließen.

»Ratsherr Iamus ist ein redlicher Mann, also brauchst du dir keine Sorgen zu machen«, fügte derjenige hinzu, der sie angelächelt hatte. »In Acht nehmen musst du dich vor dem alten Priester …« Sein Kamerad warf ihm einen warnenden Blick zu und er räusperte sich und fuhr fort: »Wir sind mitten in einer Krise hier herübergefahren, um dich zu holen, also muss es irgendeinen wichtigen Grund haben. Auf Rhodos drüben sind die Schäden viel schlimmer als hier. Alles in allem habt ihr Glück gehabt.« Er betrachtete die Felswände von Chalki, die Spuren der Steinlawinen vom Vortag trugen, und zog eine Grimasse.

Glück gehabt? Wenn ihr der beste Schwamm gestohlen worden war und sie wie eine Sklavin einem wildfremden Ratsherrn ausgeliefert wurde?

Sie waren am Fuß der Treppe angekommen. Die

Soldaten mussten sich den Weg durch die Menge bahnen, die sich am Kai versammelt hatte. Sie hielten Aura ganz fest, als fürchteten sie, jemand könnte versuchen, sie zu befreien. Offenkundig hatte ihnen niemand gesagt, wie unwahrscheinlich das war. Aura bekam heiße Wangen, als ein paar von den Leuten abergläubische Zeichen machten. Einige murmelten, sie hätte ihnen Unglück gebracht und müsste getötet werden, wie die Meeresdämonen in den alten Erzählungen, aber sie schwiegen, sobald die Soldaten an ihnen vorübergingen.

Das Schiff hatte ein leuchtend rotes Segel, in dessen Mitte die goldene Sonne des Helios prangte. An Deck drängten sich bereits Menschen und Tiere. Viele Inselbewohner hatten ihr einziges Transportmittel verloren und mussten dringend nach Rhodos hinüber, um nach Verwandten zu sehen, wichtige Vorräte einzukaufen, Arbeitskräfte anzuwerben und Material für die Reparatur ihrer Häuser aufzutreiben. Außerdem wollten sie Neuigkeiten über das größte Erdbeben austauschen, das die Inseln seit Jahrhunderten heimgesucht hatte. Einige der Verletzten aus dem Tempel, die zur Behandlung nach Rhodos gebracht werden sollten, lagen stöhnend auf ihren Tragen.

Die Soldaten machten dicht neben dem Mast einen Platz für Aura frei. Einer der beiden sagte, sie solle sich setzen, während ihr der andere die Hand fest auf den gesunden Knöchel legte. Noch ehe sie begriff, was er vorhatte, schloss er eine eiserne Fessel um ihr Fußgelenk.

»Was macht ihr denn da?«, rief Aura und rutschte weg, so weit sie konnte. Eine Kette verband die Fußfessel mit dem unteren Ende des Mastes und ihr Rasseln fuhr Aura in den Magen. »Nehmt mir das Ding ab!«

Ihre Stimme trug. Eine plötzliche Stille entstand an Deck und Köpfe drehten sich in ihre Richtung.

»Jetzt mach kein Theater«, sagte der freundliche Soldat mit einem Lächeln. »Das ist nur, damit du nicht ins Wasser fällst.«

Ein paar von den anderen Passagieren lachten nervös. Dann zischte eine Stimme: »Es ist die Telchinin! Sie wird uns mit dem bösen Blick ansehen, und wir werden untergehen!«

Wieder fuhr es Aura in den Magen. Kimon und sein Bruder kauerten in der Nähe des Bugs und hüteten einen prall gefüllten Sack. Schwämme, darauf machte sie jede Wette.

»Ihr gemeinen kleinen Diebe!«, schrie sie und vergaß in ihrem Zorn die Kette. »Ihr habt meinen Schwamm gestohlen!«

Die Soldaten runzelten die Stirn. »Wir sind keine Diebe.«

»Nicht ihr ... diese Jungen da!« Aura versuchte aufzustehen, aber die Fessel brachte sie aus dem Gleichgewicht. Sie plumpste wieder zurück und tat sich am Rücken weh. Tränen stiegen ihr in die Augen. »Warum?«, stieß sie hervor. »Warum tut ihr mir das an?«

Die Soldaten sahen sich an. »Meinst du, die Kette ist wirklich nötig?«, murmelte der eine, der sie angelächelt hatte. »Wohin soll sie denn fliehen?«

»Sie ist doch Schwammtaucherin, oder? Willst du ihr vielleicht nachtauchen, wenn sie über die Reling springt? Du hast gehört, was der Ratsherr gesagt hat. Wir sollen sie an Bord sicher unterbringen. Oberpriester Xenophon wird mächtig Stunk machen, wenn sie uns entkommt. Lieber auf Nummer sicher gehen ... pass auf, der Chef kommt.«

Iamus sprang an Bord und die Soldaten nahmen eine stramme Haltung an. Der Ratsherr blickte auf Auras angeketteten Fuß und nickte, ohne eine Miene zu verziehen. Er kam nicht so nah heran, dass sie ihm von ihrer Mutter erzählen konnte, und sie wollte nicht vor aller Ohren über das ganze Schiff schreien, was sie zu sagen hatte. Er warf einen Blick auf das volle Deck, stieg auf den Steuerstand am Heck und begann mit kraftvoller Stimme:

»Hört mir zu, Chalkier! Wir segeln nach Rhodos-Stadt. Das Erdbeben hat große Schäden angerichtet, deshalb möchte ich euch in aller Klarheit sagen, dass ihr auf eigenes Risiko hinüberfahrt. Ich kann euch nicht versprechen, dass ihr drüben ein Dach über dem Kopf oder etwas Essbares findet, um euren Hunger zu stillen. Auch nicht, dass ihr all die Dinge eintauschen könnt, die ihr braucht. Möglicherweise müsst ihr bei öffentlichen Bauvorhaben Hand anlegen, ehe ihr wieder nach Hause dürft. Wir haben folgende Prioritäten: Erstens: Wiederherrichtung der Häfen und öffentlichen Gebäude. Zweitens: Wiederaufbau der Tempel und Statuen. Drittens: Hilfeleistungen für unsere Schwesterstädte Lindos und Kamiros und Erneuerung unserer Handelsbeziehungen. Das letzte und wichtigste Vorhaben ist die Wiederaufstellung des Kolosses, damit die Welt sieht, dass Rhodos noch immer über Land und Meer triumphiert!«

Die Leute klatschten verhalten Beifall. Dieser Iamus wusste jedenfalls, wie man sich Gehör verschafft. Aura dachte, seinem Aussehen nach sei er etwa so alt wie ihr Vater damals, als er wegging. Es gab ihr einen Stich, als sie unvermittelt den Verlust wieder fühlte. Alexandria lag weit weg jenseits des Meeres. Es war eine große Stadt, wie er ihr gesagt hatte – sogar größer als Rhodos –, in die Menschen aus aller Welt reisten, um zu studieren, zu handeln und Sehenswürdigkeiten zu besichtigen. In den sieben Jahren, die er jetzt schon fort war, konnte ihm alles Mögliche zugestoßen sein.

Als sich die Segel blähten und das Schiff von Chalki ablegte, kehrte die Sorge um ihre Mutter wieder zurück. Die kleine Insel Alimia lag zu ihrer Linken, zum Greifen nahe und doch unerreichbar für sie. Aura zog frustriert an der Kette, die sie an den Mast fesselte, und starrte ans Ufer, bis ihre Augen schmerzten. Sie wollte so gerne die Hütte sehen, die Leonidus für sie gebaut hatte, obwohl sie genau wusste, dass sie vom Strand aus nicht zu sehen war. Dann sah sie doch etwas – ein Boot, das auf den Sand hinaufgezogen war. Das beruhigte sie ein wenig. Wenigstens war es Elektra gelungen, ihre noch übrigen Schwämme hinüberzubringen. Die Telchinin brauchte nicht zu verhungern.

»Ich komme zurück, sobald ich kann, Mutter«, flüsterte sie und das türkisblaue Meer verschwamm, als ihr Tränen in die Augen traten. »Ich verspreche es.«

Die Überfahrt zum Hafen von Kamiros an der Westküste von Rhodos dauerte von Chalki aus nur einen

Morgen, wenn man kräftig ruderte, aber die Fahrt um die Nordspitze herum zu den Häfen von Rhodos-Stadt auf der geschützteren Ostseite der Insel dauerte länger. Lang genug, dass die Passagiere sich in Ruhe niederließen und Geschichten über das Erdbeben austauschten, lang genug, dass die Tiere aufhörten zu blöken und zu schnattern, und lang genug, dass Milo und sein Bruder sich zum Mast hinüberwagten, an dem Aura saß, die Arme um ihre hochgezogenen Knie geschlungen.

Sie wandte das Gesicht von ihnen ab, damit sie nicht sahen, dass sie geweint hatte. »Lasst mich in Ruhe.«

Kimon sagte ärgerlich: »Du könntest wenigstens Danke sagen! Es war harte Arbeit, dich aus dem Hafen zu fischen, dass du's nur weißt. Und dann musste mein Bruder dich Fettkloß noch die ganzen Stufen bis zum Tempel hinauftragen!«

»Ihr habt euch ja euren Lohn dafür genommen«, sagte Aura bitter, ohne sie anzusehen. »Der Schwamm war für meine Mutter.«

Eine kurze Stille entstand. Kimon flüsterte etwas und Milo fragte: »Was für ein Schwamm?«

»Ach, tu doch nicht so, als wüsstest du das nicht«, fauchte Aura den Jungen zornig an. »Der große blaue, den du aus meinem Sack genommen hast, ehe du mich den Priesterinnen übergeben hast!«

Milos dunkle Augen wurden schmal. »Ich habe nichts aus deinem Sack genommen. Kim hat ihn hochgetragen ...« Er wandte sich seinem Bruder zu. »Kimon? Weißt du etwas von dem Schwamm, den Aura vermisst?«

Der Jüngere schüttelte den Kopf. Aura funkelte ihn an und schließlich murmelte er: »Ich glaube, ein blauer Schwamm ist im Hafen herausgefallen. Ich konnte nicht danach tauchen, weil wir zu sehr damit beschäftigt waren, dich zu retten.«

»Siehst du?«, sagte Milo. »Wir haben ihn nicht gestohlen.«

Jetzt funkelte Aura Milo an. »Dann lasst mich in euren Sack schauen.«

Er zuckte die Achseln. »Wenn du willst. Kim?«

Kimon zerrte den Schwammsack über das Deck und öffnete ihn, um ihr zu zeigen, was sie gefunden hatten. Es war eine schleimige Masse in Braun und Rot, mit ein paar kleinen Tupfen Gelb dazwischen. Ihr blauer Schwamm war natürlich nicht dabei. Sie packte den Jüngeren am Handgelenk, beinahe sicher, dass er ihn irgendwo versteckt hatte, aber er entwand sich ihr mit Leichtigkeit. Der Trank hatte ihr ihre Stärke geraubt.

Milo beobachtete sie mit dem gleichen herausfordernden Blick, mit dem er ihr beim Überqueren der Boote zugeschaut hatte. »Zufrieden, Telchinin?«, fragte er.

Aura blinzelte, damit ihr nicht wieder die Tränen kamen. »Warum habt ihr euch die Mühe gemacht, mich aus dem Hafen zu fischen? Habt ihr auch eine Botschaft der Göttin Athene bekommen?«

Der Junge sah sie merkwürdig an. »Ehrenkodex der Schwammtaucher. Du bist ohnmächtig geworden. Du hättest ertrinken können.«

Aura schluckte die Worte hinunter, die ihr schon auf der Zunge lagen. Schwammtaucher waren zwar erbitterte Konkurrenten, wenn es um ihren Fang ging, aber sie halfen stets anderen Tauchern, wenn sie in Not gerieten. Sie war noch nie in Not gewesen, daher war ihr das neu. Bei dem Gedanken, dass Milo ihr trotz ihres Telchinenblutes geholfen hatte, wurde ihr warm ums Herz.

»Du hättest mich nicht den ganzen Weg bis zum Tempel hinaufzutragen brauchen«, sagte sie etwas sanfter. »Du hättest mich unten am Hafen lassen können, dort hätten mich sicher die Priesterinnen mit ihrer Trage geholt.«

»Ich habe keine Angst vor dir, Telchinen-Mädchen.«

Sie runzelte die Stirn.

Milo zuckte die Achseln. »Du bist meinetwegen ins Wasser gefallen. Jetzt sind wir quitt. Also brauchst du auch nicht deinen bösen Blick auf uns zu richten, oder?«

Aura seufzte und das warme Gefühl in ihr erlosch.

»Ich habe auch keine Angst vor dir«, warf Kimon ein. »Jetzt nicht mehr, denn jetzt bist du die Gefangene des Ratsherrn Iamus.«

»Ich bin nicht seine Gefangene!« Wieder fuhr es Aura in den Magen.

Milo brachte seinen Bruder zum Schweigen und blickte zu den Soldaten hinüber, die im Heck mit dem Ratsherrn sprachen. »Warum haben sie dich gefangen genommen?«, fragte er.

»Ich weiß nicht.« Schon war sie wieder den Tränen nahe. Was war heute nur los mit ihr? Sie weinte doch sonst nicht so viel.

»Du musst doch *irgendwas* angestellt haben. Alle

sagen, das Schiff sei nur deinetwegen nach Chalki herübergekommen.«

»Anscheinend hat die Göttin Athene der Priesterin Themis gesagt, sie solle mich nach Rhodos schicken.«

Milos verächtliche Miene zeigte deutlich, was er davon hielt. »Ist es vielleicht wegen deines Vaters?«

Aura warf ihm einen scharfen Blick zu. »Du weißt etwas über meinen Vater? Sag es mir!«

Die dunklen Augen des Jungen mieden die ihren. »Es gibt Gerüchte ... Ich habe die Seeleute reden hören, ehe die Soldaten dich heruntergebracht haben. Sie sagen, als der Sonnengott umstürzte, hätte Oberpriester Xenophon allen erzählt, daran sei der Liebhaber der Meeresdämonin schuld, und dieser Verräter müsse gefunden werden. Zwei Priester kamen ums Leben, und in der Nacht gab es irgendwelchen Ärger rund um die zerbrochene Statue. Am Morgen stach das Schiff in See.« Er sah sie von der Seite her an. »Du sagst, deine Mutter sei eine Telchinin. Wie viele Leute kennst du, die eine Meeresdämonin lieben?«

Aura wurde flau im Magen. Iamus stand auf dem Steuerstand, das Gesicht von den Haaren umweht, die grauen Augen auf die näher kommende Küste gerichtet. Er hatte gesehen, dass sie miteinander sprachen, aber es schien ihn nicht zu kümmern.

»Das muss ein Irrtum sein«, flüsterte sie. »Vater ist kein Verräter. Er hat noch nie etwas Böses getan.«

»Bist du ganz sicher?«, fragte Milo mit gleichfalls gesenkter Stimme. »Er ist schon eine ganze Weile weg, nicht wahr? Meine Leute sagen, als er zum ersten Mal nach Chalki kam, hätte er sich sehr seltsam verhalten. Er hätte versucht, in den Tempel der

Athene einzubrechen, und als die Wächter ihn verjagten, sei er nach Alimia hinübergeschwommen. Er kam nicht wieder und alle dachten, er wäre ertrunken. Aber Jahre später kam er wieder nach Chalki und begann Tauschhandel zu treiben. Er sammelte blaue Schwämme. Er bezahlte ein Vermögen für die richtige Farbe, aber er verkaufte niemals einen davon an die rhodischen Händler weiter, soweit ich weiß. Dann bist du mit deinen Schwimmhäuten an den Füßen aufgetaucht ...« Er blickte kurz auf ihre vernarbten Finger. »Ich schätze, wenn jemand sich verstecken wollte, wäre eine verlassene Insel wie Alimia ein guter Rückzugsort.«

»Mein Vater ist kein Verräter!«, sagte Aura heftig, wieder mit Tränen in den Augen. Aber etwas, das er gesagt hatte, ließ sie stocken. Blaue Schwämme ... etwa solche, wie sie während des Erdbebens einen gefunden hatte, ehe sie ihre Vision bekam? »Milo, hast du der Priesterin Themis erzählt, dass mein Vater versucht hat, in den Tempel einzubrechen?«

»Natürlich nicht. Warum sollte ich?« Milo berührte eine der Narben, die auf der Innenseite ihrer Finger entlangliefen. Die Berührung war zart und ein Schauer rieselte ihren Arm hinauf. Der Junge lächelte, als wisse er, welche Wirkung er ausgelöst hatte. Kimon verdrehte die Augen und zerrte den Schwammsack zurück zum Bug, wo er ihn zusammenrollte und als Kissen benutzte.

Aura zog ihre Hand weg und steckte sie unter die Achsel. »Warum fahrt ihr nach Rhodos?«

»Um einen Arzt zu überreden, dass er mitkommt und nach Vater sieht, da Athene die Menschen nicht mehr richtig heilt.« Der Junge blickte zurück nach Chalki und seine Augen wurden dunkel. »Die Priesterinnen glauben, dass er einen Halswirbel gebrochen hat, und sagen, dass man ihn nicht bewegen dürfe, deshalb konnten wir ihn nicht mitnehmen. Wir wollten nach Kamiros hinüberrudern und von dort aus zu Fuß gehen, aber dieses Schiff fährt direkt in die Stadt. Es ist viel schneller. Wir müssen uns beeilen, denn die Priesterinnen sagen, wenn Vater erwacht und versucht, sich zu bewegen, ehe der Arzt bei ihm ist, kann er vielleicht nie mehr gehen.«

»Das tut mir leid«, sagte Aura. Wenigstens war ihr Vater wohlbehalten in Alexandria. Hoffte sie. »Ich habe das Erdbeben nicht verursacht.«

»Das weiß ich!« Milo schenkte ihr ein so breites Lächeln, dass seine Zähne sichtbar wurden. »Oder hast du etwa geglaubt, Iamus hätte dich *deswegen* festgenommen? Hör mal, ich muss gehen. Der Ratsherr beobachtet uns. Wenn wir anlegen, will ich sehen, ob ich dir helfen kann.«

Aura biss sich auf die Lippen und berührte den Jungen am Arm. »Ich bin froh, dass du mich aus dem Hafen gefischt hast«, sagte sie. »Vielen Dank.«

Sie sah ihm nach, als er sich den Weg über das Deck suchte und sich zu seinem Bruder setzte, dann schloss sie die Augen. War es möglich, dass ihr Vater etwas Schreckliches getan hatte, von dem sie nichts wusste? Hatte er deshalb so ungern über seine Vergangenheit gesprochen und ihr verboten, nach Rhodos zu gehen? Und was war mit den blauen Schwämmen? Warum hatte er sie nie erwähnt? Er hatte sie sicher gesammelt, um ihre Mutter damit zu füttern, aber sie konnte sich nicht daran erinnern, dass sie besonders viele blaue gegessen hätte ...

»Hafen voraus!«, rief einer der Seeleute, worauf die Männer der Besatzung eilig ihre Posten einnahmen.

Angst kroch Aura in den Bauch, schwer wie ein Stein. Sie zwang sich, die näher rückende Stadt zu betrachten. Auf dem Akropolis-Hügel hinter der Stadt ragten blendend weiße Tempel in den Himmel. Unterhalb davon erstreckten sich mehr Häuser, als sie je in ihrem Leben gesehen hatte, in säuberlichen Quadraten über die ganze Nordspitze der Insel verteilt. Eine zweite Akropolis erhob sich nahe am innersten der fünf Häfen von Rhodos, gekrönt von einem riesigen Tempel, der in Rot und Gold erglänzte. Schiffe und Boote jeglicher Größe bildeten in den geschützten Becken eine schwimmende Stadt, und Menschen und Tiere drängten sich derart dicht in den Straßen und an den Kais, dass unmöglich noch mehr hineinpassen konnten. Rufe und Geschrei hallten wirr durcheinander über das Wasser.

Der Schweiß brach Aura aus, als sie sich vorstellte, wie die Rhodier sie anstarren und mit Fingern auf die Unterschiede zwischen ihr und den anderen zeigen würden. Aber dann erkannte sie, dass die Menschen, die sie sah, völlig davon in Anspruch genommen waren, sich durch die Trümmer zu arbeiten, und dem ankommenden Schiff keinerlei Beachtung schenkten. Vielen der riesigen Statuen, die die Hafeneinfahrten bewachten, fehlten die Arme oder der Kopf. Manche lagen in Stücken an den Molen entlang und die bronzenen Gliedmaßen, die ins Meer gefallen waren, glänzten noch unter Wasser. An Land waren die meisten der stattlichen öffentlichen Gebäude Ruinen. Schutt füllte die Straßen, in denen Sklaventrupps, beaufsichtigt von Soldaten, große Brocken Stein und Marmor auf Karren wuchteten, um sie wegzubringen. Auf allem lag eine Staubschicht, selbst auf den Bäumen, und die roten Dächer waren mit einem Grauschleier überzogen.

Als das Schiff anlegte, hielt Aura nach dem umgestürzten Sonnengott Ausschau, entdeckte ihn aber nicht. Etwas enttäuscht drehte sie sich um und wollte Milo fragen, ob er wusste, wo der berühmte Koloss gestanden hatte, aber sie sah die Brüder gerade noch mit ihrem Schwammsack an Land springen und den Kai entlangrennen. Sie drehten sich nicht ein einziges Mal um.

Unglücklich schlang sie die Arme um ihren Körper. So viel also zum Schwammtaucherkodex!

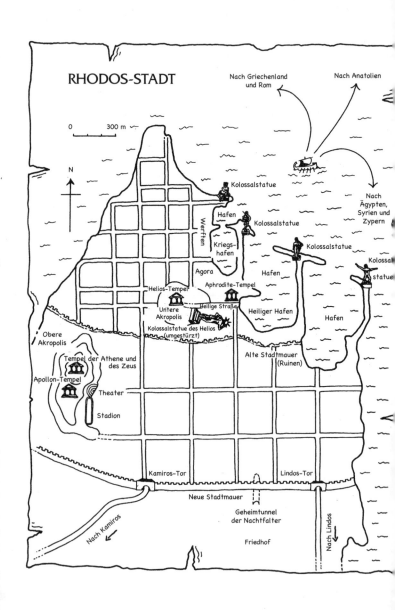

RHODOS-STADT

0   300 m

N

Nach Griechenland
und Rom

Nach Anatolien

Nach
Ägypten,
Syrien und
Zypern

Kolossalstatue

Kolossalstatue

Kolossalstatue

Kolossal
statue

Werften

Hafen

Kriegs-
hafen

Agora

Hafen

Helios-Tempel

Aphrodite-Tempel

Untere
Akropolis

Heilige Straße

Heiliger Hafen

Hafen

Kolossalstatue des Helios
(umgestürzt)

Obere
Akropolis

Alte Stadtmauer
(Ruinen)

Tempel der Athene und
des Zeus

Apollon-Tempel

Theater

Stadion

Kamiros-Tor

Lindos-Tor

Neue Stadtmauer

Nach Kamiros

Geheimtunnel
der Nachtfalter

Friedhof

Nach Lindos

KAPITEL 3

DER SONNENGOTT

Die Chalkier waren zuerst verstummt, als sie das Ausmaß der Zerstörung wahrnahmen, nun aber suchten sie aufgeregt redend ihre Tiere und ihre Bündel zusammen. Das Deck leerte sich rasch. Ein paar Leute warfen verstohlene Blicke auf Aura, als sie über sie hinwegstiegen, aber die meisten schienen sie vergessen zu haben. Ratsherr Iamus schritt in Richtung Marktplatz davon. Schließlich waren nur noch die Soldaten übrig.

Auras Furcht wuchs wieder, als sie sich dem Mast näherten. »Wohin bringt ihr mich?«, flüsterte sie. »Ich habe nichts Unrechtes getan!« Als sie die Kette von ihrem Knöchel lösten, schwabbelten ihre Schenkel. Ausnahmsweise war ihr das nicht einmal peinlich. Sie hatte zu viel Angst.

Die Soldaten schüttelten den Kopf. »Das arme Mädchen zittert wie ein Opfertier! Ich dachte, die Priesterinnen auf Chalki sollten ihr etwas zur Beruhigung geben?«

»Wirkt wohl nicht mehr«, brummte der andere.

»Es passiert dir nichts«, sagte er zu Aura. »Siehst du den großen Tempel auf dem Hügel oben? Dorthin gehen wir. Früher war das die Akropolis, ehe sich die Stadt nach Süden ausgedehnt hat. Es kommen Leute aus aller Welt, um sich unseren Koloss anzuschauen. Schade, dass du nicht schon vor dem Erdbeben einmal hergekommen bist, aber selbst jetzt, wo er auf der Erde liegt, ist er noch sehenswert. Denk nur, du wirst all deinen Freunden davon erzählen können, wenn du nach Chalki zurückkehrst!«

»Ich wohne auf Alimia«, erinnerte Aura die beiden. Sie hatte viel zu viel Angst, um sich dafür zu interessieren, ob sie die berühmte Statue des Sonnengottes sah oder nicht. »Und ich habe auch keine Freunde.«

Wieder sahen sich die Soldaten an. »Ach, komm!«, sagte der Freundliche. »Natürlich hast du welche. Jedes Mädchen in deinem Alter hat Freunde.«

Sie dachte an Milo und Kimon. »Ich nicht.«

Sie gingen über eine Planke vom Schiff ans Ufer. Aura biss sich auf die Lippen, als ihr verbundener Knöchel seitlich anstieß. Aber wenigstens war jetzt ihr Kopf klarer. Sie achtete genau auf den Weg, den die Soldaten sie führten, und merkte sich alle Einzelheiten für den Fall, dass sie eine Chance zur Flucht bekam. Die Kette hatten sie auf dem Schiff zurückgelassen.

Die Straße zum Tempel des Helios hinauf war von Bäumen und Blumentrögen gesäumt, die fast unter roten Blüten verschwanden. Vor dem Erdbeben hatte das bestimmt wunderbar ausgesehen, dachte Aura. Aber jetzt waren einige Tröge zerbrochen, Bäume entwurzelt, das Marmorpflaster gesprungen und holprig. Sie hinkte stark und stolperte absichtlich oft.

Als sie weiter hinaufkamen, säumten immer mehr Menschen den Straßenrand. Ihre Begleiter lächelten wissend. Die meisten standen entlang der Südseite der Straße und blickten zur alten Stadtmauer hinüber, die die neueren Häuser mit ihren Parks und Gärten von den dicht bebauten Straßen der ursprünglichen Stadt trennte. Im Tal lagen riesige Bruchstücke aus Stein und Bronze, die mehrere Häuser zerstört hatten. Sie erstreckten sich von einem Gebilde aus, das wie ein gezackter bronzener Baumstumpf auf der Kuppe des Hügels aussah, den ganzen Weg bis zur Mauer hinüber. Aura brauchte einen Augenblick, bis ihr klar wurde, was sie da sah. Obwohl sie die anderen großen Statuen am Hafen gesehen hatte, starrte sie unwillkürlich hin.

Die Soldaten erlaubten ihr, stehen zu bleiben, damit sie in Ruhe schauen konnte. »Das ist unsere berühmte Riesenstatue von Helios, umgestürzt wie alle anderen!«, sagte der eine. »Zeigt uns, dass wir am Ende alle dasselbe Schicksal haben, Götter wie Sterbliche.«

»Ich habe schon immer gesagt, Chares hat sie zu groß gemacht«, sagte der andere. »Es war nur eine Frage der Zeit, wann sie umfallen würde. Kein Wunder hat er sich umgebracht. Lieber durch die eigene Hand sterben, als sich der Wut von Oberpriester Xenophon stellen!«

Aura blickte erstaunt auf den gefallenen Sonnengott. Die riesige Statue war an den Knien abgebrochen und noch einmal geborsten, als sie auf der Erde aufschlug. Das gezackte Stück auf der Kuppe des Hügels in der Nähe des Tempels waren die gewaltigen bronzenen Füße und Unterschenkel von Helios, die noch auf ihrem Sockel standen. Der Kopf des Sonnengottes lag, umgeben von seinem goldenen Strahlenkranz, am Fuß der Stadtmauer. Immer wieder kletterten Kinder hinauf, um das glatte Metall hinunterzurutschen, sehr zum Ärger einiger Männer in roten Tuniken, die versuchten, sie wegzujagen. Aus den Speeren in ihren Händen schloss Aura, dass sie wohl Tempelwächter waren. Der Körper des Helios war in fünf glänzende Stücke zerbrochen, und jeder Teil war mit Schutt und kreuz und quer stehenden Eisenstangen gefüllt. Erwachsene spähten ebenso neugierig hinein wie Kinder, schwangen sich über die Stangen und kletterten über die mächtigen Steinbrocken. Die Wächter waren viel zu wenige, um sie daran hindern zu können.

»Die Leute sind doch wirklich dumm«, murmelte einer von Auras Begleitern. »Schau sie dir an dort unten! Sie werden die Ersten sein, die ein großes Geschrei machen, wenn ihnen der Schutt auf den Kopf fällt. Sieht so aus, als hätte der alte Xenophon den Versuch aufgegeben, sie fernzuhalten.«

»Wahrscheinlich hat er Wichtigeres zu tun. Zum Beispiel wird er erklären müssen, warum die Götter die Gebete der Menschen nicht mehr erhören. Die Leute geben nicht so viel Gold, wenn die Götter nicht antworten.«

Sie kicherten und kehrten zu ihrer Debatte darüber zurück, warum Chares überhaupt eine so große Statue erbaut hatte. Aura stahl sich davon. Beide Männer waren mit ihrer Aufmerksamkeit bei der umgestürzten Statue. Sie gingen offenbar davon aus, dass sie hier stehen und schauen wollte, wie alle anderen.

Sie holte tief Luft, tauchte in der Menge unter und begann den Hügel wieder hinunterzustolpern. Die Soldaten stießen einen Schrei aus und stürzten ihr nach. Aura schob Menschen aus dem Weg und nutzte ihre Fülle dazu, sich den Weg zu bahnen. Einen Augenblick lang sah sie durch eine Lücke in der Menge den Hafen unter sich schimmern und dachte, sie würde es schaffen. Dann stolperte sie über die hochstehende Kante eines geborstenen Pflastersteins und fiel der Länge nach hin. Ihr Knöchel verdrehte sich schmerzhaft.

Danach versuchten ihre Begleiter nicht mehr, sie aufzumuntern. Sie zerrten sie wieder hoch, fassten sie an den Ellbogen und marschierten mit ihr an der Menge vorbei in den Tempel des Helios. Ein paar Fremde starrten ihnen nach, aber sie interessierten sich zu sehr für den gefallenen Koloss, um viel Notiz von einem übergewichtigen Mädchen mit einem Verband um den Knöchel zu nehmen, das von zwei Männern der Stadtwache in den Tempel geschleppt wurde.

Auras Augen hatten kaum Zeit, sich an das Halbdunkel zu gewöhnen, da humpelte ein alter Priester, der in steife, juwelenbesetzte Gewänder in Rot und Gold gehüllt war, aus dem Dunkel herbei und sah ihr scheel ins Gesicht. Seine Haut war runzlig und gelb, als käme er nicht viel an die Sonne, und sein Bart war weiß. Einen Augenblick lang schien er argwöhnisch.

Dann kicherte er vor sich hin. Seine knotigen Finger umklammerten einen Stock, den er offenbar zum Gehen brauchte, mit dem er aber jetzt Aura in den Bauch stieß.

»Ganz nett fettes Ding, was? Genau wie ihre Mutter, wenn diese Priesterin die Wahrheit gesagt hat.«

»Nein«, sagte Aura schnell und empfand sofort eine Abneigung gegen den grässlichen alten Mann. »Hat sie nicht. Ich bin nicht …«

»Du hältst den Mund! Ich bin Oberpriester Xenophon. Du sprichst mich mit ›Eure Heiligkeit‹ an und nur dann, wenn ich dir die Erlaubnis zum Reden gebe.« Wieder stieß er sie mit dem Stock. Die Augenbrauen des Priesters, weiß und struppig wie sein Bart, zogen sich zusammen. Er äugte auf ihre Füße hinunter. »Du bist also von Alimia, was? Und es stimmt, dass du Schwimmhäute an den Füßen hast – allerdings nicht die Fähigkeiten deiner Mutter, wie es aussieht.« Wieder kicherte er vor sich hin. »Wer hätte gedacht, dass Leonidus es fertigbringt, mit der Meeresdämonin ein Kind zu haben? All die Jahre hat er dich und die Telchinin auf dieser Insel versteckt, und ich hatte keine Ahnung davon! Aber Helios sieht alles. Niemand kann sich vor dem Sonnengott verbergen, und er hat dich mir gerade zur rechten Zeit in die Hände gespielt.« Er rammte ihr die Spitze seines Stocks unters Kinn. »Wo ist dein Vater, Mädchen?«

Aura biss die Zähne zusammen, entschlossen, ihm nichts zu sagen.

Xenophon zog wieder die Brauen zusammen. Seine dünnen Lippen arbeiteten, als würde er etwas kauen, das ihm nicht schmeckte, und er blickte finster auf die Soldaten. »Wo ist Iamus? Warum ist er nicht mit euch hergekommen?«

Auras Begleiter sahen sich an. »Ich glaube, er hat gesagt, er wolle zu den Fischern gehen, Eure Heiligkeit, und nachsehen, ob sie etwas gefunden haben ...«

Xenophon schlug mit dem Stock gegen eine Säule, dass Aura zusammenfuhr. »Ich habe ihm schon gesagt, dass das reine Zeitverschwendung ist! Jeder Dummkopf sieht doch, dass der Sonnengott ins Tal gefallen ist! Wie um Helios willen soll dann das Geschenk auf dem Meeresgrund zu finden sein? Es ist doch sonnenklar, dass der Verräter es gestohlen hat. Wahrscheinlich hat er von vornherein seine Meeresdämonen-Liebste dazu angestiftet, das Erdbeben zu verursachen, damit der Koloss umfällt.«

Wieder tauschten die Soldaten einen raschen Blick. »Ja, aber man muss auch an die anderen Statuen denken, Eure Heiligkeit ...«

»Blödsinn! Als würde das eine Rolle spielen, wenn wir das Geschenk des Helios verloren haben! Die Welt geht schon jetzt aus den Fugen. Die Götter geben keine vernünftigen Ratschläge mehr, und sie heilen die Menschen nicht mehr wie früher. Wenn jemand an dem Geschenk herumpfuscht, verlieren wir seine Macht vielleicht ganz. Später wird noch reichlich Zeit sein, nach den übrigen Stücken zu suchen. Geht zum Hafen und sagt Iamus, ich brauche ihn sofort hier oben ... nein, wartet, ihr bringt besser zuerst das Mädchen ins Allerheiligste. Meine Tempelwächter sind damit beschäftigt, diese Idioten von Fremden vom Koloss fernzuhalten, und ich will nicht, dass sie auf die Idee kommt davonzulaufen, während ihr weg seid.«

Aura versuchte noch, sich einen Reim auf diese Worte zu machen, da nahmen die Soldaten sie schon an den Ellbogen und führten sie dem Oberpriester des Helios nach. Sie gingen durch eine schwere Bronzetür in einen fensterlosen Raum, der dem glich, in dem sie auf Chalki eingesperrt gewesen war, nur war er prächtiger geschmückt. Alle sichtbaren Flächen waren mit Gold, Elfenbein oder Edelsteinen eingelegt. Mitten im Raum stand eine lebensgroße Statue des Sonnengottes in einem Wagen, der von vier geflügelten Marmorpferden gezogen wurde. Um seinen Hals hing ein blauer Anhänger, der große Ähnlichkeit mit dem der Athene auf Chalki hatte und auch mit ihrem verlorenen blauen Schwamm … Weihrauch erfüllte den Raum und durch seine Schwaden hindurch schimmerte der Anhänger, als heiße er sie willkommen. Aura wurde es ganz schwindlig.

Als ihr Kopf wieder klar wurde, betrachtete Xenophon nachdenklich ihren verbundenen Knöchel. »Nehmt den Verband ab«, befahl er den Soldaten. »Ich will den Schaden sehen.«

Die Soldaten führten Aura an den Rand des Sockels und sagten, sie solle sich setzen. Sie biss sich auf die Lippen, als sich einer von ihnen hinkniete und den Verband von ihrem Knöchel abwickelte, wobei er den Schorf abriss. Der alte Priester schob den Soldaten mit seinem Stock zur Seite und beäugte die Wunde. »Hmm! Nicht so schlimm, wie man mich glauben machen wollte. Die Heilkraft der Athene Chalkia wirkt offenbar besser, als die Priesterin sagt. Das Mädchen hat euch hereingelegt mit seinem Hinken. Eine Messerwunde, würde ich sagen.« Er spähte zu Aura hinauf und seine kleinen Äuglein waren plötzlich hell. »Wie ist es passiert?«

Sie schob das Kinn vor. »Das geht Euch nichts an.«

Xenophon bekam schmale Augen. Er drückte einen gelben Fingernagel in die zarte, empfindliche Haut. Aura presste die Lippen zusammen, entschlossen, ihn nicht merken zu lassen, wie weh er ihr tat. Wieder sah er ihr ins Gesicht und hieß sie aufstehen. Sie dachte, das sei eine Probe, und belastete – da es keinen Sinn machte, sich noch länger zu verstellen – bewusst den verletzten Fuß, um ihm zu zeigen, dass sie nicht schwach war.

Er kicherte über ihren Trotz. »Dachte ich mir doch.« Er hob ihr Handgelenk hoch und hielt ihre Hand an die nächste Lampe. »Schwimmhäute an den Füßen, aber nicht an den Händen. Aber Narben. Wie kommt das? Hat dir jemand die Schwimmhäute weggeschnitten? Das muss sehr wehgetan haben.« Seine Augen funkelten, als gefiele ihm der Gedanke an ihre Schmerzen.

Aura sah ihn böse an. »Ich habe es selbst getan, wenn Ihr es unbedingt wissen müsst.«

Zum ersten Mal sah ihr der Oberpriester in die Augen. Sie wusste, dass sie ihn überrascht hatte. Vielleicht erkannte er jetzt, dass er sie nicht einschüchtern konnte.

»So ...« Er atmete durch und ließ ihre Hand fallen. »Du hast einen starken Willen. Aber die Erfahrung hat mich gelehrt, dass jeder eine Schwachstelle hat, an der er zu brechen ist, sogar Meeres-dämonen.«

Er winkte die Soldaten beiseite. Noch ehe sie begriff, was er vorhatte, holte er aus und schmetterte seinen Stock gegen ihren erst halb verheilten Knöchel.

Aura fiel auf die Knie und hörte jemanden wimmern. Der Marmorboden schwankte unter ihr wie das Deck des Schiffes von Ratsherr Iamus, und ihr wurde übel vor Schreck und Schmerz. Xenophon trat angewidert zurück.

Einer der Soldaten half ihr aufstehen, ohne ein Wort, aber sein Gesicht zeigte deutlich seine Missbilligung. Er führte sie zurück zu dem Sockel, damit sie den verletzten Fuß entlasten konnte. In dem Weihrauch drehten sich der Anhänger des Helios und die goldenen Hufe der Pferde um sie. Ihr Knöchel blutete wieder. Er tat ihr mehr weh als in dem Augenblick, in dem sie sich den Schnitt zugefügt hatte. Verletzungen schmerzten sie an Land immer viel mehr als unter Wasser.

Sie hob den Blick und sah den Priester lächeln. Sein Gesicht wurde dabei so schrumplig wie eine Rosine. »Das dürfte verhindern, dass du wegläufst, ehe ich mit dir fertig bin«, sagte er und verzog die Lippen. »Und du kannst aufhören, mich so anzustarren. Ich glaube nicht, dass du den bösen Blick der Telchinen hast. Wenn du dieselben Kräfte hättest wie deine Mutter, hättest du sie inzwischen genutzt. Was glaubst du, warum ich Iamus losgeschickt habe, um dich zu holen?«

»Ihr habt kein Recht, mich so zu behandeln!«, stieß

Aura zwischen den Zähnen hervor. »Ich werde mich beschweren, bei … bei …« Bei wem beschwerten sich die Bewohner von Rhodos? Sie hatte sich noch nie um solche Dinge kümmern müssen, da sie auf Alimia lebte.

Er zog eine Augenbraue hoch, belustigt über ihren Widerstand. »Willst du dich vielleicht beim Rat beklagen? Glaubst du wirklich, die Ratsmitglieder werden für dich und gegen mich Partei ergreifen? Ich fürchte, du wirst feststellen, dass ich durchaus das Recht habe, dich festzuhalten und dich genau so zu behandeln, wie es mir gefällt. Du bist die Tochter eines bekannten Verräters, der mehrmals dabei ertappt wurde, wie er Götterstatuen entweiht hat. Und jetzt hat er es gewagt, sich an der Riesenstatue des Helios zu vergreifen, die ich errichten ließ, um das Volk von Rhodos zu schützen und zu behüten.«

Er wartete ab, bis sich die Wirkung seiner Worte auf ihrem Gesicht malte. »O ja, ich war es, der die Vision hatte, den Koloss errichten zu lassen, den du auf dem Weg hierherauf gesehen hast! Chares mag ihn erbaut haben, aber Chares war nur ein gewöhnlicher Bildhauer. Ohne mich wäre sein Name nichts. Ich will, dass du dir das merkst, Aura von Alimia. Ich bin der wirklich Mächtige auf Rhodos und nicht Iamus und seine Ratsherren. Wenn du mir Widerstand leistest, kann ich dir das Leben sehr ungemütlich machen. Bist du mir jedoch behilflich, lasse ich dich vielleicht für immer glücklich und in Frieden auf deiner kleinen Insel leben, zusammen mit deiner armen, blinden Mutter. Ich dachte, sie sei schon vor Jahren gestorben. Ich hätte es besser wissen müssen.«

Aura erstarrte. »Lasst meine Mutter in Ruhe«, flüsterte sie.

Xenophon lächelte. »Damit Leonidus sie irgendwo anders hinschaffen kann, wo sie weiter die Zauberkünste der Meeresdämonen ausübt? Ich halte es für das Beste, euch beide in sicherem Gewahrsam zu halten, bis wir ihn finden, meinst du nicht auch?«

Aura sprang auf, ohne an ihren Knöchel zu denken. Ein Schmerzensschrei entfuhr ihr, als sie um den Sockel in Richtung Tür taumelte. Die Soldaten schnitten ihr mit Bedauern, aber entschieden den Weg ab.

»Bitte«, flüsterte sie und alle Kraft wich aus ihrem Körper. »Ich tue alles, was Ihr wollt ... alles. Nur fügt meiner Mutter kein Leid zu. Bitte.«

Xenophon lächelte kalt. »Du hast also doch eine Schwachstelle. Ich gebe zu, dass ich langsam begonnen hatte, daran zu zweifeln. Gut, ich denke, jetzt werde ich allein mit ihr fertig.«

Er winkte die Soldaten hinaus und schloss ihnen, als sie noch zurückblickten, die Tür vor der Nase. Das Allerheiligste verwandelte sich in ein juwelengeschmücktes Grab. Aura sank auf den Sockel.

Der alte Priester kam gemächlich an seinem Stock zurückgehumpelt und setzte sich neben sie. »Also«, sagte er im Plauderton und raffte seine Gewänder hoch. »Fangen wir noch einmal von vorn an. Wo versteckt sich dein Vater? Und was hat er mit dem Geschenk des Helios vor?«

Die Befragung dauerte und dauerte. Aura sagte dem Oberpriester so viel sie konnte, vor lauter Angst, er würde ihrer Mutter Schmerzen zufügen, wenn sie log. Sie sagte ihm, ihr Vater sei vor sieben Jahren auf Reisen gegangen, um mehr über die Telchinen herauszufinden, damit er seiner blinden Frau helfen konnte, zu ihrem Volk zurückzukehren. Allerdings achtete sie darauf, weder Alexandria noch die Bibliothek dort zu erwähnen. Sie sagte ihm, sie wisse nichts über die Vergangenheit ihres Vaters, bis auf die Tatsache, dass er auf Rhodos geboren war, was auch stimmte. Sie sagte ihm, sie hätte noch nie etwas von einem Geschenk des Helios gehört, was ebenfalls stimmte. Sie behielt die Geschichte, die Milo ihr über die blauen Schwämme erzählt hatte, für sich, obwohl ihr allmählich der Verdacht kam, sie könnten mehr mit der Sache zu tun haben, als sie geglaubt hatte. Sie erklärte, dass sie nach Schwämmen tauchte, damit ihre Mutter nicht verhungerte, da sie aufgrund ihrer Blindheit nicht mehr selbst danach suchen konnte. »Sie kann nichts anderes essen«, endete sie. »Ihr dürft nicht versuchen, sie dazu zu zwingen, sonst wird sie krank.«

Xenophon zog eine Grimasse, stand mühsam auf und humpelte im Allerheiligsten auf und ab. »Du behauptest also, du weißt nicht, was dein Vater im Schilde führt, und du hast ihn sieben Jahre nicht gesehen? Aber sobald der Koloss umstürzte, wartete jemand drunten im Tal darauf, Helios' Geschenk zu stehlen. Ein erstaunlicher Zufall, findest du nicht?«

Als sie nicht antwortete, sah er sie nachdenklich an. »Du isst wahrscheinlich menschliche Nahrung, Aura. Hast du Hunger?«

Aura schloss die Augen. »Nein«, log sie.

Er sah sie enttäuscht und finster an. »Aber bald. Ich

kann dir Essen hereinschicken lassen oder ich kann befehlen, dass du nichts bekommst. Es liegt ganz bei dir. Vielleicht bist du bereit, Hunger zu leiden, aber deine Mutter wird sehr bald hier sein. Bist du auch bereit, zuzusehen, wie sie Hunger leidet?«

»Ihr braucht meine Mutter nicht hierherzuholen! Ich habe Euch schon gesagt, dass ich alles tue, was Ihr wollt.«

»Außer die Wahrheit sagen, wie mir scheint!«, fauchte Xenophon. Er schlug mit seinem Stock neben ihrem Bein gegen den Sockel, dass sie hochfuhr. »Aber keine Sorge. Wenn Leonidus wirklich ein Mann ist, kommt er hierher zurückgeeilt, sobald er erfährt, dass ich seine Frau und seine Tochter habe. Dann kann ich tun, was ich schon vor Jahren hätte tun sollen, und ihn seinem Dummkopf von Vater in den Hades nachschicken.«

Es dauerte einen Moment, bis es ankam. Aura rappelte sich hoch und stürzte sich ungeschickt auf den alten Mann. »Nein! Ihr meint doch wohl nicht, Ihr wollt ihn töten!«

Xenophon setzte ihr seinen Stock auf die Brust und stieß sie wieder auf den Sockel nieder. »Du hast mir gerade gesagt, du wüsstest sehr wenig über deinen Vater, Aura. Entweder ist das eine Lüge, und in diesem Fall weißt du, warum ich ihn töten muss, oder es ist die Wahrheit, und in diesem Fall kannst du mir glauben, wenn ich dir sage, dass es in der Vergangenheit deines Vaters dunkle Geheimnisse gibt, von denen du nichts weißt. Jetzt habe ich genug Zeit mit dir verschwendet. Ich muss mit Iamus reden. Du kannst hierbleiben und dem Sonnengott Gesellschaft leisten, vielleicht bist du etwas entgegenkommender, wenn ich zurückkehre. Solange ich weg bin, verbindest du deinen Knöchel besser wieder. Du machst überall Blutflecken auf meinen Boden.«

Er humpelte zur Tür und schlug sie hinter sich zu. Zu spät fand Aura die Kraft, ihm nachzulaufen. Sie warf sich gegen die Tür und hörte gerade noch den Riegel auf der anderen Seite herabfallen. Sie legte ein Ohr an die Tür, aber die Bronze war dick. Von außerhalb des Allerheiligsten kam kein Laut. Schaudernd erkannte sie, dass dann auch draußen von ihr nichts zu hören war. Es hatte nicht viel Sinn, um Hilfe zu rufen.

Sie schloss die Augen. Tränen wallten in ihr auf und diesmal versuchte sie nicht, sie zurückzuhalten.

Ein Weihrauchgefäß nach dem anderen und eine Lampe nach der anderen erlosch. Es wurde kalt im Allerheiligsten. Aura hob den schmutzigen Verband auf, setzte sich mit dem Rücken an den Sockel gelehnt auf den Boden und wickelte den Stoff, so gut sie konnte, um ihren Knöchel. Dann nahm sie eine der noch glimmenden Lampen, ging langsam an den Wänden des Allerheiligsten entlang und untersuchte, ob es noch andere Ausgänge gab. Sie fand keinen, und die Reichtümer, die rund um Helios' Schrein aufgehäuft waren, schienen ihrer zu spotten – sie konnte weder Gold noch Edelsteine essen. Sie hatte großen Durst und ungeachtet dessen, was sie dem Priester gesagt hatte, auch Hunger. Sie schlug gegen die Tür und rief, bis sie heiser war. Niemand kam.

Da fiel ihr wieder ein, wie der Anhänger des Gottes geleuchtet hatte, als sie hereingekommen war, und sie nutzte das letzte Flackern der Lampe, um ihn genauer zu betrachten. Aus der Nähe sah er ein bisschen wie ein eingetrockneter Schwamm aus, nur heller in der Farbe. Sie dachte an den blauen Schwamm, den sie während des Erdbebens gefunden hatte, als sie ihre Vision gehabt hatte. Versuchsweise steckte sie ihre Finger zwischen den Drähten durch. »Helios?«, flüsterte sie. »Ich bin im Tempel gefangen. Bitte hilf mir!« Aber abgesehen von einem leichten Kribbeln in ihrem verletzten Knöchel tat sich nichts. Sie schüttelte den Kopf und kam sich dumm vor.

Schließlich siegte die Müdigkeit. Sie kletterte in den goldenen Wagen, fand einen bestickten Mantel, der als Weihegabe gestiftet worden war, und rollte sich zu Füßen des Sonnengottes zusammen. Sie versuchte, nicht darüber nachzudenken, was Oberpriester Xenophon ihrer Mutter antun könnte, und schlief am Ende bibbernd ein.

Sie war nicht sicher, was sie aufweckte. Die letzte Lampe war ausgegangen, aber ein unheimlicher bläulicher Schimmer erhellte das Allerheiligste. Er schien von einer Stelle über ihrem Kopf auszugehen. Sie blickte hoch und sah den Anhänger des Sonnengottes leuchten wie einen Stern.

Aura atmete tief ein und aus. Sie gab acht, dass sie nicht mit dem Knöchel anstieß, stellte sich auf die Zehenspitzen und berührte den leuchtenden Anhänger wieder. Regenbogen flimmerten ihr durch den Kopf und sie hörte Worte, so deutlich, als wenn jemand direkt hinter ihr stünde. »Bitte sprich zu mir, Göttin! Ich weiß nicht, was ich tun soll.«

Überrascht zog Aura die Hand zurück und blickte suchend ins Dunkel. »Wer ist da?«, fragte sie.

Ihre Ohren brausten, als drücke ihr Wasser aufs Trommelfell.

Sie lachte über sich selbst, weil sie ihrer Phantasie erlaubte, mit ihr durchzugehen, und erinnerte sich dann, dass Elektra gesagt hatte, sie höre die Stimme der Göttin, wenn sie Athenes Anhänger berührte. Sie begann die Wahrheit zu ahnen und berührte wieder den Anhänger des Sonnengottes.

»Wer bist du?«, fragte sie vorsichtig.

»Göttin Athene?«, kam es flüsternd zurück, diesmal noch eindringlicher. »Ich bin's, deine Novizin Elektra! Es tut mir leid, dass ich nicht lauter sprechen kann, aber ich muss leise sein, sonst schickt mich die Priesterin Themis hinaus. Ich darf eigentlich nicht hier drinnen sein.« Die Worte waren verzerrt, aber Aura erkannte die Sprecherin.

»Elektra?«, hauchte sie. »Bist du es wirklich? Wo bist du?«

»Ich bin hier, Göttin. Direkt vor dir.«

»Wo ist ›hier‹?«

»In deinem Heiligtum, Göttin.«

»Nein, ich meine, in welchem Tempel? Auf welcher Insel?«

»In deinem Tempel natürlich!«, kam mit einem nervösen Kichern zurück. »Im Tempel der Athene Chalkia … auf Chalki!«

Auras Atem ging schneller. Sie hatte recht gehabt! Sie schloss ihre vernarbten Finger um den Anhänger des Sonnengottes. »Elektra, das ist wichtig. Berührst du Athenes Anhänger? Leuchtet er blau?«

Wieder kicherte Elektra. »Du machst Spaß mit mir, Göttin Athene! Natürlich berühre ich deinen Anhänger. Sonst könnte ich dich doch nicht hören.«

Aura schloss erleichtert die Augen. »Ich bin Aura von der Insel Alimia«, sagte sie mit möglichst ruhiger Stimme. »Ich bin gefangen im Tempel des Helios in Rhodos-Stadt. Ich denke, die Götter lassen uns durch ihre Anhänger miteinander sprechen. Bist du nach Alimia gegangen? Hast du meine Mutter gesehen?«

Es entstand eine kurze Stille.

»Deine Mutter, Göttin?«, flüsterte Elektra und wirkte verwirrt. »Ich dachte, du wärst schon erwachsen aus dem Haupt des Zeus entsprungen?«

»Ich habe dir doch gesagt, ich bin nicht Athene!« Aura zwang sich, Ruhe zu bewahren. Elektra musste ebenso viel Angst haben wie sie selbst. »Meine Mutter, die Telchinin, erinnerst du dich? Sie heißt Lindia und sie ist blind. Du bist nach Alimia gefahren, um ihr meine Schwämme zu bringen. Bitte sag mir, der Oberpriester hat ihr nichts angetan!«

Wieder Stille, länger als vorher. Auras Magen zog sich vor Angst zusammen. Dann kam Elektras Stimme wieder. »Aura …? Aber das kann doch nicht sein. Ich sehe dich nicht.«

»Du kannst doch auch die Göttin nicht sehen, oder?«, sagte Aura, die langsam ungeduldig wurde.

»Ah, ich verstehe!« Das Flüstern des Mädchens klang erleichtert. »Das ist eine Probe, nicht wahr? Du bist die Göttin Athene, aber du prüfst mich, indem du behauptest, du seist die Tochter der Meeresdämonin, um zu sehen, ob ich würdig bin, Orakelpriesterin zu werden. Ich habe Schwämme nach Alimia gebracht, wie ich gesagt habe. Aber als ich ankam, konnte ich die Telchinin nicht finden. Ich habe die Schwämme in der kleinen Hütte gelassen. Sie war verwüstet und es stand eine Botschaft an der Wand. Ich weiß jetzt, warum du der Priesterin Themis gesagt hast, sie solle das Mädchen nach Rhodos schicken. Aber was immer Auras Vater getan hat, um Helios zu erzürnen, Aura hat es nicht verdient zu sterben! Bitte sag mir, was ich tun kann, um ihr zu helfen.«

Aura blieb die Luft weg. Sie schauderte und fragte: »Was war das für eine Botschaft, Elektra?«

»Sie lautete …« Elektra hielt inne, als versuche sie, sich an die genauen Worte zu erinnern. »Sie lautete: ›Leonidus, Sohn des Chares, wenn du deine Frau und deine Tochter lebend zurückhaben willst, dann stelle dich und gib das Geschenk des Helios zurück‹.«

Aura ließ sich wieder in den Wagen hinuntergleiten und umschlang fest ihre Knie. Es war zu spät. Sie hatten ihre Mutter.

Sie versuchte nachzudenken. Die Botschaft war offenkundig von den Männern des Oberpriesters für ihren Vater geschrieben worden. Chares war der Bildhauer, der den Koloss von Rhodos gemacht und sich nach seiner Vollendung umgebracht hatte. Wenn Leonidus der Sohn von Chares war, dann erklärte das vielleicht, wie der Oberpriester auf die Idee gekommen war, er hätte das Geschenk des Helios gestohlen … Aber dachte er, ihr Vater würde nach sieben Jahren Abwesenheit einfach auftauchen und die Botschaft in der Hütte finden? Das war so verrückt, dass sie am liebsten gelacht hätte. Nur war es überhaupt nicht lustig – kein bisschen.

Wieder berührte sie den Anhänger. »Elektra«, sagte sie und versuchte einen befehlenden Ton in ihre Stimme zu legen, wie es vielleicht eine Göttin tat. »Ich möchte, dass du eine weitere Botschaft schreibst und sie an Leonidus von Rhodos schickst, adressiert an die Bibliothek in Alexandria. Bring sie nach Rhodos-Stadt und gib sie jemandem auf einem Schiff, das nach Alexandria fährt. Bezahle ihm ein Talent aus meinem Tempelschatz. Sag dem Boten, es sei sehr wichtig, dass die Schriftrolle die Person erreicht, an die sie gerichtet ist, und dass der Empfänger ihm ein weiteres Talent bezahlen wird, wenn er sie erhält. Sag der Priesterin Themis nichts davon. Verstehst du mich?«

»Ja, Göttin«, sagte Elektra, und es klang ängstlich und aufgeregt zugleich. »Was soll ich schreiben?«

Aura holte tief Luft. Sie hatte ein ungutes Gefühl, weil sie die Novizin täuschte, aber es konnte leicht die ganze Nacht dauern, Elektra davon zu überzeugen, dass die Stimme, die sie hörte, nicht die von Athene war, und in dieser Zeit würde entweder Xenophon oder Themis sie erwischen.

Sie schloss die Augen. Ein Brief an ihren Vater. Sie hatte noch nie einen Brief geschrieben, denn sie hatte nie das Alphabet gelernt und auch keinen Zugang zu einem Schreiber gehabt. Eigentlich brauchte sie Tage, Wochen, Monate, um sich zurechtzulegen, was sie sagen wollte. Aber so viel Zeit hatte sie nicht.

»Ich bin bereit, Göttin«, sagte Elektra erwartungsvoll.

»Schreibe Folgendes«, sagte Aura:

Vater,

kehre nicht nach Rhodos zurück!
Oberpriester Xenophon will Dich töten!
Mir geht es gut, und ich werde für
Mutter sorgen.
Hier passiert etwas schlimmes.

In Liebe, Aura

KAPITEL 4

DIE TELCHININ

Würde Elektra eine solche Botschaft befördern? Vielleicht hätte sie eher eine anonyme Warnung schicken sollen, mehr in der Art, wie es vielleicht eine Göttin sagen würde. Zu spät. Die Novizin war weg.

Aura dachte darüber nach, ob sie versuchen sollte, mit dem Anhänger des Sonnengottes noch Verbindung zu einem anderen Tempel aufzunehmen und um Hilfe zu bitten, denn sie vermutete, dass auch einige andere Götter und Göttinnen mit solchen Anhängern ausgestattet waren. Aber wenn nun der Oberpriester darauf wartete, dass sie genau das tat? Er konnte leicht in einem anderen Tempel der Stadt sein und horchen, und sie hätte keine Ahnung, mit wem sie sprach. Sie gab den Gedanken auf und nestelte den Anhänger von seiner Kette ab, damit sie ihn genauer untersuchen konnte. Der blaue Gegenstand in dem Drahtgehäuse war eindeutig einem Schwamm ähnlicher als einem Stein, obwohl sie noch nie einen gesehen hatte, der außerhalb des Wassers so hell strahlte.

Während sie noch versuchte, die Drähte auseinanderzubiegen, hörte sie, wie mit einem Scharren der Riegel vor der Tür hochging, dann flutete Licht in das Allerheiligste. Sie sprang auf, wobei ihr der Anhänger vom Schoß fiel, und beschattete mit der Hand ihre Augen. Im Türrahmen standen zwei Männer, die zwischen sich eine untersetzte Frau mit enormen Schenkeln, Schwimmhäuten an den Füßen und einer Wolke silberner Haare an den Ellbogen hielten. Das Allerheiligste, in dem die Luft stickig und schlecht war vom Weihrauch, füllte sich mit dem frischen Geruch des Meeres.

»Mutter!«, rief Aura und taumelte auf das Licht zu. Die Wächter schoben ihre Gefangene auf sie zu, wichen rasch wieder zurück und griffen nach der Tür, um sie zuzuschlagen.

Aura versuchte, ihre Mutter aufzufangen, die ungeschickt umfiel, wo man sie hingeschubst hatte. Die Hände mit den Schwimmflossen hatte man ihr auf den Rücken gefesselt und ihre leeren Augenhöhlen wandten sich voll Verwirrung und Schrecken hierhin und dorthin.

Die Wut darüber, wie man mit ihrer Mutter umgegangen war, verlieh Aura Schnelligkeit. Sie machte einen großen Satz und konnte gerade noch ihren heilen Fuß in die Tür stellen, ehe die Wächter den Riegel fallen lassen konnten. »Wartet!«, rief sie. »Wir brauchen Wasser und Essen und Öl für die Lampen! Wo ist der Ratsherr Iamus? Ich will ihn sofort sehen! Der Oberpriester darf uns nicht so hier eingesperrt lassen! Es muss doch Gesetze geben ...«

Sie schnappte nach Luft, als die Wächter mit den Schultern von außen gegen die Tür zu drücken begannen und dabei ihre Zehen quetschten. Aber sie gab nicht nach.

»Sei doch vernünftig, Telchinen-Mädchen«, murmelte einer der beiden. »Nimm deinen Fuß da weg, ehe wir ihn zerdrücken.«

»Erst, wenn ihr uns etwas zu essen gebt!«, sagte Aura. »Lebende Schwämme für meine Mutter, Obst oder Fisch für mich. Eurem Oberpriester wird es nicht sehr gefallen, wenn ihr seine Geiseln verhungern lasst.«

Sie hörte, wie die Wächter beunruhigt murmelten.

»Niemand hat gesagt, man dürfe ihnen nichts zu essen geben …«

»… hat man wahrscheinlich in dem ganzen Durcheinander vergessen …«

»Wir holen euch etwas«, sagte eine mürrische Stimme schließlich. »Aber nur, wenn du dich ordentlich benimmst und deinen Fuß aus der Tür ziehst. Der Oberpriester hat zu tun, aber er ist bald wieder zurück. Wirst du vernünftig sein?«

Aura blickte auf ihre Mutter. Sie kniete auf dem Boden, ihr Gesicht den Stimmen zugewandt und die leeren Augenhöhlen auf die Wand gerichtet. Aura überlegte, ob ihr Gewicht zusammengenommen reichen würde, die Tür aufzustemmen.

Als könne er Gedanken lesen, zog der andere Wächter sein Schwert und zeigte ihr durch den Spalt die glänzende Klinge, die sie frösteln ließ.

»Ihr kommt nicht weit, selbst wenn es euch gelingt, aus dem Allerheiligsten zu fliehen«, sagte er. »Der Oberpriester hat um den ganzen Hügel herum Männer postiert. Du bist verletzt und deine Mutter ist blind. Also, was ist dir lieber? Sei vernünftig und du bekommst etwas zu essen. Mach uns Ärger und wir sparen uns die Mühe.«

»Woher sollen wir wissen, ob ihr tatsächlich wiederkommt?«, fragte Aura.

»Du hast doch so oder so keine Wahl, oder?«

Aura senkte den Kopf. Als die Wächter den Druck von der Tür nahmen, zog sie ihren Fuß heraus. Sie zuckte zusammen, als der Riegel klirrend herabfiel.

Sobald sie allein waren, lief sie zu ihrer Mutter. Ihre Hände waren eiskalt und die Fesseln schnitten ihr in die Handgelenke. Aura fingerte an dem Knoten herum, sah aber nicht, was sie tat. Sie holte tief Luft, um ihre Tränen zurückzuhalten, und tastete im Wagen nach dem Anhänger des Sonnengottes.

»Haben sie dir wehgetan?«, fragte sie.

Die Telchinin sprach langsam, als müsse sie jedes Wort aus weiter Ferne herholen. »Sie haben mich überrascht«, sagte sie. »Ich wollte mich verstecken, im Wasser, aber sie sagen, wenn ich Ärger mache, tun sie dir weh. Lindia liebt Aura. Sie dürfen dir nicht wehtun. Sie haben mich gefesselt. Sie haben mich zu einem Menschenschiff gebracht.«

Aura schlang die Arme um ihre Mutter. Ihr nach Meer duftender Körper zitterte. In Augenblicken wie diesem fühlte sich Aura, als sei sie die Mutter, die ein kleines Kind trösten wollte. »Es tut mir leid, Mutter! Ich war dumm. Ich habe den Priesterinnen von Chalki vertraut, und sie haben mir einen Schlaftrank gegeben, sodass ich nicht zu dir zurückkehren konnte. Der Oberpriester des Helios will Vater umbringen! Aber ich habe ihm eine Botschaft geschickt und ihn gewarnt, damit er nicht nach Rhodos kommt, also brauchst du keine Angst zu haben. Ich nehme dir die Fesseln ab. Dann überlegen wir uns, wie wir hier herauskommen. Ich habe etwas entdeckt, was uns vielleicht dabei hilft ...«

Während sie versuchte, den Knoten zu lösen, erzählte sie ihrer Mutter von dem Gespräch, das sie am Abend mit Elektra geführt hatte. »Die Götterstatuen haben Anhänger um den Hals, in denen sich eine Art blauer Schwamm befindet, der es möglich macht, dass jemand im Tempel des Helios in Rhodos-Stadt mit jemandem im Tempel der Athene auf Chalki spricht«, erklärte sie und unterbrach ihre Bemühungen, um an einem Fingernagel zu lutschen. »Aber ich glaube nicht, dass die Priesterinnen auf Chalki das wissen. Elektra dachte, ich sei eine Göttin, die zu ihr spricht, und anscheinend bekommt die Priesterin Themis regelmäßig Befehle von Athene, jedenfalls war das vor dem Erdbeben so. Aber ich glaube, sie kommen vom Oberpriester, der *behauptet*, er sei die Göttin Athene.«

Der Knoten lockerte sich. Sie arbeitete einen Augenblick schweigend daran und setzte außer ihren Fingernägeln auch ihre Zähne ein.

Sobald die Fessel fiel, stand ihre Mutter auf. »Aura, hör zu!«, sagte sie eindringlich. »Der Sonnentempel ist ein schlechter Ort! Wir müssen weg. Sofort!«

»Bald, Mutter. Sobald wir können. Und wenn wir gehen, nehme ich diesen Anhänger mit. Ich glaube, er hat eine Kraft ...«

Die Telchinin schüttelte heftig den Kopf. »Nicht mitnehmen, Aura. Ist tückisch! Sehr gefährlich!« Sie wich zurück, warf ein Kohlebecken um und stolperte blindlings durch einen Berg Juwelen. Ihre Hände schlugen mit wachsender Panik gegen die Wände.

Aura eilte ihr nach, fasste sie um die füllige Taille und zog sie in den Wagen des Sonnengottes, damit sie sich nicht verletzte. Sie äugte zu dem Anhänger hin, der dort, wo sie ihn hatte fallen lassen, schwach auf dem Boden leuchtete.

»Mutter, weißt du, was Vater gemacht hat, ehe er nach Alimia kam? Einer der Jungen von Chalki sagte, er hätte immer blaue Schwämme gesammelt ... Ich denke, sie haben vielleicht etwas mit den Anhängern der Götter zu tun, und ich glaube, ich habe im Meer unten einen gefunden.« Sie erzählte ihrer Mutter von dem ungewöhnlichen Schwamm, den sie während des Erdbebens entdeckt hatte, als sie zu Poseidon gebetet und die Vision von dem umstürzenden Koloss gehabt hatte.

Sie glaubte, ihre Mutter höre gar nicht zu, weil sie wegen des Anhängers, den sie tückisch nannte, so sehr in Panik war. Aber als sie berichtete, wie sie in der Spalte in der Falle saß, tastete die Telchinin nach dem Verband um ihren Knöchel.

»Aura, du bist verletzt.«

»Es ist schon fast wieder gut, keine Sorge. Ich war tief im Wasser, als ich den Schnitt gemacht habe, deshalb habe ich nicht viel Blut verloren. Die Priesterinnen haben die Wunde geheilt, während ich im Tempel von Chalki war.« Sie erzählte ihrer Mutter, dass sie auf dem Rückweg nach oben beinahe ertrunken sei. Sie lachte sogar ein wenig, weil ihr das wie eine Kleinigkeit vorkam, verglichen mit der Klemme, in der sie jetzt saßen.

Ihre Mutter hob verwundert die Finger an die Lippen. »Aura, hast du Wasseratmung gemacht?«

Aura schloss die Augen und erinnerte sich an die merkwürdige Kälte in ihren Lungen, ehe sie auftauchte. Inzwischen war so viel passiert, dass sie das fast schon vergessen hatte. »Ich weiß nicht, was ich gemacht habe.« Wasseratmung. Das klang zutreffend.

»Du kannst Wasseratmung wie eine richtige Telchinin!« Wieder zitterte sie, diesmal vor Aufregung. »Du wirst erwachsen, Aura!« Pause. Dann, leiser: »Vielleicht hast du auch den Augenzauber? Mit Augenzauber können wir fliehen! Ich habe keine Augen mehr. Ich kann uns nicht helfen.«

Aura wurde ganz still. Ihre Mutter hatte noch nie darüber gesprochen, wie sie ihr Augenlicht verloren hatte, ebenso wie ihr Vater niemals von seiner Kindheit auf Rhodos sprach. Als sie noch klein war und nicht wusste, dass sie nicht fragen durfte, wollte sie einmal wissen, ob es wahr sei, dass Telchinen den »bösen Blick« haben, vor dem die Jungen von Chalki einander im Scherz warnten, wenn sie nach Schwämmen tauchten. Damals hatte ihre Mutter sie mit dem Gesicht nach unten in den Sand geworfen und auf ihre Beine eingeschlagen, bis sie schrie. Dann war sie ans andere Ende der Insel gegangen, hatte Muscheln für Halsketten gesammelt und dabei in der Telchinensprache vor sich hin gesungen, wie immer, wenn sie aufgeregt war. Aura hatte das Thema seither stets gemieden, obwohl sie sich manchmal wünschte, sie hätte wirklich irgendeine Zauberkraft. Zum Beispiel in dem Moment, in dem der Priester sie mit dem Stock auf den Knöchel geschlagen hatte.

»Augenzauber?«, flüsterte sie. »Du meinst unseren bösen Blick, nicht wahr?«

Die Telchinin drückte ihre Hände. »Aura, du bist groß geworden und hast mit einem Freund gesprochen auf Chalki, vielleicht bist du bereit. Aber Vorsicht, sonst trickst dich Poseidon aus.«

Aura erstarrte. »Die Vision, die ich unter Wasser hatte«, flüsterte sie. »Kam sie wirklich von Poseidon? Als ich hörte, dass der Koloss umgefallen ist, dachte ich, sie sei vielleicht von Helios gekommen ...«

Ihre Mutter gab ihr eine Ohrfeige und traf ihre Wange mit der verblüffenden Zielsicherheit einer Person, die schon lange blind war. »Vergiss die Visionen. Sie sind gefährlich!«

Aura stand fassungslos schweigend da, eine Hand an ihre brennende Wange gepresst, während ihre Mutter auf und ab ging und vor sich hin murmelte, Poseidon würde sie austricksen. Anscheinend bekamen Telchinen ihre besonderen Kräfte plötzlich, wie Aura unter Wasser, als das Erdbeben kam, aber ihre Mutter hatte nicht damit gerechnet, dass sie so früh erwachsen wurde. Die Telchinin war so erregt, dass sie die Hände auf ihre leeren Augenhöhlen presste, sich auf dem Boden zusammenrollte und wimmerte.

»Warum hast du mir nichts davon gesagt?«, wollte Aura wissen. »Warum hast du mich nicht besser vorbereitet?«

Aura spürte eine Welle des Zorns darüber, dass ihre Mutter sie ganz allein hatte »erwachsen werden« lassen, aber jetzt war nicht der rechte Moment für eine Auseinandersetzung. Sie holte tief Luft. »Ich habe keine Angst«, sagte sie, obwohl ihre Handflächen feucht waren vor Schrecken. »Was muss ich tun?«

Lindia hob den Anhänger auf, drückte ihn ihr in die Hand und begann in der Telchinensprache zu singen. Aura zwang sich zur Ruhe. Diesmal war sie auf die Regenbogen in ihrem Kopf gefasst und erschauerte kaum.

»Gut, Aura«, flüsterte die Telchinin und zog sich in den Hintergrund des Allerheiligsten zurück. »Jetzt schließ die Augen. Wir warten.«

Aura stand mit dem Rücken zum Wagen, die Augen geschlossen und den Kopf voller Regenbogen. Ihre Hände schwitzten vor Spannung, als sie den Anhänger des Sonnengottes umklammerte. Sie spürte, wie die Kraft in ihr mit jedem Atemzug wuchs.

Die Tür öffnete sich einen Spalt und sie hörte einen Teller über den Marmorboden auf sie zugleiten. Die Zeit schien stillzustehen. Sie kämpfte gegen den Drang an, die Augen zu öffnen. Dann traf der Teller mit einem Krachen die Tür, gefolgt vom dumpfen Aufprall eines großen, massigen Körpers.

»Ich habe dich gewarnt!«, knurrte eine Stimme und Nachtluft kühlte Auras Wangen, als die Tür weiter aufgestoßen wurde. »He! Was macht das Mädchen mit dem Anhänger des Helios? Gib ihn her, du ...«

»Aura, jetzt!«, rief die Telchinin.

Aura riss die Augen auf. Sie hatte noch Zeit, einen Tempelwächter im Allerheiligsten zu sehen, dessen Schwertspitze auf ihre Kehle zeigte. Dann schoss explosionsartig etwas aus ihr heraus. Blaues Licht überflutete den Wächter. Er schrie auf und schrie immer weiter. Die Tür öffnete sich weit. Fackellicht blendete Aura, und einen schrecklichen Augenblick lang konnte sie sich nicht mehr erinnern, wer und wo sie war.

Eine Hand mit Schwimmflossen ergriff die ihre. »Komm, wir rennen!«

Aura riss sich zusammen und steckte den Anhänger in eine Falte ihrer Tunika. Sie und ihre Mutter stolperten aus dem Allerheiligsten hinaus. Sie sah sich im Tempel um. Der Haupteingang stand offen. Draußen war es dunkel. Der Hof, der voller Besucher gewesen war, als man sie hierherauf gebracht hatte, lag verlassen da. Der Wächter, gegen den sie ihren Augenzauber gerichtet hatte, lag hinter ihnen auf dem Boden und wand sich. Ein zweiter Wächter drückte sich gegen die Säulen und starrte schreckerfüllt auf Aura.

Als sie ihn ansah, riss er einen Arm vor sein Gesicht und fuchtelte blindlings mit dem Schwert in ihrer Richtung. »Verschone mich mit deinem bösen Blick, Telchinin!«, rief er.

Aura blieb nicht stehen, um nachzusehen, was sie angerichtet hatte. Sie hastete mit ihrer Mutter aus dem Tempel hinaus und warf argwöhnische Blicke auf alle Schatten. Die Hauptstraße glänzte im Licht der Sterne wie ein Fluss und führte den Hügel hinab zum Hafen. Nach Norden und Westen hin erhellten Fackeln in langen Reihen die Straßen von Rhodos, in denen Sklaventrupps mit ihren Maultierkarren arbeiteten und Trümmer wegräumten, solange die Stadt schlief.

Aura zog ihre Mutter die Tempelstufen hinab. Der Tumult im Tempel hatte die Wächter aufgeschreckt, die jetzt die Heilige Straße versperrten und sich über die Nordseite des Hügels verteilten, sodass sie Aura und ihrer Mutter den Weg zum Hafen abschnitten. Aura packte die Hand ihrer Mutter fester, betete, dass sie Glück hatten, und zog sie den steilen, mit Gestein übersäten Hang in das Tal hinunter, in das der Koloss gefallen war. Ihr Knöchel schmerzte auf dem unebenen Boden. Die Telchinin taumelte blindlings neben ihr her. Sie schafften es die Hälfte des Hanges hinunter, ehe sich ein Speer neben Auras Fuß ins Gras bohrte, sodass ihr Herz einen Satz machte. Sie warf sich ins Gebüsch, immer noch die Hand ihrer Mutter umklammernd. Die Telchinin stolperte über sie und sie rollten gemeinsam den Abhang hinunter, mit wild durcheinanderwirbelnden Armen und Beinen, abwechselnd Felsbrocken und Sterne vor Augen.

Schließlich kullerten sie gegen das riesige Bronzehaupt des gefallenen Kolosses und blieben liegen. Sein Strahlenkranz ragte in den Nachthimmel und sie lagen keuchend da, mit zerschundenen Gliedern und zu atemlos, um sich zu rühren.

»Telchinen!«, rief eine Stimme im Befehlston von der Straße oben herunter. »Ihr sitzt in der Falle. Ergebt euch, dann versprechen wir, dass wir euch nichts tun.«

Aura war so außer Atem, dass sie nicht hätte antworten können, selbst wenn sie gewollt hätte. Außerdem war es sowieso eine List. Sie glaubte nicht, dass die Wächter sie hier unten im Schatten der alten Mauer sehen konnten. Einige der Männer verließen ihren Posten auf der Kuppe des Hügels und suchten sich vorsichtig einen Weg hinter ihnen her hangabwärts. Ächzend stand Aura auf und führte ihre Mutter in den Wirrwarr von Eisen und Stein, der den Hals des Kolosses füllte.

Drinnen war es stockfinster. Vorsichtig tasteten sie sich tiefer in den Kopf des Gottes hinein und krochen durch jede Öffnung, durch die sie durchpassten. Sie hielten erst inne, als sie den Eindruck hatten, sie seien in einem der Strahlen von Helios' Strahlenkranz, und schichteten hinter sich Steine auf, bis der Zugang verschlossen war.

»Sie suchen uns ganz bestimmt hier drinnen«, flüsterte Aura. »Wir dürfen uns nicht mucksen, bis sie wieder weg sind.« Sie prüfte, ob sie den Anhänger noch hatte, und fürchtete, er könnte bei ihrem Absturz kaputtgegangen sein, aber offenbar war er heil geblieben. Sie sagte sich, sie könne den blauen Schimmer nicht riskieren, und schob ihn tiefer in ihre Tunika.

Plötzlich begann sie zu zittern. »Habe ich den Wächter umgebracht?«

Ihre Mutter berührte im Dunkeln ihre Wange, sodass sie zusammenfuhr. »Aura, nicht weinen. Du bist jetzt groß. Du hast es gut gemacht. Aber Menschen haben jetzt Angst vor Aura. Wenn sie uns finden, verlasse mich. Du kannst leichter fliehen ohne die blinde Lindia. Finde Leonidus, vergiss die Visionen und lass die Finger von tückischen Dingen.«

»Sei nicht so dumm!«, sagte Aura. »Ich lasse dich doch nicht in der Gewalt dieses grässlichen Oberpriesters zurück! Wir entkommen gemeinsam oder gar nicht.« Sie schloss die Augen. Gemeinsam, gelobte sie und berührte dabei den Anhänger in ihrer Tunika. Allerdings dachte sie allmählich, sie hätte einen Fehler gemacht. Wenn die Wächter errieten, dass sie sich hier drinnen versteckt hatten, saßen sie schön in der Falle.

Sie hielten einander an den Händen und wagten kaum zu atmen, als die Stimmen der Wächter näher kamen. Der Strahl, den sie erwischt hatten, zeigte nach oben und Aura kam immer wieder ins Rutschen. Obendrein hörten sie noch über ihren Köpfen wiederholt ein Kratzen und Rascheln, dabei blockierte Schutt die enge Spitze. Wahrscheinlich eine Maus. Aber wenn sie nicht stillhielt, würden die Wächter sie hören.

»Ich suche nicht im Strahlenkranz des Sonnengottes herum, auch nicht, wenn sie hineingekrochen sind«, sagte eine Stimme direkt unter ihnen, sodass Auras Herz wild zu pochen begann. »Du hast gesehen, was das Mädchen im Tempel mit dem armen Cleon gemacht hat. Wenn die Telchinen sich dort drinnen verstecken, sollen sie drinbleiben, bis der alte Xenophon kommt und sie persönlich herauszieht.«

»Aber sie haben den Anhänger aus dem Tempel mitgenommen! Wir müssen ihn zurückholen. Du weißt, wie wütend Xenophon war, als der große vom Koloss verschwand. Wahrscheinlich wird er uns auch das vorhalten, nicht nur, dass wir die Telchinen entkommen ließen.«

»Wenn dir so viel daran liegt, dann geh doch selbst hinein. Ich warte hier draußen und bringe dann deine verkohlte Leiche zur Beisetzung in den Tempel hinauf ...« Das übertrieben laute Gelächter der Wächter brach ab, als die Geräusche in der Spitze des Strahls wieder einsetzten. »Hörst du?«

Aura hielt die Luft an. Es war ganz still draußen, während die Wächter lauschten. Als wisse die Maus, dass man auf sie horche, hörten die Geräusche wieder auf.

»Telchinen! Wir wissen, dass ihr dort drinnen seid!«, rief einer der Wächter versuchsweise. »Kommt heraus und gebt uns den Anhänger des Gottes zurück, den ihr gestohlen habt, dann sagen wir dem Oberpriester nichts von eurer kleinen Eskapade. Versprochen. Ist das ein Angebot? Ihr könnt wieder sicher im Allerheiligsten des Helios-Tempels sein, ehe er zurückkommt, und niemand merkt etwas.«

Aura hätte beinahe gelacht. Wie es aussah, fürchteten sich die Wächter des Helios-Tempels genauso vor ihrem Oberpriester wie sie.

Sie warteten ab, ob die Verfolgten antworteten, dann schlug ein Speer an den Strahl und ließ den ganzen Kopf erzittern. »Also gut, Telchinen! Ganz, wie ihr wollt! Ich lasse ein paar Männer hier unten, falls ihr auf die Idee kommt herauszukriechen, sobald wir weg sind. Ich schätze, ihr habt nicht mehr viel Zeit, bis der Oberpriester zurückkommt. Überlegt es euch.«

Die Wächter entfernten sich, aber nicht weit. Aura hörte sie murren und Zweige abreißen, um Feuer zu machen. Einen kurzen, verrückten Augenblick lang überlegte sie, ob sie das Angebot annehmen sollten. Das wäre auf jeden Fall besser, als von einem wutschnaubenden Xenophon aus ihrem Versteck gezerrt zu werden. Vielleicht bot sich später eine bessere Chance zur Flucht.

Voll Unbehagen tastete sie nach dem Anhänger, den sie gestohlen hatte. War das, was der Oberpriester das Geschenk des Helios genannt hatte, womöglich eine größere Version von diesem hier? Vorsichtig nahm sie den Anhänger heraus, von dem ihre Mutter gesagt hatte, er sei tückisch, und sah nach, ob er sich durch die Anwendung ihres Augenzaubers verändert hatte.

Sobald sein blauer Schimmer ihr Versteck erhellte, spürte die Telchinin das und kroch weiter weg. »Aura, du hättest ihn nicht mitnehmen sollen!«, jammerte sie. »Poseidon hat uns schon wieder ausgetrickst!«

Noch während sie sprach, reckte sich eine Hand aus der engen Spitze des Strahls und packte Aura am Handgelenk.

Aura fuhr zu Tode erschrocken herum, versuchte, ihren Augenzauber zu wecken, blieb in dem engen Raum stecken und fiel über die Schenkel ihrer Mutter. Die Regenbogen verließen sie mit einem schwachen Flimmern, und sie wusste, sie hatte ihre Kraft vertan. In dem erlöschenden Licht sah sie einen Jungen mit einem blauen Auge und einer geplatzten Lippe, der in einen zerrissenen, viel zu großen Umhang gehüllt war. In seinem Gürtel steckte ein Dolch mit einem funkelnden Silbergriff.

»Tu das weg!«, zischte ihre »Maus«. »Sonst sehen sie seinen Schein und kommen uns ganz bestimmt nach.«

KAPITEL 5

DIE NACHTFALTER

Im schwachen Licht des Anhängers, der zwischen Auras Fingern leuchtete, starrten sie und der Junge einander an. Sie fragte sich verwundert, wo er den prächtigen Dolch herhatte, der so gar nicht zum Rest passte. Die Kleider unter seinem Umhang waren schmutzig und zerlöchert.

»Wer bist du?«, wisperte sie, voller Furcht, die Wächter könnten sie hören. »Und was machst du hier drinnen?«

»Mich verstecken, genau wie ihr«, wisperte der Junge zurück. Er kroch aus dem Schutt in der Spitze des Strahls heraus und versuchte, sich zu verbeugen, was aber wegen der Enge misslang. Stattdessen grinste er. »Androkles, Boss der Nachtfalter, stehe zu Diensten. Guter Name für eine Bande, was? Wir haben uns nach den Nachtfaltern mit den roten Flügeln benannt, die im Tal hinter Ialysos ihre Eier ablegen. Niemand weiß, wo sie sich tagsüber verstecken – genau wie bei uns.« Er beäugte neugierig Auras Mutter, die so weit wie möglich von ihm weggekrochen war.

»Ihr seid wohl die Telchinen, nach denen sie dort draußen gerufen haben. Was habt ihr angestellt, um den alten Xenophon zu ärgern?«

Aura machte den Mund auf, um es ihm zu erklären, und schloss ihn wieder. Bisher hatte sie sich nur Ärger eingehandelt, wenn sie die Wahrheit sagte. »Das geht dich nichts an«, sagte sie und hielt sich zwischen ihm und ihrer Mutter. Nachdem jetzt auch noch der Junge in dem Strahl kauerte, blieb kaum noch Luft zum Atmen.

»Wie du meinst.« Den Jungen schien ihr böser Blick nicht zu beunruhigen. Er schlängelte sich wieder in die enge Spitze zurück und schob etwas Schutt zu ihnen hinunter. »Ihr steckt in der Klemme, nicht ich. Ich wollte nur sehen, ob ich euch helfen kann. Aber da ihr nun einmal hier seid, könnt ihr euch auch nützlich machen. Räumt das Zeug aus dem Weg. Wir brauchen mehr Platz für euch. Ich hätte darauf verzichten können, dass die Wächter da draußen herumhängen, aber wir werden mit ihnen fertig.«

Aura schüttelte den Kopf und erinnerte sich wieder, wie aussichtslos ihre Lage war. »Wir sind nur zu dritt. Was sollen wir machen? Uns den Weg freikämpfen?«

»Wenn es sein muss«, sagte der Junge. Er spähte an ihr vorbei und musterte ihre Mutter. »Ziemlich fett, was? Was ist mit ihren Augen passiert? Redet sie nicht?«

»Nicht mit unhöflichen Fremden«, sagte Aura und legte schützend den Arm um ihre Mutter. Die Telchinin lauschte der ungehobelten Sprache des Jungen mit schräg gelegtem Kopf. »Sie ist nicht fett. Sie ist eine Telchinin, deshalb ist sie so groß und stark. Sie ist meine Mutter.«

»Kann sie rennen?«

»Ja.«

»Gut, dann haben wir eine Chance. Die anderen Nachtfalter sind bald hier. Sie holen einen Karren und Werkzeug. Wir wollen diesen goldenen Strahl abschneiden und über die Mauer schaffen. Wir haben uns die ganze Zeit überlegt, wie wir es machen wollen, seit der Sonnengott umgestürzt ist. Am ersten Abend haben wir uns natürlich den Kleinkram geholt, aber das hier ist kniffliger.«

Er fuhr mit der Hand auf der Innenseite des Strahls entlang, wo er die bronzene Unterfütterung abgelöst und die äußere Goldschicht freigelegt hatte. Kein Wunder hatten sie die Wächter so deutlich reden hören. Das dünne Metall war alles, was zwischen ihnen und der erneuten Gefangenschaft lag.

Der Junge tätschelte es scheinbar sorglos. »Solides Gold! Dieses Erdbeben war ein Geschenk der Götter! Der Koloss da muss mehr Gold in seinem Strahlenkranz haben, als in ganz Rhodos-Stadt zu finden ist! Es ist bloß nicht so einfach, es abzuschneiden und wegzubringen. Und natürlich, es zu verstecken, bis wir es einschmelzen und weiterverkaufen können.«

Aura begriff, wo er den Dolch herhatte. »Du bist ein Dieb, nicht wahr?«, wisperte sie.

»Und du eine Diebin.« Androkles warf einen listigen Blick auf ihre Hand. »Ich hab die blauen Anhänger schon mal gesehen. Sie gehören den Göttern. Deshalb waren die Tempelwächter hinter euch her,

89

nicht wahr? Du hast ihn von der Statue im Helios-Tempel gestohlen.«

Aura schloss ihre Finger schützend um den Anhänger. Sie spürte, dass ihre Mutter sich steif machte. Aber falls die Telchinin etwas von Tücke sagte, ging es unter, als Androkles eine Hand hob und zischte: »Pst! Ich glaube, die anderen sind da.«

Draußen war ein verstohlenes Kratzen zu hören, dann hallte ein dreimaliges kräftiges Klopfen durch den Strahl.

Ein Wächter fluchte und rief: »He, ihr! Weg da! Ich hab euch doch schon gesagt, ihr sollt vom Strahlenkranz des Helios wegbleiben – hier ist kein Spielplatz!«

Androkles beugte sich über Auras Beine und schlug den Griff seines Dolches als Antwort dreimal an die Innenseite des Strahls. Er grinste Aura an und sagte: »Jetzt wird es lustig!«

In die Rufe des Wächters mischten sich Geschrei und Spottrufe von Kindern. Aura hörte draußen Menschen rennen. Steine prallten vom Kopf des Sonnengottes ab und ließen sie zusammenzucken. Andere trafen offenkundig menschliche Ziele, denn sie hörte auch Schmerzensschreie. Der Kampf verlagerte sich auf die andere Seite des Kopfes und die Klopfzeichen kamen wieder.

Androkles winkte ihnen, sich hinter ihm in die Spitze zu quetschen. »Das war zwar nicht für drei geplant«, sagte er, »aber euer Gewicht ist eine Hilfe.«

Noch ehe Aura sich entscheiden konnte, ob das eine Beleidigung war oder nicht, ertönte über ihnen ein kreischendes Geräusch und eine Reihe scharfer Metallzacken brach wie winzige Zähnchen durch das Gold. Androkles lag auf dem Rücken, hatte die Füße gegen die Innenseite des Strahls gestemmt und trat kräftig, während die Säge vor und zurück fuhr und durch das weiche Gold schnitt. Nachdem die Nachtfalter jetzt bereits durchgebrochen waren, hörte man den Kampf unten lauter.

Aura drehte sich auf den Bauch und äugte durch den Spalt.

»Pass auf deine Augen auf!«, sagte Androkles und riss sie zurück. »Willst du blind werden wie deine Mutter? Bring dein Gewicht hierherauf. Hoffentlich bricht die Spitze ab und wir müssen nicht ringsherum sägen ...«

Noch während er sprach, neigte sich das Metall mit einem Knarren nach unten. Draußen erschollen Rufe, als mehrere Jungen absprangen, dann hörte man ein Seil durch die Luft schwirren. Sterne erschienen in einem gezackten Loch über ihren Köpfen. Aura ließ sich mit ihrer Mutter und Androkles in den goldenen Strahl gleiten. Dann brach er ab und die Welt drehte sich um sie, als sie aus der Spitze des Strahls herausfielen.

Aura plumpste rücklings ins Gras. Ihre Mutter landete mit einem Brummen neben ihr. Androkles war es gelungen, ein Seil zu fangen, und seine Beine zappelten heftig über ihnen, als er sich daran hochzog. Die Nachtfalter, die wie ihr Boss alle in Lumpen gehüllt waren, riefen Beifall und kletterten in Scharen die Stadtmauer hinauf, flink wie Spinnen, und brachten die Seile und Sägen in Sicherheit, mit denen sie das Gold abgetrennt hatten. Sie zogen Schleudern unter ihren Umhängen hervor und zielten von der Mauerkrone aus mit Steinen auf die Tempelwächter.

Jetzt konnte Aura besser sehen, was sie getan hatten. Der goldene Strahl, in dem sie sich vor den Wächtern versteckt hatten, war säuberlich vom Haupt des Gottes abgetrennt worden. Er hing an einem Geflecht aus Seilen und schwang in einem beschädigten Abschnitt der Stadtmauer auf die Krone zu, wo die Seile straff über Rollen liefen und von jemandem oder etwas auf der anderen Seite hochgezogen wurden. Bereitwillige Hände halfen, das Gold auf dem Weg zur Mauer und auf die andere Seite auf Kurs zu halten. Es müssen Hunderte sein, dachte Aura, als sie auf all die rennenden, kletternden und Steine schleudernden Kinder blickte. Die Tempelwächter waren hoffnungslos in der Minderheit.

Einen Augenblick lang dachte sie, sie würden davonkommen. Dann erblickte sie eine verhutzelte Gestalt mit einem weißen Bart, die den Hang hinab auf sie zuhumpelte. Der Oberpriester wurde bald vom Ratsherrn Iamus überholt, der seine langen Gewänder hochraffte, damit er nicht über sie stolperte.

Einer der Wächter, dem Blut über das Gesicht lief, blickte in ihre Richtung und fluchte.

»Vergesst die diebischen Kinder!«, brüllte der Oberpriester. »Ergreift die Telchinen! Schaut dem Mädchen nicht in die Augen! Jemand soll eine Augenbinde holen ...«

Auras Herz hämmerte. Sie zerrte ihre Mutter auf die Füße und rannte auf die entschwindenden Seile zu. »Wartet auf uns!«, rief sie, als die letzten Nachtfalter die Mauer hinaufkletterten.

Sie konnte sich nicht vorstellen, wie ihre Mutter dort hinaufkommen sollte, selbst mit einem Seil. Aber etwas berührte sie am Ohr und eine Stimme schrie: »Halt fest, Telchinen-Mädchen! Bind es dir um die Mitte! Wir ziehen dich hoch.« Jemand, mit dem sie hier zuallerletzt gerechnet hätte, lag oben auf dem Bauch und äugte über die Mauer.

»Milo!«, hauchte sie. Jetzt half er ihr also doch.

Der Junge von Chalki war nicht mehr so hübsch, wie er gewesen war, als sie sich auf dem Schiff trennten. Wie Androkles hatte auch er ein blaues Augen und viele Schrammen.

»Beeil dich!«, drängte er. »Sie kommen!«

Sein Bruder Kimon kniete neben ihm und sah ängstlich, aber entschlossen aus. Ein paar von den Nachtfaltern ließen ein zweites Seil für ihre Mutter herab. Aura packte das erste Seil und knotete es ihrer Mutter um die Taille. Sie drückte sie ermutigend und band sich dann das andere Seil um die Mitte. Sie half ihrer Mutter hinauf, soweit sie konnte, dann stemmte sie ihre Beine gegen die Mauer und kletterte nach Kräften, während die Jungen sich anstrengten, um sie hochzuziehen.

Einer der Wächter packte sie am Knöchel. »Gib's auf, Telchinen-Mädchen!«, sagte er und zog sie von der Mauer weg, bis ihr ganzes Gewicht an dem Seil hing. Ihre Mutter war schon weiter oben und wurde langsam aufwärtsgezogen, aber die Wächter kletterten ihr bereits nach und rammten ihre Speere in die Lücken, um sie als Sprossen zu benutzen.

Aura strampelte verzweifelt mit den Beinen. Ein ermutigender Zuruf kam von oben, als der Wächter losließ. Aber die Seile zogen sie nicht mehr höher hinauf, sodass sie hilflos in der Luft baumelten.

»Zieh weiter, Milo!«, rief Aura, obwohl sie wusste, dass es aussichtslos war. Sie waren zu schwer.

Der Ratsherr kam am Fuße des Abhangs an. Er blickte auf die Stelle, an der der Strahl fehlte, auf die verletzten Wächter und schließlich hinauf zu Aura und ihrer Mutter. »Schick ein paar Männer außen herum durch das Tor, du Dummkopf«, befahl er dem Anführer, der ganz rot im Gesicht war. »Sieh zu, ob du die Kinder auf der anderen Seite fangen kannst. Wir warten hier.«

Er begegnete Auras Blick, als der Anführer einige Wächter im Dauerlauf zum nächstgelegenen Tor schickte. Verzweifelt tastete sie nach dem Anhänger.

»Passt auf, Ratsherr Iamus! Das Mädchen hat den bösen Blick!«

Wächter näherten sich vorsichtig von beiden Seiten her mit erhobenen Armen, um ihre Gesichter vor Auras Blick zu schützen. Sie schloss die Augen und suchte die Regenbogen zu rufen. Es war nicht leicht. Der Sturz aus dem Strahl hatte ihr eine Menge Kraft geraubt und ihr war schwindlig vor Hunger. Außerdem wollte sie nicht das Schreckliche wiederholen, das sie dem Mann im Tempel angetan hatte. Aber als die Wächter mit ihren Speeren ihre Mutter erreichten und begannen, das Seil von ihrer Taille zu lösen, brach sich der Augenzauber Bahn.

Der Ratsherr duckte sich und ihr Seil drehte sich, sodass sie auf die Mauer blickte, als es geschah. Es gab einen Stoß wie damals, als Poseidon die Erde beben ließ, und im Schein eines blauen Lichtes flogen wie bei einer Explosion Steine rings um sie herum, als es ein großes Loch in die Mauer sprengte. Wächter fielen herab und rannten mit hoch erhobenen Armen weg, schreiend vor Schreck. Der Oberpriester fuchtelte mit seinem Stock und schrie, sie sollten nicht solche Feiglinge sein. Da traf ein Stein den alten Priester am Kopf und Aura sah ihn bewusstlos zu Boden sinken. Ratsherr Iamus zog ihn in Sicherheit. Mauersteine prallten vom Kopf des Sonnengottes ab. Auras Seil erschlaffte und sie fand sich bäuchlings in der Bresche liegend wieder, unter sich einen Garten voller Schutt und ein Haus mit zertrümmertem Dach.

Aus dem Garten rumpelte gerade mit überraschendem Tempo ein Karren hinaus, der von zwei Ochsen gezogen wurde. Auf der Ladefläche hüpfte der goldene Strahl, den die Nachtfalter aus dem Strahlenkranz des Sonnengottes herausgetrennt hatten, und auf ihm saßen jubelnde Gestalten, die ihre Sägen und Fackeln schwenkten. Weitere Nachtfalter rannten hinter dem Karren her und verschwanden im Dunkeln. Androkles stand auf dem Bock, schwang eine Peitsche und lachte und sein Umhang flatterte wie zerfranste Flügel in der Nacht.

Als er sie auf der Mauer sah, hob er eine Faust. »Beeilt euch, Chalkier!«, rief er. »Sonst lassen wir euch zurück.«

Für Fragen war keine Zeit. Die Nachtfalter teilten sich, um ihre Verfolger zu verwirren. Ein großer blonder Junge namens Timosthenes führte ihr Grüppchen durch die Vororte auf Pfaden, deren Vorhandensein Aura nicht einmal geahnt hätte, bis sie an den Südrand von Rhodos-Stadt gelangten. Die neue Mauer hier sah viel dicker aus als jene, die Aura mit ihrem Augenzauber durchschlagen hatte. Zwei Soldaten marschierten vor einem Tor auf und ab, das in einen Tunnel am Fuß der Mauer eingelassen war. Die Umrisse weiterer Soldaten waren vor einem blassen Morgenhimmel auf den Zinnen zu sehen.

Sie kauerten sich in die Büsche, während ihre Retter sich flüsternd berieten. Auras Knöchel schmerzte, und ihre Füße bluteten von Schrammen, die ihr Dornen und Steine zugefügt hatten. Ihrer Mutter war es besser ergangen, da Telchinen eine dickere Haut haben als Menschen, aber nach der ungewohnten Anstrengung keuchte sie heftig. Aura blickte zurück. Da sie keine Anzeichen dafür sah, dass sie verfolgt wurden, holte sie Atem und tippte dem blonden Jungen auf die Schulter. »Danke, dass ihr uns geholfen habt, aber wir müssen zurück zum Hafen und ein Schiff auftreiben. Ich muss meine Mutter heim nach Alimia bringen.«

Timosthenes runzelte die Stirn.

»Sei nicht so dumm, Telchinen-Mädchen!«, zischte Milo. »Sie suchen doch ganz bestimmt auf eurer Insel nach euch. Außerdem wimmelt es inzwischen bestimmt in allen Häfen von Soldaten.«

»Auf der Mauer auch, falls dir das entgangen sein sollte!«, fauchte Aura zurück, die aufbrauste, weil sie wusste, dass Milo recht hatte. Nach Hause konnten sie auf keinen Fall zurück. Sie biss sich auf die Lippen. »Tut mir leid. Aber sie werden uns nicht einfach durch das Tor marschieren lassen, oder?«

Milo besah die Mauer und schnitt eine Grimasse in Richtung des blonden Jungen. »Was Aura sagt, stimmt. Euer Androkles, oder wie er sich nennt, hat nicht den Schimmer einer Chance, seinen Ochsenkarren mit dem gestohlenen Gold aus der Stadt rauszubringen.«

Timosthenes lächelte. »Das lass mal seine Sorge sein. Meine Aufgabe ist es, euch sicher nach Ialysos zu bringen. Es sieht nicht so aus, als sei hier schon Alarm geschlagen worden. Androkles hat recht – seit dem Erdbeben fällt alles auseinander. Die Soldaten können nicht mehr so schnell Botschaften durch die Stadt schicken. Macht euch keine Sorgen wegen der Wachen. Es gibt einen Tunnel unter der Mauer durch, der auf dem Friedhof herauskommt. Wir müssen nur warten, bis diese Wachen vorbei sind, dann können wir ihn benutzen. Der Boss muss euch für nützlich halten, sonst hätte er uns nicht zurückgeschickt, um euch über die Mauer zu hieven.«

»Du kannst uns nicht zwingen mitzukommen.« Aura machte sich größere Sorgen wegen der Wachen. Außer Timosthenes waren nur noch drei Nachtfalter bei ihnen. Selbst wenn Milo und Kimon ihr nicht halfen, waren sie nicht genug, um sie und ihre Mutter gegen ihren Willen irgendwohin zu bringen.

Der blonde Junge zuckte die Achseln. »Ich schätze, wir könnten euch einfach den Soldaten vor dem Tor übergeben und ihnen sagen, ihr wärt Oberpriester Xenophons entflohene Gefangene. Wir sparen Essen, wenn wir euch zurücklassen – ihr seht beide aus, als würdet ihr eine Menge verdrücken.«

Die anderen Nachtfalter kicherten, als ihnen die Telchinin ihre blinden Augen zuwandte. Sie leckte sich die Lippen. »Aura, ich hab Hunger«, flüsterte sie.

Das löste noch mehr Gekicher aus. »Wir haben alle Hunger!«, sagte einer der anderen. »Das kommt davon, wenn man sein Abendessen stehlen muss. Es reicht nie für alle.«

»Hört auf!« Aura ballte die Fäuste und die Angst kroch ihr wieder in den Bauch bei dem Gedanken, sie würde erneut dem Oberpriester ausgeliefert.

»Außerdem«, sagte Timosthenes, »wartet in Ialysos noch jemand von einer Insel, der nach euch gefragt hat.«

Aura wollte schon nach der Hand ihrer Mutter greifen, damit sie um ihr Leben laufen konnten, und runzelte die Stirn. »Wer?«, fragte sie und dachte gegen jede Logik: Vater! Er ist zurückgekommen und bringt alles wieder in Ordnung.

Der Junge lächelte. »Ein verrücktes Mädchen, das behauptet, es sei eine Orakelpriesterin. Sie hatte eine Schriftrolle bei sich und sagte, die Göttin Athene hätte ihr aufgetragen, sie ausgerechnet nach Alexandria zu schicken ... Sie wollte dem Seemann, der bereit war, sie mitzunehmen, ein ganzes Talent geben!« Er schüttelte den Kopf. »Naiv, oder was? Der Boss hat ihr das Problem abgenommen.«

»Elektra«, flüsterte Aura. Ihre restliche Kraft floss aus ihr heraus wie Wasser aus einem zerbrochenen Krug. »Was habt ihr mit ihr gemacht?«

Milo legte die Stirn in Falten. »Die Novizin des Tempels von Chalki? Was macht sie denn auf Rhodos?«

Timosthenes zuckte die Achseln. »Keine Ahnung. Sie war allein unterwegs, eine junge Priesterin ganz in Weiß gekleidet, jetzt, da Recht und Ordnung rings um ihre hübschen Ohren herum zerbröseln! Verrückt, wie ich schon sagte. Wenn du mich fragst, ist es gut, dass sie als Erstes an uns geraten ist.« Er sah Aura von der Seite her an. »Also, Telchinen-Mädchen, kommt ihr nun mit oder nicht? Denn wir müssen jetzt los, ehe die Wachen zurückkommen.«

Aura senkte den Kopf und gab sich geschlagen. Die Nachtfalter hätten nichts von Elektra und ihrer Botschaft wissen können, wenn sie sie nicht tatsächlich auf der Straße ausgeraubt hätten, wie sie sagten. Wie Milo und sein Bruder in die Nachtfalterbande geraten waren, wusste sie nicht. Aber sie konnte erraten, warum sie bleiben wollten. Offensichtlich waren die Jungen aus Chalki zu dem Schluss gekommen, Schwammtauchen sei weniger einträglich als Stehlen.

»Am besten geht ihr mit, Aura«, sagte Milo und berührte ihren Arm. »Angeblich haben sie ein Versteck in einer Ruinenstadt in den Bergen. Dort bist du vor dem Oberpriester sicher. Ich und Kim gehen auch mit.«

Aura sah ihn erstaunt an. »Soll ich mich deshalb vielleicht besser fühlen? Ich habe Mitleid mit eurem armen verletzten Vater, der zwei so selbstsüchtige Söhne hat!«

Milos Augen wurden dunkel, aber er sagte nichts. Aura nahm die Hand ihrer Mutter fest in die ihre und zog sie hinter den Nachtfaltern her in den Tunnel.

Sie verließen das Tal und kletterten durch dichte Pinienwälder in die Wolken hinauf. Aura und ihre Mutter schnappten bald wieder nach Luft und selbst die Jungen aus Chalki kamen aus der Puste. Aber Timosthenes wollte ihnen keine Ruhepause zugestehen. Die Anzahl der Nachtfalter, die sie begleiteten, schwankte, denn ein paar von ihrer Gruppe schlugen sich in die Büsche, während sich andere aus dem Nichts zu ihnen gesellten. Es gab auch Mädchen, so dünn und so schmutzig wie die Jungen, die Haare kurz geschnitten und Messer im Gürtel.

»Keine Sorge«, sagte Timosthenes mit einem Blick auf Auras Hinken. »Wir kümmern uns bald um deinen Fuß, wenn wir zur Basis zurückkommen. Wir haben jetzt einen Heiler, der besser ist als das kleine Spielzeug, das du für die Mauer benutzt hast.«

Die anderen Nachtfalter kicherten. Aber Aura war inzwischen so erschöpft und hatte solche Angst, die Soldaten könnten sie erwischen, ehe sie zum Versteck der Nachtfalter gelangten, dass ihr die Bedeutung des Scherzes entging.

KAPITEL 6

IALYSOS

Es war leicht zu verstehen, warum Androkles sich für
Ialysos als Basis der Nachtfalter entschieden hatte.
Die Bergstadt war schon vor Jahren aufgegeben worden, als die Einwohner nach Rhodos-Stadt hinunter-
zogen. Sie lag auf einer Hochfläche, von der aus die
Nachtfalter die stark befahrenen Schiffsrouten ebenso
im Auge behalten konnten wie die Küstenstraßen, die
Rhodos-Stadt mit den älteren Städten Kamiros im
Osten und Lindos im Westen verbanden. Zwischen
den Pflastersteinen wuchs Gras, und Kletterpflanzen
schmückten die Ruinen mit Blüten.

Ein Mädchen names Chariklea führte Aura und
ihre Mutter zu einem der Häuser ohne Dach und befahl den Nachtfaltern, die dort wohnten, die Reste
ihrer Mahlzeit mit ihnen zu teilen. Viel war es nicht –
ein paar Beeren, ein Apfel, der nach Fallobst aussah,
und ein kleines Stück stark riechender Ziegenkäse. Es
gab nichts, was eine Telchinin hätte essen können.
Verzweifelt bot Aura ihrer Mutter den schwammähn-
lichen Anhänger an, den sie aus dem Tempel mitge-

nommen hatte. Aber Lindia schrak davor zurück und kauerte sich in einer Ecke zusammen. Wenigstens gab es reichlich Wasser, das aus einem Brunnen mit marmornen Wasserspeiern in Form von Löwenköpfen geholt wurde. Allerdings wäre es Aura inzwischen auch egal gewesen, wenn das Wasser aus einem Loch im Boden gekommen wäre.

Androkles kam am Mittag zurück, ohne das Gold und den Ochsenkarren. Er wurde mit Pfiffen und Scherzen darüber empfangen, wie lange er gebraucht hatte, was er mit einem breiten Grinsen und Rückenklopfen für seine Jungs beantwortete. Er sah nach Aura und ihrer Mutter, sagte, sie sähen beide schon dünner aus, und verschwand mit Timosthenes, Chariklea und einer Handvoll anderer Nachtfalter, von denen Aura annahm, sie seien seine Stellvertreter, in einem der alten Tempel. Sie waren schon weg, als Aura merkte, dass sie vergessen hatte, nach Elektra zu fragen.

Die Nachtfalter, die in dem Haus wohnten, wussten offenbar nichts von Elektra, waren aber freundlich zu ihren Gästen. Als Auras Mutter in der Ecke erschöpft einschlief, breitete ein Mädchen eine Decke über sie und scheuchte die anderen weg. Sie riet Aura, ebenfalls eine Runde zu schlafen, solange alles ruhig war, denn ganz bestimmt würden bald Soldaten erscheinen und den Ort durchsuchen. Das schien sie jedoch nicht zu beunruhigen. Die anderen witzelten darüber, wie viel Beute die Soldaten wohl diesmal finden würden und wie weit sie den Berg hinunterkämen, ehe die Nachtfalter ihre Schätze wieder zurückstahlen. Für sie war das offenbar eine Art Spiel.

Aura hinkte zum Rand der Hochfläche und blickte lange auf die winzigen Inseln Chalki und Alimia, die vor der sinkenden Sonne dunkel wirkten. Tränen stiegen ihr in die Augen, als sie auf ihre Heimatinsel starrte, die so weit weg und unerreichbar war. Zu allem Übel waren ihr die beiden Personen, mit denen sie am wenigsten reden wollte – Milo und sein Bruder –, gefolgt.

Lange herrschte gespanntes Schweigen. Als Aura es nicht mehr ertrug, wirbelte sie herum und fragte: »Was habt ihr bei den Nachtfaltern zu suchen? Ich dachte, euer Vater sei schwer verletzt?«

Milo starrte ebenfalls auf die Inseln und der Wind fuhr durch seine dunklen Locken. Sein blaues Auge war an den Rändern grünlich geworden. »Wir konnten keinen Arzt finden, der mit uns nach Chalki kommen wollte. Sie hatten alle zu viel zu tun. Sie haben gesagt, wir hätten ihn mit den übrigen Verletzten herüberbringen sollen.«

Aura runzelte die Stirn. »Habt ihr ihnen nicht erklärt, dass man ihn nicht bewegen darf?«

»Sie haben gesagt, er müsste warten, bis er an der Reihe ist, und wenn es ein echter Notfall wäre, würden sie eine Botschaft vom Sonnengott bekommen!«, stieß Kimon hervor und brach in Tränen aus.

Aura blickte mit gemischten Gefühlen auf den Jungen. Eine Botschaft vom Sonnengott? Wie die Botschaften, die die Priesterinnen auf Chalki sonst immer von »Athene« bekamen? Es lief ihr kalt über den Rücken, als sie an den Anhänger dachte, den sie gestohlen hatte.

Milo legte seinem jüngeren Bruder die Hand auf

die Schulter. »Deswegen sind wir nach Ialysos gekommen«, sagte er und sah Aura zum ersten Mal an. »Die Nachtfalter haben angeblich irgendeine Art von Heiler hier oben. Hat Timosthenes nicht gesagt, er würde einen Blick auf deinen Knöchel werfen?« Er hielt inne. »Falls du ihn vor uns siehst, könntest du ihm sagen, dass wir mit ihm sprechen müssen?«

Aura hielt ihre Stimme mühsam ruhig. »Nennt mir einen einzigen Grund, warum ich euch helfen sollte.«

»Schwammtaucherkodex. Wir haben euch auch geholfen.«

Besorgnis ließ sie in scharfem Ton sprechen. »Geholfen? Hättet ihr mich nicht auf Chalki die ganze Bootsreihe entlanggehen lassen, wäre ich gar nicht hier! Euer Vater ist zwar verletzt, aber meinen will der Oberpriester töten. Xenophon hat uns als Geiseln im Tempel festgehalten, um ihn nach Rhodos zurückzulocken. Es ist mir gelungen, Elektra eine Botschaft zu schicken, in der stand, er solle nicht nach Hause kommen, aber dann haben eure blöden Nachtfalter sie ihr geraubt! Und ich finde sie noch nicht einmal. Angeblich ist sie irgendwo hier oben, und daran bin ich auch noch schuld ...«

Eine Träne rollte ihr über die Wange. Sie wischte sie weg und ärgerte sich, dass die Jungen von Chalki sie jetzt schon zum zweiten Mal hatten weinen sehen.

»Alles ist so vertrackt, Milo! Warum musste Poseidon überhaupt dieses blöde Erdbeben schicken? Davor war alles in Ordnung. Mutter hat Hunger und Angst. Sie gehört nicht hierher. Ich muss tauchen gehen und ihr irgendwie Schwämme besorgen, und ich muss einen anderen Weg finden, Vater zu warnen, damit er nicht nach Rhodos zurückkehrt … aber jetzt können wir nicht einmal mehr nach Hause.«

Milo legte ihr beruhigend die Hand auf den Ellbogen. Er führte sie zu einem gesprungenen Marmorblock und sagte, sie solle sich setzen. Aura vergrub das Gesicht in den Händen, obwohl sie das Gefühl hatte, sie mache sich lächerlich, aber sie war so aufgewühlt, dass es ihr gleich war.

Kimon näherte sich vorsichtig. »Vielleicht könntest du noch einmal deinen bösen Blick einsetzen? Das hast du doch bei der Mauer gemacht, oder? Du hast den alten Priester fertiggemacht! Das war toll!«

»Red keinen Unsinn, Kim. Sie hat niemanden fertiggemacht«, sagte Milo. »Dem Priester ist ein Stein auf den Kopf gefallen.«

»Ich war dabei! Ich habe gesehen, dass blaues Licht aus ihren Augen gekommen ist!«

»Verschwinde, Kim«, sagte Milo sanft. »Sieh mal nach, ob jemand weiß, wo der Heiler der Nachtfalter ist, ja? Aura und ich müssen über ein paar Dinge reden.«

Mit Milo reden war das Letzte, was Aura in diesem Augenblick wollte, aber sie war froh, als der Jüngere abzog. Er hatte gesehen, wie sie ihren Augenzauber anwandte. Wahrscheinlich hatte es halb Rhodos-Stadt gesehen.

»Ich weiß, dass es vertrackt ist, Aura«, sagte Milo. »Glaub mir, ich hatte keine Ahnung, warum die Priesterin Themis so viel über dich und deine Familie wissen wollte, sonst hätte ich ihr nichts gesagt. Sie hat versprochen, Athene würde dich heilen. Sie hat nichts davon gesagt, dass sie dich gefangen halten oder dem Oberpriester schicken wollte. Ich bin froh, dass du ihm entkommen bist.«

»Aber das rettet nichts«, sagte Aura. »Die Männer des Oberpriesters haben eine Botschaft auf Alimia zurückgelassen. Wenn wir nicht zu Hause sind, wenn Vater zurückkommt, fährt er nach Rhodos und sucht uns. Dann wird Xenophon ihn umbringen lassen.«

Milo schwieg einen Augenblick. »Ich verstehe, dass du Angst hast ...«

»Du verstehst überhaupt nichts, was mich betrifft«, ließ sie ihn abblitzen. In ihrem Kopf drehte sich alles. Seit sie auf der Hochfläche angekommen war, war ihr unentwegt schwindlig. Wahrscheinlich musste sie schlafen, wie das Nachtfalter-Mädchen ihr geraten hatte, aber sie musste erst noch über so vieles nachdenken. Und wenn die Soldaten kamen und das Lager durchsuchten, musste sie wach sein, um ihre Mutter beschützen zu können.

»Du irrst dich.« Milo nahm ihre Hand, spreizte ihre Finger und fuhr die Narben nach.

Zuerst versuchte sie, die Hand wegzuziehen. Dann gab sie nach und überließ sie ihm.

»Ich habe dich gesehen«, sagte er leise. »Auf Alimia. Als du klein warst.«

Aura erstarrte. »Wovon redest du?«

»Ich habe gesehen, wie es zu den Narben gekommen ist. Ich habe in der Nähe von Alimia getaucht und dich am Strand weinen hören.«

Sie entriss ihm ihre Hand und ihre Wangen wurden glutrot.

»Ich habe dich beobachtet. Du warst so entschlossen. Du hast hinterher nicht geweint, wie es die meisten Mädchen getan hätten, bei dem vielen Blut und den Schmerzen. Und du hast nicht geschrien, während du es getan hast, weil du tief getaucht bist und die Schwimmhäute auf dem Grund des Meeres weggeschnitten hast. Ich konnte dir nicht so weit in die Tiefe folgen, aber ich habe gewartet, bis du wieder heraufkamst. Bevor du untergetaucht bist, hattest du die Hände einer Meeresdämonin. Hinterher hattest du menschliche Hände. Du hast ein bisschen so ausgesehen wie jetzt, ganz blass und so, als könntest du dich kaum auf den Füßen halten. Aber du bist immer weiter am Strand entlanggegangen, bis du deine Finger mit Seetang verbunden hattest, dann hast du dich hingesetzt und bist mit einem Lächeln im Gesicht in Ohnmacht gefallen. Du siehst also, ich verstehe sehr wohl. Du willst keine Telchinin sein, nicht wahr, Aura? Du willst ein Mensch sein wie wir.«

»Das ist nicht wahr!«, rief Aura und sprang auf. Sie war erst sieben gewesen, als sie ihre Schwimmhäute abgeschnitten hatte, weil sie gesehen hatte, dass all die Taucher von Chalki voneinander getrennte Finger und Zehen hatten, ohne Häute dazwischen. Sie wollte keine Außenseiterin sein und hatte deshalb getan, was sie konnte, damit ihre Hände aussahen wie die der anderen, ohne zu ahnen, wie stark sie bluten würden und wie weh es tun würde. Und er hatte sie beobachtet? »Ich habe meine Schwimmhäute von den Fingern geschnitten, weil sie mir im Weg waren«, sagte sie. Wieder drehte sich alles in ihrem Kopf und sie taumelte gefährlich nahe an den Rand der Hochfläche.

Milo zog sie zurück. »Merkwürdig bei einer Schwammtaucherin. Ich denke, mit ihnen konntest du besser schwimmen.«

Sie sah den Jungen finster an. »Ich kann besser schwimmen als ihr alle, mit oder ohne Schwimmhäute! Warum hast du mich überhaupt beobachtet?«

Milo lächelte. »Du bist interessant, auf eine besondere Weise.«

Aura musste unwillkürlich lachen. »Ich? Interessant? Schau mich doch an! Fast so dick wie meine Mutter, plump, mit Schwimmhäuten an den Zehen und dem bösen Blick ...«

»Und mit silbernen Haaren wie eine Wolke mit Sternen darin. Unter Wasser bist du nicht plump. Du bist wie ein Fisch, flink und wendig. Und du bist mutig. Kim hat recht. Ich wollte ihn vorhin nicht ängstigen, aber du hast unten bei dem Koloss irgendeinen Zauber ausgeübt. Du hast geleuchtet, als hättest du blaues Licht unter der Haut, und dann kam es aus deinen Augen und traf die Mauer, und die Mauer bekam ein Loch. Du bist nicht wie andere Mädchen.«

Das alles wurde ihr langsam allzu verwirrend. Sie wechselte das Thema. »Wie bist du zu deinem blauen Auge gekommen?«

Milo berührte sein Auge mit einem wehmütigen Lächeln. »Ich habe mit Androkles gekämpft, unten am Hafen. Kim und ich haben versucht, einen Arzt zu finden, der nach Chalki mitfährt, deshalb haben wir ein bisschen mit unserem Geld angegeben. Die Nachtfalter müssen gesehen haben, wie wir unsere Schwämme verkauft haben, und wohl gedacht, wir seien einfältige Inselbewohner. Sie haben uns alles Geld gestohlen, das wir von den Händlern bekommen haben. Da bin ich ausgerastet.«

»Wer hat gewonnen?« Aura wunderte sich, dass sie keine Verbindung zwischen den beiden blauen Augen hergestellt hatte.

Milo zuckte die Achseln. »Androkles. Aber hinterher hat er gelacht und gesagt, ich könne gut kämpfen, und wenn wir wollten, könnten wir bei den Nachtfaltern bleiben, weil es bald eine fette Beute zu teilen gäbe. Ich wollte ihm schon sagen, er solle verschwinden. Aber dann erwähnte einer der anderen den Heiler, den er hier oben hat und der sich um unsere blauen Augen kümmern würde. Da dachte ich, wenn wir uns den Nachtfaltern anschließen, hätten wir wenigstens noch die Chance, unser Geld wiederzubekommen, und außerdem würden sie uns vielleicht helfen, dich zu retten. Ich wusste aber nicht, dass ihr mit Androkles im Kopf des Kolosses wart. Das war brillant – woher habt ihr gewusst, dass die Nachtfalter den goldenen Strahl stehlen wollten?«

»Wir wussten es nicht«, sagte Aura und dachte an den Anhänger, den sie gestohlen hatte, und wie sie zunächst einfach in den Strahl geflüchtet waren – hatte der Anhänger verursacht, dass sie den Abhang hinuntergerollt waren? Sie schüttelte den Kopf. Milos dunkle Locken beschatteten sein Gesicht. Das Wissen, dass er gesehen hatte, wie sie die Schwimmhäute von ihren Fingern geschnitten hatte, während sie geglaubt hatte, außer ihren Eltern wisse niemand davon, gab ihr das Gefühl einer merkwürdigen Verletzlichkeit. »Was ist aus meinem blauen Schwamm geworden?«, fragte sie. »Ist er wirklich im Hafen von Chalki herausgefallen, wie dein Bruder gesagt hat?«

Milo runzelte die Stirn. »Ich bin kein Dieb, Aura.«

»Also deshalb hast du dich einer Diebesbande angeschlossen und geholfen, das Tempelgold zu stehlen?«

Die Falten auf Milos Stirn wurden tiefer. »Das Gold ist mir gleich. Ich habe dir doch schon gesagt, ich wollte nur einen Heiler für Vater finden. Warum ist denn dieser verlorene Schwamm überhaupt so wichtig? Du kannst doch ganz leicht tauchen gehen und einen anderen finden. Oder sammelst du blaue, wie dein Vater früher? Bist du deshalb so aufgebracht?«

Sie fragte sich, wie viel sie ihm sagen sollte. Dann fiel ihr wieder ein, dass er sowieso schon einen Teil wusste. Daher erzählte sie ihm von den Anhängern, die die Statuen in den Heiligtümern des Helios auf Rhodos und der Athene auf Chalki um den Hals hängen hatten. Sie sagte ihm, dass sie dazu benutzt werden konnten, über das Meer hinweg zu kommunizieren, und dass sie vermutete, der blaue Schwamm, den sie während des Erdbebens gefunden hatte, besitze dieselbe magische Eigenschaft. »Wenn die Schwämme tatsächlich besondere Kräfte haben«, fuhr sie nachdenklich fort, »dann erklärt das vielleicht, warum mein Vater sie gesammelt hat, allerdings weiß ich nicht, wofür er sie wollte. Vielleicht ist er nach Alexandria gefahren, um zu sehen, ob er sie dort verkaufen kann.«

Milo starrte sie an. »Das kann gut sein! Meine Leute sagen, in Ägypten wimmle es von Zauberern. Du meinst also, der Schwamm, den du gefunden hast, gehörte zu seiner Sammlung?«

»Vielleicht. Ich erinnere mich nicht daran, dass er viele blaue nach Alimia gebracht und meiner Mutter zu essen gegeben hätte. Wenn er sie in einer Unterwasserhöhle irgendwo in der Nähe der Inseln versteckt hatte, kann sie das Erdbeben leicht wieder ins Meer zurückgespült haben.«

»Und du glaubst, dein Vater hätte diese magischen Schwämme aus den Anhängern der Götter in den Tempeln gestohlen?«

»Ich weiß nicht ...« Sie hasste den Gedanken, ihr Vater könne tatsächlich ein Verräter sein, wie der Oberpriester behauptet hatte. »Nach dem, was du mir erzählt hast, muss er auch eine Menge ganz gewöhnlicher blauer Schwämme gesammelt haben, die keinerlei Kräfte haben. Aber wenn er die in den Anhängern der Götter gestohlen hat und die Wahrheit über die Botschaften weiß, dann erklärt das vielleicht, warum der Oberpriester ihn umbringen will.«

Milo blickte mit zusammengekniffenen Augen in die untergehende Sonne. »Magische Schwämme, mit denen man sich über das Meer hinweg verständigen kann ...?« Er grinste. »Meine Leute haben immer gesagt, die neuen Orakel, die jetzt überall wie Pilze aus dem Boden schießen, seien ein Schwindel. Das könnte eine richtig große Sache sein, Aura! Ich helfe dir, die Sache mit den blauen Schwämmen zu klären, wenn du mir und Kim hilfst, den Arzt der Nachtfalter zu überreden, dass er mit uns nach Chalki fährt. Du kannst ihm mit deinem bösen Blick drohen, wenn er sich weigert. Das ist unser Geheimpakt. Schwammtaucherkodex?«

Der Junge aus Chalki hob die Hand auf rituelle

Weise und sah ihr mit einem ungeheuren Vertrauen in die Augen, das sie ärgerte.

Aura wusste nicht, ob Milo nur freundlich zu ihr war, weil er Angst hatte, sie könnte ihren Augenzauber auf ihn und seinen Bruder anwenden. Aber sie brauchte einen Freund. Also seufzte sie und berührte mit ihren vernarbten Fingern seine starken braunen Finger.

»Schwammtaucherkodex.«

KAPITEL 7

DER ÜBERFALL

In jener Nacht hatte Aura einen höchst merkwürdigen Traum. Sie lag im Dunkeln, gefesselt mit Kupferdrähten, die ihr ins Fleisch schnitten. Von ihren Armen und Beinen spürte sie nichts. Wilde Gefühle durchfluteten sie. Schrecken ... Wut ... Schmerz. Dann spürte sie eine Berührung, und ein blauer Schein erhellte ihr Gefängnis. Sie sah Felsen, die vor Nässe glänzten. Eine Höhle ...

Schlagartig erwachte sie, schweißgebadet, die Vision von der blau erleuchteten Höhle noch deutlich hinter ihren Lidern. Sie hielt den Anhänger so fest umklammert, dass er rote Abdrücke auf ihrer Handfläche hinterlassen hatte. Schaudernd schob sie ihn wieder unter ihre Tunika. Sonnenstrahlen fielen durch das kaputte Dach und Staub und Insekten tanzten darin. Die Ruinenstadt war ruhig. Rauchgeruch hing in der Luft.

Als Aura die Mädchen der Bande reglos unter ihren Decken liegen sah, packte sie einen Augenblick lang die Panik. Hatte sie womöglich im Schlaf ihren Augenzauber angewendet und sie auf ihrem Lager getötet? Dann drehte sich ein Mädchen mit einem Seufzer um, und Aura merkte, dass die anderen nur schliefen. Sie lächelte über ihre Dummheit und blickte sich nach ihrer Mutter um. Doch sie sah nur eine Decke flach auf der Erde liegen.

Sie eilte nach draußen. Das ganze Lager war still und schien sich nicht um die Welt zu scheren. Ärgerlich, weil keine Wachen da waren, dachte Aura, die Nachtfalter seien doch recht nachlässig. Da erblickte sie zwei Gestalten in Lumpen, die auf der anderen Seite der Hochfläche auf und ab gingen, und entspannte sich etwas. Eine der Gestalten winkte sie zu sich. Als Aura ihr näher kam, erkannte sie Chariklea.

Das Mädchen wirkte munter und fröhlich. »Deine Mutter ist zur Quelle gegangen«, erklärte sie Aura. »Sie hatte Durst, als sie aufwachte. Keine Sorge, die beiden Jungen aus Chalki sind mit ihr gegangen. Milo hat gesagt, wir sollen dich schlafen lassen.«

»Wo ist Androkles?«, fragte Aura.

Chariklea warf ihrem Gefährten − einem älteren Jungen mit dunklen Locken und einem frechen Grinsen − einen Blick zu. »Der Boss hat zu tun«, sagte der Junge in einem Ton, der ihr klarmachte, dass sie nicht mehr erfahren würde.

»Und was ist mit Elektra? Ihr wisst doch sicher, wen ich meine − die Novizin von Chalki, die ihr auf der Straße ausgeraubt habt. Sie ist meine Freundin und ich möchte sie sehen. Sofort.«

Chariklea lächelte: »Ah, die. Das Mädchen ist nicht ganz richtig im Kopf, wenn du mich fragst. Wahrscheinlich ist sie noch immer unten in der Ruine des

Athene-Tempels. Wenn du willst, bringe ich dich hin – wir müssen nicht zu zweit hier oben Wache schieben, und die Gesellschaft wird mir schon langweilig.« Der Junge machte eine unanständige Geste und Chariklea zog als Antwort blitzschnell ihr Messer und kitzelte ihn damit unterm Kinn, bis er den Rückzug antrat, leise vor sich hin lachend.

Aura zögerte, weil sie sich Sorgen um ihre Mutter machte. Aber Milo hatte versprochen, sich um sie zu kümmern, und sie musste mit Elektra über die Anhänger der Götter sprechen.

Das Mädchen führte sie auf einem überwucherten Pfad in den Wald. Unter den Bäumen war es so kühl, dass Aura fröstelte. Sie atmete beim Gehen die nach Pinien duftende Luft tief ein und versuchte, ihren Kopf klarzubekommen. Ihr Knöchel schmerzte, sooft sie auf einen wackeligen Stein trat. Sie erinnerte sich an ihren Pakt mit Milo und nutzte die Gelegenheit, Chariklea nach dem Heiler der Nachtfalter zu fragen. »Timosthenes hat gesagt, er würde sich meinen Fuß ansehen«, erklärte sie.

Das Mädchen blickte auf den Verband hinab. »Als du gerade über die Hochfläche gerannt bist, dachte ich, dein Fuß sei in Ordnung.«

Aura schnitt eine Grimasse. Er fühlte sich wesentlich besser an, als nach der Schinderei, die sie ihm zugemutet hatte, zu erwarten war. »Habt ihr hier oben einen Heiler oder nicht?«

Das Mädchen sagte in zurückhaltendem Ton: »Ja, wir haben einen Heiler. Es ist nur ... also, du wirst verstehen, wenn du ihn siehst. Aber jetzt im Augenblick kann ich dich nicht hinbringen. Der Boss ist zu beschäftigt. Und ich dachte, du wolltest deine Freundin sehen. Hier sind wir!«

Die Ruine des Athene-Tempels von Ialysos stand auf einer Lichtung neben einem Bach. Um ihre Säulen wand sich Efeu und das Dach fehlte. Drinnen konnte man ein Flüstern hören, unterbrochen von gedämpftem Schluchzen.

Chariklea schüttelte den Kopf. »Unglaublich, dass sie immer noch weitermacht! Sie betet unablässig zu der Göttin, seit wir sie hierherauf geschleppt haben. Ich hoffe, du kannst sie zur Vernunft bringen, denn wenn die Soldaten anrücken, solange sie derart weint, hören sie sie bestimmt.«

Aura blickte nervös den Hang hinab. »Wenn sie wissen, dass ihr eure Schätze hier oben versteckt, warum sind sie dann noch nicht gekommen, um nach dem Gold des Sonnengottes zu suchen?«

Chariklea sah nachdenklich aus. Dann grinste sie. »Vielleicht haben sie aufgegeben. Es gelingt ihnen fast nie, jemanden zu erwischen, und meistens klauen wir die Sachen, die sie uns wegnehmen, schnurstracks wieder zurück. Oder vielleicht ist es so, wie der Boss gesagt hat. Seit dem Erdbeben ist alles zusammengebrochen, und sie haben einfach zu viel zu tun, um sich mit uns zu befassen.«

Aura konnte sich nicht vorstellen, dass der Oberpriester sein Gold so leicht verloren gab. Dann fiel ihr wieder ein, dass ihm bei ihrer Flucht ein Stein auf den Kopf gefallen war. Vielleicht konnte er gerade keine Befehle erteilen.

Sie suchten sich einen Weg unter einem Giebelfeld durch, das windschief auf gesprungenen Säulen ruhte.

Im Tempel bildeten Piniennadeln einen weichen Teppich, der ihre Schritte dämpfte. Das Allerheiligste war nach oben offen. Eine Tür hing schief in den Angeln. Sie fanden die Novizin kniend vor einer Athene-Statue ohne Kopf, die Wangen tränenüberströmt. Die Arme der Göttin waren an den Ellbogen abgebrochen und ihre Füße waren von Ranken überwachsen. Diese Statue sah viel älter aus als die auf Chalki und sie trug keinen Anhänger.

»Die Göttin spricht nicht mit dir, wenn du keinen von denen da hast«, sagte Aura und zog den Anhänger hervor, den sie aus dem Tempel des Helios entwendet hatte.

Elektra fuhr herum und starrte ihn mit wildem Blick an. »Woher hast du das? Es ist ein heiliger Anhänger. Er gehört Athene!« Sie wollte nach dem Anhänger greifen, aber Aura hielt ihn außerhalb ihrer Reichweite.

»Ach, sei nicht so dumm.« Chariklea fasste Elektra am Handgelenk. »Ich habe deine Freundin zu Besuch mitgebracht. Du könntest sie wenigstens begrüßen.«

Elektra hob die Augen zum Gesicht des Mädchens. »Aura …?« Verwirrung löste den wilden Blick ab und sie schob trotzig den Unterkiefer vor. »Ich wusste doch, dass mich die Göttin auf Chalki geprüft hat! Du bist nicht im Tempel des Helios gefangen, wie du gesagt hast, also kannst du nicht mit mir gesprochen haben, oder?« Sie lachte kurz auf und versuchte, Charikleas Finger von ihrem Arm zu lösen. »Ich hätte mir denken können, dass du dem Ratsherrn mit Hilfe deiner Telchinenkräfte entkommst. Hast du ihn mit dem bösen Blick erledigt?«

Chariklea grinste Aura an und tippte sich an die Stirn. »Ich hab dich ja gewarnt, oder? Das Mädchen ist verrückt.«

Elektra beachtete sie nicht und wandte sich an Aura. »Diese abscheulichen Nachtfalter, oder wie immer sie sich nennen, haben mich auf der Straße von Kamiros her ausgeraubt, als ich dort in einer wichtigen Sache für den Tempel unterwegs war!« Sie warf ihr schwarzes Haar zurück und blickte Chariklea finster an. »Lass mich los. Ich bin eine Orakelpriesterin der Athene. Die Göttin spricht *wohl* mit mir, und wenn du nicht aufpasst, wird sie dich mit ihrem Flammenschwert angreifen!«

»Hier bin ich die Einzige mit einem Schwert.« Wieder lachte das Mädchen und pikste Elektra leicht mit ihrem Messer unter dem Kinn, was die Novizin erblassen ließ. »Schon gut, schon gut, kippe mir nur nicht um. Ich lass dich in Ruhe. Aber benimm dich. Sonst muss ich dich womöglich zu deiner eigenen Sicherheit bei deiner kostbaren Göttin hier einschließen.« Sie deutete mit dem Kopf auf das Allerheiligste, in dem es übel roch. Offenkundig hatte Elektra einen Winkel als Toilette benutzt. Ein platt gedrücktes Polster aus Piniennadeln zu Füßen der Göttin zeigte, wo sie geschlafen hatte.

Aura legte den Arm um das Mädchen. Trotz ihrer mutigen Worte hatte sie Tränen in den Augen. Ihr magerer Körper war gespannt wie ein Bogen. »Komm mit«, sagte sie sanft. »Wir gehen zum Brunnen und du kannst dich waschen. Meine Mutter ist dort, mit Milo und Kimon, und ich möchte sie nicht allzu lange mit ihnen allein lassen. Was ist aus der Botschaft geworden, die du an meinen Vater geschrieben hast – an Leonidus, meine ich. Hast du sie noch?«

Elektra tastete nach etwas in der Tasche ihres fleckigen Gewandes und erstarrte dann. Mit aufgerissenen Augen sah sie Aura an. »Woher weißt du davon?«

Also musste Aura noch einmal von vorn anfangen und ihr erklären, was ihrer Vermutung nach geschah, wenn die Priesterinnen im Tempel der Athene Chalkia Botschaften von ihrer Göttin erhielten. Sie berichtete Elektra von ihrer Theorie, dass die Stimme, die sie von der Statue der Athene her hörten, in Wirklichkeit die des Oberpriesters Xenophon war, der vom Allerheiligsten seines Helios-Tempels aus sprach. Dann berichtete sie, wie sie in der Nacht ihrer Gefangenschaft im Helios-Tempel die Anhänger dazu benutzt hatte, mit Elektra in Verbindung zu treten und ihr die Botschaft zu diktieren, die sie an Leonidus geschrieben hatte.

Als sie ihr genau sagte, was in dem Brief an ihren Vater stand, und dann Wort für Wort ihr Gespräch in jener Nacht wiederholte, wurde die Novizin blass. Sie zog eine zerknitterte Schriftrolle heraus, überflog sie und blickte verwirrt auf.

»Niemand weiß, was ich geschrieben habe«, hauchte sie. »Niemand hat die Schriftrolle auch nur angesehen. Ich glaube nicht, dass von den grässlichen Nachtfaltern jemand lesen kann!« Sie blickte kurz zu Chariklea hinüber, die auf einer umgestürzten Säule saß und mit der Spitze ihres Messers auf dem Marmor herumkratzte.

Sie pfiff leise vor sich hin, als interessiere sie nicht, was die beiden sprachen, aber Aura vermutete, dass sie auf jedes Wort lauschte, damit sie das Gespräch brühwarm ihrem Boss weiterberichten konnte. Aber das ließ sich nicht ändern.

»Hör zu, Elektra«, sagte sie und holte tief Luft. »Der Oberpriester hat etwas verloren, das er das Geschenk des Helios nannte; anscheinend ist es von dem Koloss verschwunden, als er beim Erdbeben umstürzte. Er glaubt, mein Vater hätte es gestohlen, was ein Stück weit verständlich ist. Milo hat mir gesagt, mein Vater hätte immer blaue Schwämme gesammelt, die ganz ähnlich wie die in den Anhängern der Götter aussahen, und während des Erdbebens habe ich einen ähnlichen blauen Schwamm in der Tiefe des Meeres gefunden. Ich hielt ihn in der Hand, als ich die Vision von dem umstürzenden Koloss hatte. Damals dachte ich, sie käme von Poseidon, der mein Gebet erhörte.« Sie ignorierte Charikleas vernichtenden Blick, sah sich in der Tempelruine um und senkte die Stimme. »Jetzt bin ich nicht mehr sicher. Ich glaube, das Geschenk des Helios ist eine größere Version der Götteranhänger und viel wichtiger. Der Oberpriester hat gesagt, wenn jemand daran herumpfusche, könnten die Götter nicht mehr sprechen und ihre Heilkraft gehe verloren. Außerdem sagte er, es würde schon jetzt nicht mehr alles richtig funktionieren. Das scheint darauf hinzudeuten, dass das vermisste Geschenk eine Art magische Kraft besitzt, die die anderen Anhänger beeinflusst.«

Chariklea hörte auf zu kritzeln und starrte sie aufmerksam an.

Elektra schüttelte mit einem nervösen Kichern den Kopf. »Soll das heißen, Athene hätte gar keine eigene Macht? Sie käme nur von einem großen blauen Schwamm? Das ist verrückt! Und überhaupt, wie hätte dein Vater dieses komische Geschenk dem gestürzten Koloss abnehmen sollen, wenn er doch angeblich in Alexandria ist?« Sie blickte Aura triumphierend an.

»Ich habe nie gesagt, er hätte es genommen. Das glaubt nur der Oberpriester. Aber es ist verschwunden, also kann der Oberpriester es wohl nicht mehr benutzen, um sich als Gott auszugeben. Er hat gesagt, die anderen Stücke für sich allein wären nutzlos. Aber ich denke, Telchinen haben irgendeine Art besondere Verbindung dazu, deshalb konnte ich mit Hilfe des kleineren Anhängers im Allerheiligsten in jener Nacht mit dir reden.« Sie hielt es für das Beste, vorerst noch nichts von dem Augenzauber zu erwähnen. »Meine Mutter hatte Angst, als wir im Tempel eingesperrt waren. Sie sagt, der Anhänger sei tückisch, und warnt ständig, Poseidon würde uns austricksen. Ich muss noch einmal mit ihr reden. Ich glaube, sie weiß viel mehr, als sie sagt, aber es hängt irgendwie mit dem Verlust ihrer Augen zusammen, und davon will sie nie reden.«

Elektra legte die Stirn in Falten. »Die Priesterin Themis hat gesagt, dass die Götter uns nach dem Erdbeben vernachlässigt haben«, sagte sie langsam. »Und Athene hat sich geweigert, in diesem Tempel hier mit mir zu sprechen. Ich dachte, sie sei zornig auf mich, weil ich sie enttäuscht habe, aber wenn das, was du sagst, wahr ist ...« Sie blickte auf den Anhänger. »Aura, wie viele von diesen Anhängern gibt es auf Rhodos?«

»Ich weiß es nicht. Aber in jedem Tempel steht eine Statue, nicht wahr? Die Soldaten, die mich in den Tempel brachten, haben gesagt, Ratsherr Iamus frage die Fischer nach den anderen Statuen, die die Häfen bewachen, also hatten vielleicht auch sie solche Anhänger ...« Als Elektras Augen sich weiteten, erkannte Aura, dass Milo recht haben musste und dass es wirklich um einen großen Schwindel ging. Das Kommunikationsnetz musste ganz Rhodos umfassen und die kleineren Inseln auch.

»Ich muss nach Chalki zurück und der Priesterin Themis sagen, dass die Stimme der Göttin vielleicht falsch ist!«, sagte Elektra erregt.

»Du gehst nirgendwohin, bis der Boss es dir erlaubt!« Chariklea sprang auf, ihr Messer in der Hand. »Götter und Göttinnen sprechen sowieso nicht wirklich zu uns, also sei nicht so dumm.«

Elektra machte ein trotziges Gesicht. »Selbstverständlich tun sie das! Echte Orakel kommen von den Göttern.«

»Nur wenn du schon halb verrückt bist vom Rauch im Tempel! Mein Vater hat früher auch geglaubt, er könnte Dinge vorhersehen, bloß waren es keine Visionen von den Göttern — sie kamen von schlechtem Wein —, und dann hat er mich geschlagen, weil sie nie wahr wurden. Deswegen bin ich weggerannt und habe mich den Nachtfaltern angeschlossen. Vergiss deine dummen Orakel. Mich interessiert mehr, was Aura über die Botschaften sagt, die man durch die Statuen schicken kann — also *das* finde ich einleuchtend. Das würde erklären, warum wir vor dem Erdbeben immer so viel Ärger hatten und die Soldaten immer so genau wussten, wo wir waren, und warum sie jetzt offenbar so schlecht organisiert sind. Warte, bis ich das dem Boss erzähle! Vielleicht können wir runtergehen und die Statuen zerschlagen, die das Erdbeben nicht erwischt hat.« Sie lächelte, als stelle sie sich vor, wie viel Spaß das den Nachtfaltern machen würde.

»Ihr könnt nicht einfach herumlaufen und heilige Statuen zerschlagen!«, sagte Elektra. Aber sie klang nicht mehr so sicher. Sie beäugte den Anhänger in Auras Hand. »Ich hab eine Idee! Du kannst das Ding benutzen, um eine Botschaft an die Priesterin Themis zu schicken und sie zu warnen.«

Aura öffnete den Mund, um zu sagen, es sei vielleicht nicht sehr ratsam, mit Themis Kontakt aufzunehmen. Aber noch ehe sie dazu kam, warf sie ein gleißendes blaues Licht auf die Knie. Sie griff mit beiden Händen in die Piniennadeln, als hinter ihren Augen Regenbogen aufflammten.

»Aura!« Elektras Stimme schien aus weiter Ferne zu kommen. »Was ist los?«

»Ich glaube ... uns droht ... Gefahr.« Sie bekam die Worte kaum heraus. Die Tempelsäulen und die Baumwipfel drehten sich. Sie spürte, wie sich die Kraft in ihr aufbaute, genau wie in dem Moment, in dem sie an der Stadtmauer hing. »Geht weg von mir, Elektra! Chariklea!«, keuchte sie. »Um Poseidons willen, lauft!«

»Wenn das ein fauler Trick ist, Telchinin ...«, begann Chariklea, brach aber ab, als ein Schrei durch die Luft gellte. »Ein Überfall!«, rief sie und packte Elektra am Arm. »Wenn du in Freiheit bleiben willst, komm mit!«

»Wir können Aura nicht zurücklassen«, sagte die Novizin mit schriller, angstvoller Stimme. »Sie braucht Hilfe.«

Von der Hochfläche kamen weitere Schreie und man hörte Männerstimmen Befehle brüllen. Manche der Schreie verstummten erschreckend plötzlich. Die Rufe kamen näher. Durch einen Spalt in der Wand des Tempels sah Aura Soldaten zwischen den Bäumen durch rennen und Nachtfalter jagen, die von der Hochebene geflohen waren. Wenn sie sie erwischten, banden sie ihren Gefangenen die Hände auf den Rücken und trieben sie dann zusammen, damit sie ihre Hälse mit einem Strick aneinanderbinden konnten. Die Nachtfalter stießen Flüche aus, bissen und traten, aber es half ihnen nichts. Sie waren in der Minderheit und die anderen hatten bessere Waffen.

»Es sind Hunderte!«, rief Chariklea entsetzt. »Wir müssen warten, bis sie weg sind, und dann versuchen, uns ins Nachtfalter-Tal durchzuschlagen. Dort unten können wir ihnen vielleicht entkommen. Pst!«

Aura biss die Zähne zusammen, um die Regenbogen abzuwehren. »Ich muss ... meiner Mutter ... helfen ...«

»Vergiss es, Telchinin«, sagte Chariklea. »Wenn wir wieder raufgehen, fangen sie uns auch – pass auf, sie kommen!«

Pferde galoppierten zur Tempelruine. Die Reiter saßen ab und rannten mit gezogenen Schwertern die Stufen hinauf. Chariklea zog Elektra hinter die Statue der Göttin. Aura konnte sich nicht rühren. Ihr Kopf war voller Regenbogen, die brannten wie Feuer. Ein Triumphschrei erscholl, als ein Soldat sie erblickte. Sie kämpfte verzweifelt, um ihren Augenzauber zu beherrschen. Sie wollte diesen Männern nicht antun, was sie dem Wächter im Helios-Tempel angetan hatte. Aber sie schienen die Gefahr nicht zu erkennen.

Dann sprang Chariklea dazwischen, ihr Messer in der Hand.

»Gib auf, Mädchen!«, sagte einer. Er trug einen Helm mit geschlossenem Visier und sein Blick war ruhig und professionell. »Euer Spiel ist aus. Ihr habt einen großen Fehler gemacht, als ihr das Gold aus dem Strahlenkranz des Sonnengottes gestohlen habt. Ialysos ist umstellt. Eure Freunde haben sich ergeben. Wir bringen euch alle hinunter in die Stadt. Wenn Ratsherr Iamus euch verhört hat, werdet ihr euren Herren und euren Eltern zurückgegeben, die euch dann bestrafen können, wie sie es für richtig halten.«

»Verschwindet!«, rief Chariklea. »Ich gehe nicht zu meinen Eltern zurück! Der Boss rettet uns sicher bald.«

»Euer Anführer ist tot«, sagte der Soldat mit einem Anflug von Bedauern in der Stimme. »Er wollte sich nicht ergeben. Er hat tapfer gekämpft, aber er stand als Junge ohne Ausbildung bewaffneten Truppen gegenüber.«

»Das ist eine Lüge!«

Aber Chariklea wurde blass, ihr Messer zitterte. Die Männer nutzten diese Chance, um auf die Mädchen loszustürmen. Elektra schrie auf, als ein Soldat sie am Ellbogen fasste. Ein anderer packte Chariklea und der dritte und letzte beugte sich über Aura.

Chariklea stach ihren Widersacher mit dem Messer in den Arm, worauf er fluchend sein Schwert fallen ließ. Sie wand sich aus seinem Griff und schoss aus dem Tempel, wobei sie aus vollem Hals schrie: »Nachtfalter! Sie lügen! Androkles kann nicht tot sein! Kämpft! Gebt jetzt nicht auf!«

Sie kam nicht weit. Einer der Soldaten draußen drehte sein Schwert um und schlug ihr mit dem Griff auf den Kopf, als sie an ihm vorbeilaufen wollte. Sie sank lautlos zu Boden und das Messer flog ihr aus der Hand. Er band schnell ihre Hände zusammen, legte sie sich über die Schulter und trug sie hinüber zu den übrigen Gefangenen.

Der Mann, der über Aura gebückt stand, runzelte die Stirn. »Was ist mit der hier los? Sie sieht aus, als sei ihr übel ... Großer Helios! Sie leuchtet wie ein Opferfeuer!«

»Pass auf!«, warnte der andere und winkte seinen Kameraden zurück. »Das muss das Mädchen sein, vor dem wir uns in Acht nehmen sollen, die Telchinin! Holt etwas, mit dem man ihre Augen bedecken kann, schnell!«

Vor Angst, sie könnte erneut gefangen werden, bekam Aura rasendes Herzklopfen. Sie konnte die Regenbogen nicht länger zurückhalten. Der Augenzauber fuhr in einem Stoß blauen Lichtes aus ihr heraus. Die Erde bebte. Die beiden Männer, die noch im Tempel waren, wurden rückwärts gegen die Wand geschleudert und ihre Körper verglühten rauchend. Die Piniennadeln rings um die Füße der Göttin fingen Feuer. Funken flogen durch das offene Dach hinaus und die von der Sommerglut dürren Äste, die darüberhingen, gingen in Flammen auf. Die Soldaten trieben ihre Gefangenen erschrocken vom Tempel weg.

Elektra stand stocksteif da, beide Hände auf den Mund gepresst, und starrte auf die toten Männer und die Flammen. Sie hatte die Schriftrolle fallen lassen und sie brannte lichterloh.

Der Brief an ihren Vater! Aura wollte sich hinlegen und weinen. Aber das Feuer breitete sich zu schnell aus und sprang von Baum zu Baum. »Komm!«, sagte sie, nahm Elektra an der Hand und zog sie ins Freie.

»Chariklea ...«

»Sie werden sie mitnehmen. Für sie ist gesorgt.«

Weitere Soldaten rannten auf die Lichtung und halfen mit ihren Umhängen, Speeren, Schwertscheiden und allem, was sie zur Hand hatten, das Feuer zu bekämpfen. Aura und Elektra warteten ab, bis sie sahen, dass die gefangenen Nachtfalter in Sicherheit waren. Dann rannten sie schneller weg, als sie je gerannt waren, und Wild kreuzte ihre Pfade, Vögel kreischten über ihren Köpfen und die Flammen knisterten hinter ihnen im Wind.

Was immer die Soldaten in Ialysos vorgehabt hatten, wurde abgeblasen, als der Wald Feuer fing. Die Männer setzten ihre Kraft nun für den Kampf gegen die Flammen ein, statt noch Jagd auf flüchtige Nachtfalter zu machen. Sie benutzten ihre Helme, um Wasser aus dem Brunnen zu schöpfen, und reichten sie von Mann zu Mann weiter, um die Flammen zu löschen. Eine andere Gruppe schlug mit den Schwertern Schneisen ins Gebüsch und Unterholz, um die Flammen einzudämmen, während wieder andere einzelne Herde mit Decken aus dem Lager erstickten.

Aura und Elektra kauerten sich hinter eine Mauer

in der Nähe des Brunnens und gaben sich Mühe, nicht zu husten. Ihre Augen tränten vom Rauch, als sie entsetzt auf die Soldaten rings um den Brunnen starrten. Von Auras Mutter und den Jungen von Chalki war nirgendwo eine Spur zu entdecken. Elektra war sehr blass und still. Auras Magen krampfte sich vor Angst zusammen. War ihre Mutter wieder gefangen genommen worden? War Androkles wirklich tot?

Ein paar Soldaten durchsuchten noch immer die Ruinen, brachen baufällige Türen vollends auf und stocherten mit ihren Speeren in dunklen Ecken herum. Die Nachtfalter, die sich versteckt hatten, schossen einzeln oder zu zweit heraus und rannten um ihre Freiheit. Manche wurden geschnappt, ehe sie die Bäume erreicht hatten, aber andere entkamen in all dem Durcheinander. Tote lagen zwischen den Ruinen – zusammengekrümmte, reglose Kinder, die wie kleine Häufchen Lumpen aussahen, die man auf die Straße geworfen hatte. Aura war froh, dass sie ihre Gesichter nicht sehen konnte. Auf den Stufen eines Gebäudes glitzerten Gold und Juwelen. Ein Mann in Zivil stand oben auf der Treppe und beobachtete das Geschehen mit zusammengekniffenen Augen. Auras Knöchel juckte, als sie sich an die Kette erinnerte, die sich auf seinen Befehl hin um ihren Fuß geschlossen hatte.

»Das ist Ratsherr Iamus!«, flüsterte sie und umklammerte dabei Elektras Arm. »Meine Mutter ist offensichtlich nicht hier. Komm, wir gehen.«

Mit geduckten Köpfen zogen sie sich von der Mauer zurück und eilten den Flüchtlingen nach, den Südhang des Berges hinunter. Es war schwerer, als sie gedacht hatten, einen Pfad durch das Unterholz zu finden. Mit dem Rauch in den Lungen und nach dem langen Bergaufrennen von vorhin schmerzte sie jeder Atemzug.

Elektra warf Aura immer wieder Blicke zu, während sie liefen. Sobald sie in Sicherheit waren und merkten, dass sie nicht verfolgt wurden, blieb sie stehen und Aura zog die Hand weg. »Ich gehe keinen Schritt weiter, ehe du mir gesagt hast, was du mit den Männern in Athenes Tempel gemacht hast!«, sagte Elektra, am ganzen Körper zitternd.

Aura betrachtete die Novizin. Sie schuldete ihr die Wahrheit. »Das war mein böser Blick«, sagte sie.

Elektra runzelte die Stirn. »Aber du hast sie getötet, Aura. Verbrannt.«

»Ich weiß. Ich wollte sie nicht töten. Aber sie haben uns bedroht und ich konnte nicht anders.« Sie setzte sich auf einen großen Stein und stützte den Kopf in die Hände. »Ich konnte die Kraft nicht zurückhalten. Ich glaube, sie kommt durch die Anhänger der Götter, wie die Visionen.«

»Von Helios?«, flüsterte Elektra.

»Ich weiß nicht. Warum sollte Helios mir helfen, Soldaten zu töten? Meine Mutter glaubt anscheinend, die Kraft kommt von Poseidon. Ich habe dagegen gekämpft, solange ich konnte, aber sie hat in meinen Augen gebrannt ...« Sie stand auf, als hinter ihnen Rufe hörbar wurden. »Los, komm. Wir können nicht hierbleiben, sonst finden uns die Soldaten.«

Aura wurde es schwindlig, als sie weitergingen, und sie sah immer wieder die Höhle vor Augen, von der sie letzte Nacht geträumt hatte. Sie schüttelte die Bilder ab. Schließlich sahen sie einen der Geflohenen vor sich zwischen den Bäumen gehen. Ein wenig erleichtert erkannte Aura in ihm den Nachtfalter, der sie aus der Stadt herausgeführt hatte.

»Timosthenes«, rief sie. Aber der blonde Junge warf nur einen finsteren Blick über die Schulter und beschleunigte seinen Schritt.

Sie brauchten all ihren Atem, um über Baumwurzeln zu klettern, als ihr Führer wider Willen kreuz und quer durch das Unterholz ging. Wieder wurde es Aura seltsam leicht im Kopf. Sie klammerte sich an Elektras Hand, als ihr Funken vor Augen sprühten, und fürchtete, in Ohnmacht zu fallen. Der Anhänger in ihrer Tasche war warm und sie hielt ihre Hand von ihm fern.

Sie dachte, der Junge würde sie nie aufholen lassen. Aber als der Hang auslief und in ein Tal überging, in dem ein schwerer Duft den Geruch des Rauches überlagerte, fuhr er herum und zischte: »Wollt ihr endlich aufhören, mir nachzulaufen? Ihr seid keine Nachtfalter, also könnt ihr nicht mitkommen.«

»Wohin?«, fragte Aura.

»Das geht dich nichts an. Wir hätten euch nie hierherauf mitnehmen sollen. Mit so vielen Männern sind sie noch nie hinter uns her gewesen.«

»Bitte hilf uns«, flüsterte Elektra. »Wir können jetzt nicht nach Ialysos zurück. Ratsherr Iamus ist dort, und er ist der Mann, der Aura dem Oberpriester ausgeliefert hat.«

Timosthenes zog eine Grimasse und zeigte in die Bäume. »Nehmt diesen Pfad, dann kommt ihr im Nachtfalter-Tal heraus. In dieser Richtung findet ihr auch die Straße nach Kamiros und könnt ein Boot nach Hause auf eure Inseln nehmen. Dort seid ihr sicherer als bei uns. Ich kann mich nicht mehr um euch kümmern. Ich habe jetzt genug eigene Sorgen.«

Elektra blickte in die Richtung, in die er zeigte. »Vielleicht sollten wir wirklich nach Chalki zurückkehren, Aura«, flüsterte sie. »Die Priesterin Themis wird uns ganz bestimmt helfen.«

Aura schüttelte den Kopf. Der Duft, der aus dem Tal aufstieg, machte es ihr schwer zu denken. Aber sie wusste, sie konnte keinem Priester und keiner Priesterin trauen, ehe sie mehr über den blauen Schwamm und das Geschenk des Helios herausgefunden hatte. »Hast du gesehen, was mit meiner Mutter geschehen ist – mit der Telchinin?«, fragte sie ihn.

Timosthenes verzog das Gesicht. »Ich schätze, die Soldaten haben sie gefangen. Sie hat mir nicht ausgesehen, als könnte sie besonders schnell rennen.«

»Und der Junge aus Chalki? Der, der eurem Boss ein blaues Auge geschlagen hat? Hast du gesehen, was mit ihm passsiert ist?«

Er grinste. »Nein, aber ich hoffe, er ist davongekommen. Es gibt nicht viele, die unserem Boss so ein Veilchen verpassen können! Vielleicht ist er am Treffpunkt.« Er äugte in die Bäume hinter ihnen. »Was ist mit Chariklea passiert? War sie nicht bei euch beiden?«

Aura tauschte einen Blick mit Elektra. »Die Soldaten haben sie geschnappt. Tut mir leid. Sie haben uns in den Ruinen des Athene-Tempels eingekreist.«

»Und ihr seid entkommen?« Timosthenes' Gesichtszüge wurden scharf vor Misstrauen.

Aura holte tief Luft und blickte dem blonden Jungen in die Augen. Ihr fiel nur eines ein, was ihn vielleicht dazu bewegen konnte, sie mitkommen zu lassen: »Wenn der Ratsherr uns fängt, sagen wir ihm, dass ihr hierhergegangen seid und dass ihr einen Heiler habt«, erklärte sie.

»Was weißt du über unseren Heiler?«, fragte Timosthenes mit plötzlicher Abwehr in der Stimme.

»Du hast gesagt, er würde einen Blick auf meinen Knöchel werfen«, erinnerte Aura ihn. »Er versteckt sich vor den Behörden, wie wir alle, nicht wahr? Und deshalb tut ihr so geheimnisvoll mit ihm. Was hat er angestellt?«

Der Junge schüttelte den Kopf. »Er? Ihm? Ihr habt keine Ahnung!« Aber er seufzte. »Also gut. Da ich euch offenbar nicht abschütteln kann, kommt ihr wohl besser mit. Der Boss jagt euch früh genug davon, wenn er glaubt, ihr solltet nicht bleiben.«

»Androkles ist am Leben?«, fragte Elektra überrascht. »Die Soldaten im Tempel haben uns gesagt, er sei bei dem Überfall getötet worden.«

Der blonde Junge warf ihr einen vernichtenden Blick zu. »Es braucht mehr als ein Schwert, um den Boss zu töten! Wir haben schließlich den magischen Heiler des Sonnengottes, nicht wahr?«

Den magischen Heiler des Sonnengottes?

Aura fiel es plötzlich wie Schuppen von den Augen, und die Visionen von der Höhle, die sie unterwegs gehabt hatte, waren nicht mehr so unverständlich. Sie dachte, sie hätte das große Geheimnis der Nachtfalter vielleicht schon erraten. Aber sie behielt ihre Vermutungen für sich. Elektra war verschreckt genug, nachdem sie in der Tempelruine gesehen hatte, wie ihr Augenzauber wirkte, und auch Timosthenes kam ihr nervös vor. Sie wollte keinen von beiden auf das seltsame Verhalten des Anhängers in ihrer Tasche aufmerksam machen, der bei jedem Schritt heller und wärmer wurde.

KAPITEL 8

DAS GESCHENK DES HELIOS

Als sie tiefer in das Tal eindrangen, durch Bäche wateten und sich durch die duftenden Büsche schlugen, begann Aura zu ahnen, in welche Richtung der Junge sie führen würde. Sie kamen an eine Felswand, und der Anhänger leuchtete noch stärker und zeigte ihr einen Spalt im Gestein, der teilweise hinter einem Vorhang aus wildem Wein verborgen war. Ihre Haut prickelte und sie schlüpfte hinein.

»He!«, rief Timosthenes. »Warte! Du kannst doch nicht einfach ohne das Kennwort hineinstürmen, sonst ...«

Seine Warnung kam zu spät. Ein Stock schlug krachend gegen Auras Schienbeine und sie sank auf die Knie. Jemand packte sie an den Haaren und eine Messerspitze drückte sich in ihre Wange. Sofort und mit einer so ungeheuren Kraft, dass es ihr den Atem verschlug, füllten die Regenbogen ihren Kopf. Sie drückte die Augen zu. »Runter von mir«, keuchte sie. »Schnell, ehe ich dir etwas antue!«

»Falsch herum, Dickerchen«, kicherte der Nacht-

134

falter-Junge auf ihrem Rücken. »Ich bin der mit dem Messer.«

»Macht, dass er weggeht!«, schrie Elektra, die Aura nachgerannt war. »Sonst bringt sie euch alle um!«

Die anderen machten böse Gesichter. Aber Timosthenes rief: »Alles in Ordnung, sie sind mit mir gekommen. Sie wissen schon von unserem Heiler. Sie waren mit Chariklea im Tempel, als die Soldaten kamen.«

Der Junge kletterte von Auras Rücken, und zu ihrer Erleichterung verblassten die Regenbogen. Zitternd stand sie auf.

Die Höhle war größer, als sie gedacht hatte, und von einem blauen Schein erleuchtet, der von der Mitte des felsigen Bodens kam, genau wie in ihrem Traum. Etwa zwanzig Nachtfalter kauerten um das unheimliche Licht. Manchen lief Blut über das Gesicht, andere hielten verletzte Arme oder Beine umfasst. Androkles lag in der Mitte, bewusstlos und mit entblößter Brust.

Elektra presste die Hand auf den Mund, und Aura wurde übel. Ein Schwert hatte den Jungen bis auf die Rippen aufgeschlitzt und seine Eingeweide freigelegt. Kein Wunder hatten die Soldaten ihn für tot gehalten. Der Lichtkranz um ihn herum veränderte ständig die Farbe wie Sonnenlicht, das auf dem Meer spielt. Die anderen Nachtfalter schienen zu beten.

Elektra stellte sich auf die Zehenspitzen, um etwas zu sehen. »Aura, ich glaube, ich weiß, was das ist. Hab ich recht?«

Aura schluckte. Der Anhänger war jetzt so heiß, dass sie durch ihre Tunika hindurch ein Brennen fühlte. Sie ging auf das blaue Licht zu. Aber ehe sie seine Quelle sehen konnte, hörte sie ein Geräusch im Hintergrund der Höhle und ihre Mutter stürzte auf sie zu.

»Aura, nein! Gefahr! Bleib weg von dem tückischen Ding!«

»Mutter!« Erleichtert umarmte Aura die Telchinin. »Ich dachte, die Soldaten hätten dich gefangen!«

Milo und Kimon liefen jetzt gleichfalls herbei und grinsten.

»Und wir dachten, die Soldaten hätten *dich* geschnappt!«, sagte Kimon.

»Du wirst nie erraten, was für ein Heiler das ist, den sie haben!«, sagte Milo. »Es ist ein riesiger Schwamm! Und er wirkt Wunder! Androkles war mehr tot als lebendig, als sie ihn hier hereintrugen, und von den anderen hatten einige Knochenbrüche. Und schau ... mein Auge ist besser! Sieht so aus, als hättest du recht gehabt, Aura, als du gemeint hast, es gebe magische Schwämme. Wenn wir diesen hier ausleihen und nach Chalki mitnehmen können, wird Vater wieder gesund.«

Sie sah, dass Milos Auge nicht mehr blau war. Elektra schlich sich näher heran, um besser sehen zu können, aber die Telchinin klammerte sich an Auras Arm und hinderte sie daran, ihr zu folgen. Sie wimmerte immer wieder »tückisches Ding, tückisches Ding«.

Aura sah sich nach jemandem um, der ihre Fragen beantworten konnte. Ihr Blick blieb an Timosthenes hängen. »Ihr habt ihn gestohlen, nicht wahr?«, fragte sie. »Ihr habt euren Heiler dem Koloss abgenommen, nachdem er umgestürzt war. Nach ihm suchen die

Soldaten, ist dir das nicht klar? Er ist der verschwundene Anhänger, den der Oberpriester als Geschenk des Helios bezeichnet, der wichtigste, der die Kraft besitzt, die Xenophon braucht, um seine Botschaften zu schicken. Kein Wunder, dass euch der Ratsherr ein ganzes Heer auf den Hals gehetzt hat!«

Von den anderen Nachtfaltern kam beunruhigtes Gemurmel.

»Wir haben ihn mitgenommen, weil er wertvoll aussah«, gab Timosthenes zu. »Wir haben erst herausgefunden, dass er magische Kräfte hat, als ein Tempelwächter mir seinen Speer ins Bein stieß. Ich half den Anhänger gerade tragen und berührte deshalb die Drähte. Es flogen lauter blaue Funken heraus, und plötzlich war mein Bein besser und ich konnte wieder rennen. Du kannst dir vorstellen, dass wir ihn danach doppelt gut festhielten. Deshalb hat ihn der Boss auch hier unten versteckt. Aber er ist ein Heiler, er schickt keine Botschaften. Wenigstens war er bisher ein Heiler.« Er blickte stirnrunzelnd auf den bewusstlosen Androkles und fragte: »Was ist los? Funktioniert er nicht mehr?«

»Er hat prima funktioniert, bis das Telchinen-Mädchen gekommen ist«, rief der Junge, der den Eingang bewachte. Es entstand noch mehr beunruhigtes Murmeln und ein Streit entbrannte darüber, was sie machen sollten, falls die Soldaten kamen, solange Androkles noch bewusstlos war.

Timosthenes brachte alle zum Schweigen und befragte Aura und Elektra ausführlich, wo sie während des Überfalls waren und was sie gemacht hatten. Er runzelte die Stirn über Auras Bericht davon, wie der

Wald Feuer gefangen hatte, brummte, Androkles mache sich Sorgen um Chariklea und ruckte dann mit dem Kopf zum Hintergrund der Höhle hin. Ein paar von den älteren Nachtfaltern folgten ihm und warfen dabei rasche Blicke auf ihren verletzten Boss.

Um Aura und die erregte Telchinin bildete sich ein freier Raum. Die verletzten Nachtfalter warfen ihnen feindselige Blicke zu. Aura konnte ihnen keinen Vorwurf machen und sie wollte die Lage nicht verschlechtern. Aber das leuchtende Geschenk zog sie ebenso heftig an, wie ihre Mutter sie davon fernzuhalten versuchte.

Sie entwand ihren Arm mühsam dem Griff der Telchinin. »Ich bin sicher, er kann nicht gefährlich sein, Mutter, sonst hätte er die Nachtfalter nicht geheilt.«

Die Telchinin schüttelte heftig den Kopf. »Hat Lindia ausgetrickst! Nachtfalter ausgetrickst! Trickst Aura auch aus!«

Aura wechselte einen Blick mit Milo, der die Telchinin fest am Arm fasste. »Sie macht schon die ganze Zeit Theater, seit wir hier sind«, flüsterte er. »Ich glaube, es geht ihr weiter hinten in der Höhle besser, weiter weg von dem Geschenk oder wie das Ding heißt. Geh nur. Ich kümmere mich um sie.«

Aura lächelte ihn dankbar an. Mit einer Mischung aus Erregung und Furcht näherte sie sich dem Schein in der Mitte der Höhle. Die anderen traten zur Seite, um sie durchzulassen, und sie hielt den Atem an.

Zuerst dachte sie, sie blicke auf eine größere Version des blauen Schwamms, den sie im Hafen von Chalki verloren hatte. Er hatte etwa die Form und die Größe eines menschlichen Kopfes und war nicht der größte, den sie je gesehen hatte, aber das Geschenk strahlte viel stärker als jeder Schwamm, den sie je gesehen hatte, selbst unter Wasser. Neben seiner kräftigen Farbe wirkte der Anhänger in ihrer Tasche wie ein fades, totes Ding. Aber wie die kleineren Anhänger war auch dieses Gebilde in ein Geflecht von Kupferdrähten eingeschlossen, die offenbar durch den Schwamm selbst gezogen worden waren. Lose Enden standen heraus, wo sie vermutlich abgebrochen waren, als der Koloss umstürzte.

Schaudernd erinnerte sich Aura an ihren Traum von der Höhle und an das Gefühl der Hilflosigkeit und des Schmerzes.

»Du musst einen der Drähte berühren«, sagte ein Nachtfalter-Mädchen mit einem Blick auf Auras Verband. »Wenn er funktioniert, heilt er dich dann.«

Aura hatte ihren Knöchel schon fast vergessen. Er tat ihr nicht mehr weh, aber er war eine gute Ausrede. Sie holte tief Luft und berührte einen der Drähte. Die Nachtfalter schirmten ihre Gesichter ab, als das Geschenk ein strahlendes Violett aussandte. Wärme floss durch Auras Arm. Ihr Knöchel prickelte und die letzte Spur von Schmerz verschwand. Sie schloss die Augen, als die Regenbogen in ihrem Kopf auftauchten, und fragte sich, ob sie einen schrecklichen Fehler begangen hatte. Aber statt des Augenzaubers kam wieder eine Vision, viel deutlicher als die, die sie unter Wasser oder in ihren Träumen gehabt hatte:

Ein großes Schiff mit einem seltsamen Augenzeichen auf dem Segel gleitet über das türkisblaue Meer. An Bord sitzt ein Mann mit einer goldenen Krone, von der ein Schlangenkopf über seine Stirn aufragt, unter einem Baldachin mit Fransen. Sklaven knien zu seinen Füßen und fächeln ihm mit Fächern aus Straußenfedern Kühlung zu ... Sie befindet sich in einer Truhe und späht durch einen Spalt nach draußen. Jemand hebt den Deckel. Mit einem leisen Klirren wird etwas beiseitegeschoben, und das Gesicht eines alten Mannes blickt auf sie herab ...

Aura hüpfte das Herz. Er hatte mehr Fältchen um die Augen und mehr Silberfäden im Bart, aber sie würde ihn immer und überall erkennen.

»Vater!«, hauchte sie.

Die Vision flimmerte, und Regenbogen umgaben den Mann, den sie zuletzt vor sieben Jahren gesehen hatte. Er betrachtete sie näher und seine Augen weiteten sich.

»Vater, hörst du mich?«, rief sie und ihr Herz schlug schneller. »Ich bin Aura! Ich bin auf Rhodos. Ich spreche zu dir durch das Geschenk des Helios. Berührst du den Anhänger eines Gottes? Einen der ... äh ... blauen Schwämme?«

Zuerst dachte sie, er hätte sie nicht gehört. Dann streckte Leonidus verwundert die Hand nach ihr aus und ein Prickeln lief ihr über den Rücken.

»Aura, Liebes ...?«

Ihr Herz krampfte sich zusammen. Sie versuchte, ihn zu berühren, aber ihre Finger griffen ins Leere. »O Vater, ich habe dir so viel zu sagen! Aber du darfst nicht nach Rhodos zurückkommen! Der Oberpriester will dich töten!«

Eine kurze Stille trat ein. Dann: »Dafür ist es jetzt ein bisschen spät, mein Liebling. Ich bin schon unterwegs. Das ist das Schiff des Königs Ptolemaios von

Ägypten. Er bringt Gold nach Rhodos für die Erdbebenhilfe. Wir haben gehört, der Koloss sei umgefallen. Stimmt das?« Sein Flüstern klang angespannt. Er
warf einen Blick zu dem Mann unter dem Baldachin
hinauf.

»Ja, er ist in fünf Teile zerbrochen und der Oberpriester glaubt, du hättest das Geschenk des Helios
gestohlen, aber das waren die Nachtfalter! Mutter ist
auch hier, sie hat Angst vor dem Geschenk, aber es
schickt mir Visionen und ...« Sie wollte nichts von
ihrem Augenzauber sagen. »Und es lässt mich durch
die Anhänger mit Menschen reden, wie jetzt mit
dir.«

»Hör zu, Aura, das ist wichtig.« Leonidus beugte
sich tief über die Truhe. »Sind die Drähte noch in dem
Geschenk?«

»Ja ...«

»Gut. Du musst dich sehr davor in Acht nehmen,
Aura. Das Geschenk ist lebendig. Zieh nicht die
Drähte heraus, was immer du sonst tust, und halte es
von deiner Mutter fern. Bring es an die Küste und
komm ins Unsichtbare Dorf. Dort werden wir uns
treffen. Deine Nachtfalter-Freunde wissen, wo das ist.
Ich komme hin, sobald ich kann.«

»Aber der Anführer der Nachtfalter ist verletzt ...«
Die Regenbogen flirrten und Dunkelheit legte sich
über ihre Augen. »Vater!«, rief sie.

»Es tut mir leid, mein Liebling. Ich muss jetzt
gehen, sonst wird König Ptolemaios der Verdacht
kommen, diese Truhe enthalte mehr als Gold. Keine
Sorge. Das Geschenk wird wollen, dass du es mit-
nimmst, also wird es dir helfen. Sei tapfer und küm-

mere dich um deine Mutter. Ich werde dir alles erklären, wenn wir uns treffen.«

»Pass auf dich auf, Vater ...!«

Aber die Vision war verschwunden.

Aura nahm ihre Hand schwer atmend von dem Draht weg. Misstrauisch beäugte sie das Geschenk. Sie wollte glauben, sie habe mit ihrem Vater gesprochen, der auf einem Schiff von Ägypten her über das Meer fuhr, aber sie erinnerte sich nun wieder, dass ihre Mutter gesagt hatte, das Geschöpf sei tückisch.

Die Nachtfalter starrten sie an. Einige hatten die Hand auf ihre Messer gelegt, aber niemand rührte sich. Die Telchinin kauerte im Hintergrund der Höhle zwischen Milo und seinem Bruder, die leeren Augenhöhlen dem Geschenk zugewandt. Sie alle mussten Auras Anteil an dem Gespräch gehört haben.

»Alles in Ordnung«, sagte Aura in der Hoffnung, dass sie recht verstanden hatte. »Ich glaube, es wird jetzt euren Boss und alle anderen heilen, wenn wir es nur zum Unsichtbaren Dorf bringen. Mein Vater wird uns dort treffen. Er hat gesagt, es sei lebendig, und ich glaube, es hat Schmerzen.«

Unter den Nachtfaltern brach Gemurmel aus. »Lebendig? Schmerzen? Wovon redet sie denn?«

»... wir bringen es nirgendwohin, ehe der Boss aufwacht ...«

»... Frechheit, zu sagen, sie bringt unseren Heiler ins Unsichtbare Dorf!«

»... der Boss wird entscheiden ...«

Das Gemurmel verstummte, als Timosthenes herkam.

»Ich will doch sehr hoffen, das ist kein Trick, Telchinen-Mädchen«, sagte er warnend.

»Es ist kein Trick, ehrlich! Es hat mich mit meinem Vater sprechen lassen … er ist auf einem Schiff von Ägypten hierher unterwegs. Er hat gesagt, wenn wir dem Geschenk helfen, hilft es uns auch.«

Timosthenes kaute auf seiner Lippe herum. Er blickte auf den bewusstlosen Androkles, dann zum Höhleneingang und sah Aura fest in die Augen. Er holte tief Luft. »Gut, sieh zu, ob du es dazu bringst, ihn zu heilen. Dann denken wir darüber nach, was wir damit tun.«

Alle schauten zu, wie Aura Androkles' schlaffes Handgelenk hochhob und einen Finger des Nachtfalter-Anführers an einen der Drähte legte, die aus dem Geschenk herausstanden. Ein allgemeiner Seufzer der Erleichterung wurde hörbar, als blaue Funken an dem Draht entlangliefen und Androkles mit Regenbogen umgaben. Die klaffende Wunde über seinen Rippen schloss sich, und die Farbe kehrte in sein Gesicht zurück. Er stöhnte, umfasste Auras Arm und flüsterte: »Chariklea …?«

Aura errötete. Timosthenes stieß sie zur Seite und flüsterte Androkles etwas ins Ohr. Er schloss die Augen, als er die schmerzliche Nachricht hörte, dass Chariklea gefangen worden war. Dann tastete er seine Rippen ab, um zu überprüfen, ob sie wirklich heil waren, und ließ sich von Timosthenes auf die Füße helfen.

Die anderen klatschten so laut und stampften so kräftig mit den Füßen, dass Androkles sie dämpfen musste.

Aura fühlte sich ausgebrannt und erschöpft. Als das Geschenk blaue Funken an seinen Drähten entlangschickte, um einige gebrochene Arme und kleinere Verletzungen zu heilen, wickelte sie den Verband von ihrem Knöchel ab. Es war keine Spur von dem Schnitt mehr zu sehen, den sie während des Erdbebens gemacht hatte. Nicht einmal eine Narbe war geblieben. Sie erkannte, dass das Geschenk sie anscheinend die ganze Zeit über durch die kleineren Anhänger geheilt hatte, sooft sie ihren Augenzauber angewendet oder eine Vision gehabt hatte.

Da ihr so viele neue Fragen im Kopf herumwirbelten, bekam sie nicht mit, dass Timosthenes mit seinem Bericht über alles, was Androkles verpasst hatte, fertig war, einschließlich ihres Gespräches mit Hilfe des Geschenkes und ihres Wunsches, es ihrem Vater zu bringen. Eine Stille entstand in der Höhle. Alle Nachtfalter blickten auf sie.

Androkles zog eine Augenbraue hoch: »Du hast gesagt, du wolltest unseren Heiler zum Unsichtbaren Dorf bringen? Ist das wahr, Telchinen-Mädchen?«

Schnell erklärte Aura: »Das Geschenk ist nicht nur ein Heiler. Es sendet Botschaften zu den anderen Statuen. Mein Vater sagt, es sei gefährlich. Es kann nicht nur heilen, sondern auch töten.«

Die Proteste, die diese Worte weckten, verstummten, als Androkles die Hand hob. »Ich habe schon immer gedacht, dieses Ding sei unheimlich. Es ist also lebendig?«

Aura nickte. »So sagt mein Vater, und ich denke, er hat recht. Ich weiß, es hat euch als Heiler gedient, aber ich glaube, es hat euch nur geholfen, weil es euch gebraucht hat, um dem Oberpriester zu entkommen. Nachdem es jetzt erkannt hat, dass ihr es nicht mehr weiterbefördert, ist es gefährlich für euch. Es wollte mich schon dazu bringen, meinen bösen Blick gegen euch zu richten. Bitte lasst es mich zum Unsichtbaren Dorf bringen. Keiner von euch braucht mitzugehen, wenn ihr uns den Weg sagt. Milo und Elektra können mir mit meiner Mutter helfen.«

»Gute Idee«, sagte jemand. »Je früher wir die Telchinen loswerden, desto besser! Sie sind es doch, hinter denen der Oberpriester her ist, oder? Ohne sie werden wir sicherer sein.«

»Du denkst doch wohl nicht ernsthaft daran, es ihr zu geben, Boss?«, fragte Timosthenes mit finsterer Miene. »Ganz offensichtlich will sie die magische Kraft einfach nur für sich selbst haben. Es hätte uns längst getötet, wenn es das wirklich vorhätte. Ich habe eine bessere Idee. Warum geben wir das Geschenk nicht dem Ratsherrn, da er es so dringend sucht, und tauschen Chariklea und die anderen dagegen ein? Dann kann es Aura nicht dazu bringen, ihren bösen Blick gegen uns zu richten, oder?«

»Am besten tauschen wir die Telchinen auch ein!«, sagte ein anderer Nachtfalter. »Dann haben wir sowohl den Oberpriester als auch den Ratsherrn vom Hals!«

Aura erstarrte. Aus dem Augenwinkel sah sie Milo vortreten. »Ich lasse es nicht zu, dass ihr Aura wieder dem Oberpriester ausliefert«, sagte er.

»Und Aura kann ihren bösen Blick auch benutzen, ohne das Geschenk zu berühren!«, sagte Elektra verzweifelt. »Ich habe gesehen, wie sie im Tempel der

Athene in Ialysos zwei Männer getötet hat. Sie hat sie zu Asche verbrannt!«

Androkles lachte. »Tatsächlich? Die Inselbewohnerinnen halten zusammen und eine von ihnen hat den bösen Blick. Auf die Sorte Ärger können wir verzichten. Sei ruhig, Telchinen-Mädchen. Wir liefern dich nicht wieder dem Oberpriester aus und wir geben auch unseren Heiler nicht mehr zurück.« Er sah Timosthenes mit zugekniffenen Augen an. »Aber es gefällt mir nicht, dass das Ding Botschaften schickt. Wenn es Botschaften schicken kann, was hindert dann den Oberpriester und den Ratsherrn daran, es zu benutzen, um uns nachzuspionieren? Die Telchinin hat recht – Magie ist tückisch. Wir müssen mehr darüber herausfinden, ehe wir noch einmal versuchen, etwas damit zu machen.«

Aura öffnete den Mund, um ihm zu sagen, niemand könne irgendwelche Botschaften hören, wenn er nicht einen der blauen Schwämme in den Anhängern der Götter berühre, dann schloss sie ihn wieder. Ein Glanz wie von Schweiß bildete sich, als sie das Geschenk betrachtete.

»Aber wir können euch nicht einfach den Weg zum Unsichtbaren Dorf sagen«, fuhr Androkles fort. »Niemand findet es, wenn er nicht schon einmal dort war. Deshalb werden wir mitkommen und dafür sorgen müssen, dass unser Heiler unterwegs nicht in falsche Hände gerät. Das ist ganz und gar keine schlechte Idee. Dort oben können wir uns ausruhen. Uns neu formieren, wieder bewaffnen und einen Plan schmieden. Wenn der richtige Zeitpunkt gekommen ist, können wir die Küstenstraße nach Rhodos-Stadt zurück nehmen und unsere Freunde retten. In diesem Tal wird es bald von Soldaten wimmeln. Die übrigen Strahlen des Sonnengottes werden sich halten – der läuft uns so schnell nicht weg. Aber wir müssen das Gold woanders hinbringen, das wir letzte Nacht geholt haben, ehe wir aufbrechen. Wenn der Ratsherr anfängt, seine Gefangenen zu verhören, könnte jemand plaudern.«

Es gab entsetzte Proteste dagegen, dass irgendeiner der Nachtfalter ihre Verstecke verraten könnte. Aber wieder hob Androkles die Hand, und Aura erinnerte sich fröstelnd an die Worte, die der Oberpriester an sie gerichtet hatte, als der Junge sagte: »Jeder hat seine Schwachstelle, an der er zu brechen ist. Deshalb gehen wir mit den Telchinen zum Unsichtbaren Dorf. Niemand wird auf den Gedanken kommen, uns dort zu suchen.«

Aura hätte am liebsten das Geschenk des Helios geschnappt und wäre den ganzen Weg bis zur Küste gerannt, damit sie bei der Ankunft des Schiffes aus Ägypten schon da war. Aber die Nachtfalter brauchten Zeit, um ihr Gold an einen anderen Ort zu schaffen, und sie wusste, dass sie allein nicht weit kommen würde.

Androkles bestätigte das, als er mit einem Stock den Weg grob auf den Boden der Höhle skizzierte und seinen Leuten zeigte, wie er die sicherlich von Soldaten bewachten Straßen umgehen und quer durch die Berge ziehen wollte. »Wir marschieren bei Nacht«, erklärte er ihnen. »Tagsüber ruhen wir uns aus. Wir können es nicht riskieren, eine Spur zu legen, indem

wir unterwegs etwas stehlen, also muss jeder mitnehmen, was er braucht. Nur Essen und Waffen, keine
Schätze. Bei Mondaufgang brechen wir auf.«

Ein paar ächzten, aber niemand erhob Einwände,
nicht einmal Timosthenes. Nachdem sich die erste
Freude über die wundersame Genesung ihres An-
führers etwas gelegt hatte, waren die Nachtfalter
bedrückt. Alle hatten bei dem Überfall auf Ialysos
Freunde verloren – entweder waren sie gefangen genommen oder getötet worden –, und allmählich
wurde ihnen der Ernst ihrer Lage klar.

Das Warten war schrecklich. Androkles nahm ein
paar Jungen mit, um das gestohlene Gold wegzu-
schaffen, die Übrigen kauerten sich um eine Lampe
und aßen gemeinsam ein paar Bissen von den Vor-
räten, die sie in der Höhle gelagert hatten. Sie aßen
alles kalt, weil sie nicht riskieren konnten, ein Feuer
anzuzünden, dessen Rauch von oben her zu sehen
war. Auras Mutter musste sich mit einem kleinen,
verschrumpelten Schwamm begnügen, den jemand
mitgebracht hatte, um die Wunden der Verletzten zu
säubern, und die Nachtfalter sahen erstaunt zu, wie
die Telchinin ihn am Stück verschlang. Hinterher
fasste sie Aura am Arm und flüsterte: »Aura, ich hab
Hunger«, bis Aura am liebsten geweint hätte.

Sie hatte auch Hunger. Drei Oliven und eine harte
Käserinde hatten bei Weitem nicht genügt, um all die
Energie zu ersetzen, die sie an jenem Tag verbraucht
hatte, und sie fühlte sich leicht schwindlig und gereizt. Die Rationierung ärgerte sie, obwohl sie wusste,
dass sie sinnvoll war, wenn niemand wusste, wo sie
ihre nächste Mahlzeit hernehmen sollten. Der Ge-

danke an einen Nachtmarsch durch unwegsame Berge besserte ihre Stimmung auch nicht gerade. Androkles hatte ihr eine Ledertasche gegeben, in der sie das Geschenk tragen konnte, aber es ging ihr nicht aus dem Kopf, dass es versucht hatte, sie dazu zu bringen, ihren Augenzauber gegen die Nachtfalter einzusetzen. Um vor allem sicher zu sein, legte sie auch den Anhänger in die Tasche.

Elektra rutschte näher an sie heran. »Es ist tatsächlich ein Schwamm, nicht wahr?«, flüsterte sie.

Aura dachte wieder an ihr Gespräch mit Milo. »Zuerst habe ich das gedacht. Aber ein normaler Schwamm hat nicht diese Art von Kräften. Meine Mutter hätte keine Angst vor einem großen Schwamm – sie wäre voll und ganz damit beschäftigt, ihn zu verspeisen.«

Ihr Versuch zu scherzen missglückte. Elektra blickte zu Auras Mutter hinüber, die elend im Hintergrund der Höhle kauerte, so weit wie möglich von Auras Tasche entfernt.

»Verhält es sich wie ein Schwamm, wenn man es aufschneidet?«, fragte die Novizin.

Aura runzelte die Stirn. »Meinst du, wegen der Drähte? Muss es wohl, sonst hätte es sich nicht so fest um sie geschlossen. Ich denke, sie tun ihm weh.«

Elektra flocht ihre knochigen Hände ineinander. »Was passiert, wenn man ein Stückchen abschneidet?«

»Was soll das heißen?«

Milo sah interessiert aus. »Wenn man einen Schwamm mit Gewalt durch ein Netz drückt, versucht er wieder in seine alte Form zu kommen, aber nur, solange er noch lebendig ist. Wenn er trocken wird, kann er das nicht mehr. Und wenn man ein Stück abschneidet und es wegnimmt, passiert auch nicht mehr viel.« Der Blick, den er mit seinem Bruder wechselte, sagte Aura, dass sie all das getan hatten. »Jeder Taucher versucht, kleine Schwämme zusammenzufügen, um größere, wertvollere zu kriegen. Aber das klappt leider nicht, denn die Schwämme merken, dass die anderen Stücke von anderen Schwämmen stammen, und verbinden sich nicht mit ihnen. Ganz egal, was man anstellt – sie zusammenbinden, sich draufsetzen, sie platt schlagen, sie spielen nicht mit.«

»Woher wissen sie, welche Stücke fremde sind?«, fragte Elektra, beeindruckt vom Wissen des Jungen von Chalki.

»Es ist egal, woher sie es wissen«, sagte Aura, noch immer gereizt. »Das Geschenk des Helios ist kein Schwamm, das hab ich doch schon gesagt.«

»Bist du ganz sicher?« Der ernste Milo schenkte Elektra ein breites Lächeln. »Schwämme sind seltsame Geschöpfe, wenn man anfängt, darüber nachzudenken. Meine Leute sagen, manche von ihnen seien so alt, dass sie schon lebten, als die Insel Rhodos noch den Telchinen gehörte, ehe sie in den Fluten versank und sich wieder daraus erhob und Zeus die Insel dem Helios gab.« Er blickte zu den Nachtfaltern hin und senkte die Stimme. »Hast du wirklich Kontakt mit deinem Vater aufgenommen durch das Geschenk, Aura? Oder hast du das nur erfunden, damit Androkles es dir gibt?«

»Ich bin keine Lügnerin!«, fauchte sie, und Milos

Gesicht verdüsterte sich. Sie blickte zu ihrer Mutter hinüber und wünschte sich, sie wären allein, damit sie sie nach ihrem Vater fragen konnte.

»Also, wenn jemand ein Stück von diesem Geschenk-Dingsda abschneiden würde, dann wäre es noch immer lebendig?«, hakte Elektra beharrlich nach.

Aura schloss die Augen. »Ich weiß es nicht. Vielleicht. Vater hat gesagt, das Geschenk sei noch lebendig, aber ich verstehe nicht, wie. Es muss schon eine Ewigkeit lang aus dem Wasser heraus sein, wenn es mit Draht an dem Koloss befestigt war, seit Chares die Riesenstatue gemacht hat.«

»Sechsundfünfzig Jahre«, sagte Milo und nickte.

»Und da es ein magischer Schwamm ist, kann er vielleicht mit den abgeschnittenen Stücken reden, wenn man sie getrennt hält?«, fragte Elektra weiter.

Milo runzelte die Stirn. »Worauf willst du hinaus, Priesterin?«

Elektra blickte wieder auf die Tasche. »Aura hat gesagt, er schickt Botschaften durch die Anhänger der Götter und sie haben dieselbe Farbe wie das Geschenk – nur blasser, da sie stärker ausgetrocknet sind.«

In Auras Kopf drehte sich alles. Sie fragte sich, wie sie hatte so blind sein können. Das war vollkommen einleuchtend und würde auch erklären, warum ihre Mutter im Helios-Tempel solche Angst vor dem Anhänger gehabt hatte, noch ehe das Geschenk überhaupt aufgetaucht war.

»Es sind alles Stücke vom Geschenk des Helios«, flüsterte sie. »Die blauen Schwämme, die mein Vater sammelt, der Schwamm, den ich während des Erdbebens gefunden habe, die Schwämme im Allerheiligsten der Athene auf Chalki und der, den ich von der Helios-Statue in Rhodos gestohlen habe … sie alle … sind Stücke ein und desselben Lebewesens! Das ist sicher der Grund dafür, dass das Geschenk seine Kräfte durch die Anhänger schicken kann und dass der Oberpriester es unbedingt wiederhaben will. Ohne das Geschenk kann er keine neuen Anhänger mehr machen! O Milo, verstehst du nicht? Mein Vater hat nicht die Anhänger aus den Tempeln gestohlen – er hat Stücke des Geschenkes gerettet. Er ist doch kein Verräter!«

Milo grunzte. »Kommt auf den Standpunkt an.« Er beäugte die Tasche, offenkundig mehr an dem Geschöpf interessiert, das sie beherbergte, als an der Frage nach Leonidus' Unschuld. »Ich frage mich, was passiert, wenn man zwei Stücke zusammenbringt? Bilden sie wieder ein Ganzes wie ein Schwamm? Und wenn ja, wird das Geschenk mächtiger, wenn es größer wird?«

Aura wurde flau im Magen, als ihr der Anhänger wieder einfiel. Sie nestelte die Bänder der Tasche auf und spähte vorsichtig hinein. Aber das kleine Stück lag oben auf dem Geschenk. Schwach schimmernd, aber noch immer getrennt.

»Ich denke, die Drähte kontrollieren irgendwie seine Macht«, sagte sie. »Wahrscheinlich wollte mein Vater deshalb nicht, dass ich sie herausziehe.« Was würde geschehen, wenn man die Drähte entfernte? Sie erschauerte und schloss den blauen Schein in die Tasche ein.

Doch Elektra starrte voller Ehrfurcht darauf. Sie umklammerte Auras Arm und flüsterte: »Wenn das

Geschenk lebendig ist und wir durch die Anhänger der Götter Orakelsprüche empfangen, dann haben wir auf Chalki vielleicht doch nicht immer die Stimme des Oberpriesters gehört. Vielleicht ist das Geschenk ein Gott!«

Milo schnaubte und bemerkte nicht, wie unbehaglich sich Aura fühlte. »Wenn das stimmt, werde ich nie mehr einen Schwamm so platt schlagen können wie früher!«

Kimon kicherte und gab der Tasche einen kecken Stups. »Wach auf, Gott!«

Aura schlug ihm auf die Finger und nahm die Tasche zwischen ihre Füße.

Elektra warf den Brüdern von Chalki einen eisigen Blick zu. »Ich bin in der Ausbildung zur Orakelpriesterin. Ich weiß viel mehr über Götter als ihr.«

Milo lächelte sie an und fragte neckend: »Also, welcher Gott ist es dann? Vielleicht Helios selbst? Oder Athene? Nein, ich weiß ... Aphrodite! Sie soll doch dem Schaum entstiegen sein, oder?«

Elektra biss sich auf die Lippen. »Poseidon, natürlich. Er wohnt tief im Meer. Sag's ihm, Aura!«

Inzwischen lachten sowohl Milo als auch sein Bruder und ebenso ein paar von den Nachtfaltern, die ihr Gespräch mitgehört hatten. Aura wusste nicht, was sie von alledem halten sollte. Hatte sie vielleicht doch von Anfang an recht gehabt? Visionen kamen ja angeblich von den Göttern und ihre Mutter hatte Poseidon erwähnt. Aber als sie mit Hilfe der Anhänger mit Elektra gesprochen hatte, war weder ein Gott noch eine Göttin im Spiel gewesen, auch wenn Elektra das damals gedacht hatte.

Noch ehe sie etwas sagen konnte, kam ihre Mutter her. »Gefahr, Aura!«, jammerte sie. »Spiel nicht mit dem tückischen Ding!«

Aura umfasste die unruhigen Hände der Telchinin und seufzte. »Schon gut, Mutter«, sagte sie. »Ich werde es nicht wieder anrühren, keine Sorge. Ich werde es gut aufgehoben in meiner Tasche lassen, bis wir zum Unsichtbaren Dorf kommen. Vielleicht wird Vater wissen, was damit zu tun ist.«

KAPITEL 9

DER DÄMONENTEICH

Androkles und die anderen kamen bei Sonnenuntergang zurück, erschöpft, aber triumphierend, und als die Nachtfalter ihre Bündel und Taschen verteilten, wurden sie plötzlich quicklebendig. Es war eine Erleichterung, etwas zu tun, statt nur dazusitzen und sich Sorgen zu machen. Aura verbannte alles Gerede über Götter und Orakel in den Hinterkopf. Sie beschloss, das Ding einfach als einen großen Schwamm anzusehen. Einen ihr unbekannten Schwamm, den sie Vater zeigen wollte. Die Vorstellung, ihren Vater wiederzusehen, machte sie froh, und sie sagte sich, das Schlimmste sei überstanden.

Es wurde wenig geplaudert, als sie das Tal auf dem steilsten Weg verließen. Selbst die Nachtfalter schnappten nach Luft. Aura hielt ihre Mutter an der Hand und führte sie, so gut sie konnte, über die Steine, aber sie stolperte beinahe ebenso oft wie die blinde Telchinin. Die Tasche zerrte an ihrer Schulter und scheuerte ihr durch ihre Tunika hindurch eine Blase. Ihre Mutter fuhr zusammen, sooft die Tasche sie stieß. Auch den Jungen von Chalki und Elektra ging es schlecht, aber sie kämpften sich klaglos vorwärts. Sie wussten, allein hätten sie es im Dunkeln durch solches Gelände niemals geschafft.

Gegen Morgen kamen sie an eine Straße, die sich durch die Berge schlängelte. Androkles schickte Nachtfalter in beide Richtungen aus, die überprüfen sollten, ob die Luft rein war, und führte die Übrigen in eine Senke zwischen den Felsen. Aura ließ erleichtert die Tasche von ihrer Schulter gleiten. Aber fast auf der Stelle kam Timosthenes mit der Nachricht von einer Straßensperre zurückgerannt.

»Zwanzig Mann, Boss«, berichtete er. »Sie haben den Weg mit einem quer gelegten Karren blockiert und überwachen die Straße von Ialysos her. Sie haben Katapulte!«

Androkles grinste. »Dann glauben sie, wir seien noch immer dort oben. Gut! Nimm zwei Freiwillige mit und geh um die Straßensperre herum. Werft ein paar Steine und sorgt dafür, dass die Soldaten euch Richtung Ialysos davonlaufen sehen. Wenn ihr sie abgeschüttelt habt, kommt ihr zurück. Alle anderen verhalten sich ruhig. Wir überqueren die Straße weiter südlich und treffen uns am Dämonenteich wieder.« Er blickte nachdenklich auf Aura. »Diesmal ist es ihnen ernst. Da sie noch nicht sicher wissen können, dass wir das Geschenk haben, müssen sie euch beide ja wirklich unbedingt wiederhaben wollen.«

Aura fröstelte, als Timosthenes mit zwei anderen Jungen davonflitzte.

Die Übrigen verteilten die Bündel der drei unter sich, überquerten ohne Zwischenfall die Straße und gingen tiefer in die Berge auf der anderen Seite hinein. Bald waren sie in einem Wald ohne erkennbaren Pfad. Androkles schien jedoch ganz genau zu wissen, wo er war, und führte sie durch das Unterholz zu einer Schneise, in der aus moosbedeckten Steinen eine Quelle hervorsprudelte und einen tiefen, dunklen Teich bildete. Timosthenes und seine Freiwilligen waren schon da, grinsten triumphierend und neckten ihre Freunde, weil sie so lange gebraucht hatten.

Die Nachtfalter ließen sich ans Ufer des Teiches fallen und tauchten ihre Gesichter ins Wasser, um zu trinken. Milo legte sich auf den Rücken ins Gras, die Arme zum Himmel hin weit ausgebreitet, und schloss mit einem Seufzer die Augen. Kimon plumpste neben ihn und klagte, ihm täten die Füße weh. Die Telchinin legte einen Spurt ein und stürmte vorwärts, was alle überraschte. Aura hechtete ihr nach und packte sie am Arm, weil sie fürchtete, ihre Mutter könnte hineinfallen.

Elektra lächelte. »Wahrscheinlich hat sie Durst. Achtung, hier ist ein Teich. Er sieht sehr tief aus. Kommt, ich nehme Euch an der Hand. Spürt Ihr das Wasser ...?«

Auch Aura brauchte etwas zu trinken. Ihre Zunge fühlte sich wie Sandpapier an und ihr war schwindlig. Aber sie konnte nicht riskieren, dass ihr das Geschenk in den Teich fiel. Sie trug die Tasche zu den Bäumen und legte sie sorgfältig zwischen die Wurzeln einer Eiche. Elektra und Lindia bespritzten einander mit Wasser. Die Telchinin lachte, als das Wasser ihre Haare benetzte. *Ich* sollte dort sein, dachte Aura, und es gab ihr einen Stich. Aber sie zögerte, sich zu ihnen zu gesellen, weil sie das Geschenk am liebsten keinen Moment aus den Augen lassen wollte.

Die übrigen Nachtfalter hatten das Essen aus ihren Bündeln ausgepackt und stritten sich über den besten Weg zum Unsichtbaren Dorf. Androkles zeichnete wieder eine Karte auf die Erde. Milo kauerte sich interessiert davor und stellte Fragen. Das Dorf hatte seinen Namen offenbar daher, dass vor langer Zeit, als noch keiner von den Nachtfaltern auf der Welt war, die ganze Bevölkerung verschwunden war und nie mehr gesehen wurde. Danach hatten die Leute Angst, dort zu wohnen, deshalb wurde das Dorf aufgegeben. Die Häuser waren allmählich im Unterholz verschwunden und die Pfade dorthin waren so zugewuchert, dass niemand mehr wusste, wo sie einmal waren. Aber es hieß, wenn man ein Versteck brauche, würde man das ursprüngliche Dorf finden und wäre vor den Augen der Welt sicher geschützt.

Ein paar von den Nachtfaltern lachten nervös. Andere starrten ins Halbdunkel unter den Bäumen. Ein Mädchen fragte, wie die Leute, die sich im Unsichtbaren Dorf versteckten, wieder in die Welt zurückkamen, und Androkles sagte, darüber würden sie sich Gedanken machen, wenn sie dort wären.

Aura erschauerte. Sie fragte sich, wie nahe sie am Meer waren und woher ihr Vater von dem Dorf wusste. War er vielleicht schon dort? Sie blickte auf die Tasche. Sie sehnte sich danach, noch einmal mit ihm in Verbindung zu treten, aber sie wollte ihn nicht in Gefahr bringen.

»Geh zu deiner Mutter, Telchinen-Mädchen«, sagte

Timosthenes, sodass sie zusammenfuhr. »Niemand wird sich mit deinem magischen Schwamm davonmachen, keine Sorge. An diesem Ort spukt es. Nicht viele Menschen kommen hierher. Ich werde auf die Tasche aufpassen.«

Aura lächelte ihn dankbar an und ging zu ihrer Mutter und Elektra an den Teich. Die Sonne warf bronzene Lichtstreifen auf die Oberfläche und verbarg die Tiefe des Teiches, als Aura ihren Durst löschte. Die Nachtfalter debattierten noch immer über das Unsichtbare Dorf. Die Telchinin ließ ihre Füße mit den Schwimmhäuten ins Wasser baumeln und planschte entzückt darin herum.

»Warum hast du so große Angst vor dem Geschenk des Helios, Mutter?«, fragte Aura leise.

Das Gesicht ihrer Mutter wurde ernst. Sie antwortete nicht.

»Es hat etwas mit dem Verlust deiner Augen zu tun, nicht wahr?«, bohrte Aura nach. »Hängt es mit deinem Augenzauber zusammen?«

Die Telchinin zischte: »Keine Fragen, Aura!«

Elektra runzelte die Stirn. »Ihr solltet es uns sagen, Lindia, damit Aura die Gefahren kennt. Sie hat den Augenzauber auch. Ihr wollt doch nicht, dass ihr dasselbe passiert wie Euch, oder?«

Die nach Meer duftenden Fleischwülste der Telchinin zitterten. »Aura soll wegbleiben von dem tückischen Ding! Aura soll den Augenzauber nicht mehr benutzen!«

Elektra begann zu erläutern, das sei nicht so einfach. Aber Aura nahm die Hand ihrer Mutter, hielt sie fest und erinnerte sich daran, wie diese Hand auf ihre

Beine eingeschlagen hatte, als sie noch ein kleines Kind auf Alimia war.

»Du versuchst mich zu schützen, Mutter, nicht wahr?«, flüsterte sie und begriff endlich den Grund für ein Handeln, das ihr damals nur wie eine ungerechte Strafe vorgekommen war. »Du wolltest nicht, dass ich den Augenzauber anwenden lerne, weil du gefürchtet hast, das Geschenk würde mir schaden, wie es dir geschadet hat. Aber ich bin jetzt erwachsen, und ich muss es benutzen, damit ich mit Vater in Verbindung bleiben kann. Er wird uns bald treffen, mit einigen Stücken des Geschenkes, die er gerettet hat. Aber die Soldaten sind immer noch hinter uns her, deshalb muss ich meinen Augenzauber vielleicht noch einmal anwenden, damit wir frei bleiben. Bitte sag uns, was geschehen ist. Ich bin kein kleines Mädchen mehr.«

Die Telchinin wurde ganz still.

»Lindia?«, sagte Elektra und blickte zu Aura hin. »Wollt Ihr Leonidus nicht wiedersehen? Ist es das? Hatte er etwas mit dem Verlust Eurer Augen zu tun?«

»Lindia liebt Leonidus«, flüsterte die Telchinin. »Als Lindia groß wurde, hat das tückische Ding Lindia dazu gebracht, Menschen zu töten. Aber Lindia hat Leonidus niemals verletzt, niemals!«

Wieder wechselte Aura einen Blick mit Elektra. »Soll das heißen, das Geschenk hat versucht, dich dazu zu bringen, dass du deinen Augenzauber gegen meinen *Vater* richtest?«, flüsterte sie und dachte daran, wie es sie in der Höhle beinahe dazu gebracht hatte, ihren Augenzauber gegen die Nachtfalter anzuwenden. »Aber warum? Was ist geschehen?«

Doch mehr wollte ihre Mutter nicht sagen. Sie schlang die Arme um sich und begann leise zu singen, wobei sie vor- und zurückschaukelte und die blinden Augen dem Teich zuwandte.

Aura seufzte. Sie wusste, es war sinnlos, mit ihrer Mutter zu reden, wenn sie so aufgewühlt war wie jetzt. Sie blickte sich nach der Tasche mit dem Geschenk um und sah Timosthenes schuldbewusst einen Satz zur Seite machen. Sie musste nachsehen, ob es den Weg gut überstanden hatte.

Sie ließ Elektra bei ihrer Mutter zurück, ging zu der Eiche, löste die Bänder und spähte in die Tasche. Das Geschenk leuchtete schwach, aber sie konnte den kleinen Anhänger nicht sehen. Ihr Herz hämmerte, als sie daran dachte, was Milo über das Zusammenwachsen der Schwämme gesagt hatte. Sie fasste in die Tasche und tastete darin herum. Mit großer Erleichterung stellte sie fest, dass der Anhänger nur nach unten gerutscht war – und gleichzeitig streifte ihre Hand einen Draht.

Regenbogen leuchteten in ihrem Kopf auf. Sie schloss die Augen und flüsterte: »Vater? Bist du es? Bist du noch auf dem Schiff?«

Aber es kam keine Antwort, nur ein Zischen war in ihrem Kopf zu hören. Sie versuchte, sich einer Vision zu öffnen, aber es kam nichts als ein Wirrwarr von Bildern.

Glitzerndes Gold und Juwelen, wie sie es in den Allerheiligsten der Tempel gesehen hatte … Weihrauchschwaden … brennende Fackeln …

Ein lautes PLATSCH holte sie ruckartig zurück. Elektra stand am Teich, beide Hände vor den Mund geschlagen, die Vorderseite ihres Gewandes pitsch-nass und auf immer größer werdende Ringe starrend. Von Auras Mutter war nichts zu sehen.

Aura ließ das Geschenk im Stich und rannte zum Teich, noch ganz verwirrt von den Bildern der ange-deuteten Vision. »Mutter, nein! Es tut mir leid, dass ich dich aufgeregt habe! Bitte komm zurück!«

Milo zog schon seine Tunika über den Kopf und machte sich bereit, ihr nachzutauchen. Androkles fasste den Jungen am Arm. »Ich würde es lassen, wenn ich du wäre. Dieser Teich heißt nicht umsonst Dämonenteich. Es soll Wasserdämonen darin geben. Sie locken Menschen hinunter in ihre Welt, wo die Zeit stillsteht. Wenn du je wieder herausfindest, sind Jahre vergangen, und deine Familie und alle deine Freunde sind tot.«

»Red nicht solchen Quatsch! Meine Mutter ist da drinnen und sie ist blind!« Aura schubste die Jungen zur Seite und ihr Magen verkrampfte sich vor Angst. Ehe jemand sie aufhalten konnte, warf sie sich in den Teich.

Sie tauchte durch lange Ranken von Schlingpflan-zen ins Trübe. Es war nicht wie im Meer. Sie sah nicht weiter als bis zu ihren Fingerspitzen und das Wasser war kalt. Sie schwamm schnell, teilweise, um sich warm zu halten, teilweise aus Furcht, ihre Mutter zu verlieren. Ihr Körper schlängelte sich hierhin und dorthin, um Schatten zu untersuchen, die sich stets als schwimmende Knäuel von Wasserpflanzen entpupp-ten. Die Luft ging ihr aus. Sie betete, dass es auch ein zweites Mal klappen würde, und stellte auf Wasserat-mung um. Es war leichter als beim ersten Mal, denn diesmal war sie auf die Kälte in ihren Lungen gefasst. Was hatte ihre Mutter dazu gebracht, sich in den Teich zu stürzen? Hatte sie gedacht, sie könnte hier unten Schwämme finden, die sie essen konnte?

Aura tauchte tiefer. Das Wasser war dunkler und kälter als jedes andere Wasser, in dem sie je geschwommen war. Da sie nicht auftauchen musste, um Luft zu holen, suchte und suchte sie, bis sie ihre Finger und ihre Zehen nicht mehr spüren konnte. Sie dachte immer, sie sähe etwas aus den Augenwinkeln – das Aufblitzen von Regenbogen, seltsame Lichter im Dunkel –, aber alles verschwand, sobald sie den Kopf drehte. Schließlich, als sie zu fürchten begann, sie bekäme einen Krampf, schwamm sie aufwärts.

Oben flackerten Feuer. Die Nacht war hereingebrochen, während sie unter Wasser war. Sie spürte ein Unbehagen, als sie sich an die Legende erinnerte, die Androkles ihnen erzählt hatte. Sie musste eine Ewigkeit in dem Teich gewesen sein und doch hatte es sich nicht lang angefühlt. Sie hoffte, ihre Mutter, Elektra und die Nachtfalter wären nicht alle längst gestorben, und strampelte sich an die Oberfläche hinauf.

Sie hustete, als das Wasser aus ihren Lungen herauslief und sie wieder den ersten Atemzug mit Luft machte, dann erstarrte sie, als ein Schrei durch die Dunkelheit gellte. Sie blieb, wo sie war, und sah sich verwirrt um. Fackeln flackerten zwischen den Bäumen. Wo immer sie hinblickte, sah sie Menschen rennen. Irgendwo im Wald schrie erneut ein Mädchen. Männerstimmen riefen einander zu:

»Dort ist noch einer!«

»... schneidet ihnen an der Straße den Weg ab!«

»... verfluchter Wald, es ist, als jage man Schatten!«

Zuerst konnte sich Aura nicht vorstellen, was da geschah. Dann sah sie die Soldaten, die auch Ialysos überfallen hatten, mit ihren Fackeln und Speeren die Nachtfalter verfolgen. Sie drehte sich verzweifelt um und hielt nach dem Baum Ausschau, unter dem sie das Geschenk zurückgelassen hatte, konnte aber ihre Tasche nicht sehen.

Ein Ruf ertönte, als einer der Soldaten sie erspähte. Mehrere Männer rannten auf den Teich zu. Mit hämmerndem Herzen tauchte Aura erneut unter. Sie hatte keine Zeit, ordentlich Luft zu holen, aber das machte den Wechsel zur Wasseratmung sogar leichter. Sie hielt sich an einer Wasserpflanze fest, tief genug unten, dass die Männer sie nicht sahen, und starrte hinauf zu dem sich kräuselnden Fackellicht, voller Furcht, ihre Mutter könnte auftauchen, solange oben gesucht wurde.

Die Soldaten stocherten mit ihren Speeren in den Wasserpflanzen herum. Sie spähten in die Tiefe, schüttelten den Kopf und gingen weg. Aber sie waren noch auf der Lichtung. Anscheinend kauerte eine Gruppe von Gefangenen vor den Felsen. Aura wagte nicht, weiter hinaufzuschwimmen, damit die Soldaten sie nicht noch einmal sahen.

War Elektra gefangen? Und Androkles? Die Jungen aus Chalki? Zumindest konnten die Soldaten ihrer Mutter nichts anhaben, wenn sie noch immer im Teich war ... Aura fühlte sich hin- und hergerissen. Die eine Hälfte zog sie verzweifelt wieder in die Tiefe, damit sie die Suche fortsetzen konnte, die andere Hälfte wollte den Freunden helfen. Der gesunde Menschenverstand sagte ihr, die Soldaten seien zu viele. Sie hatte keine Waffe, keinen Anhänger, und wenn sie selbst gefangen wurde, nützte das niemandem.

Unentschlossen hielt sie sich mit ihren vernarbten Fingern an der Pflanze fest. Sie überlegte, ob die Soldaten hier wohl die Nacht verbringen wollten. Der Gedanke, die ganze Nacht in dem schwarzen Wasser bleiben zu müssen, ließ sie frösteln. Aber offenbar hatten die Männer kein Verlangen, sich länger als nötig an dem unheimlichen Teich aufzuhalten. Nach einigem Hin und Her banden sie ihre Gefangenen aneinander und marschierten mit ihnen davon, in den Wald. Zwei blieben zurück und stocherten noch ein letztes Mal im Wasser herum, dann liefen sie den anderen nach.

Aura zählte bis hundert, um sicher zu sein, dass sie nicht mehr zurückkamen. Dann tauchte sie schnaubend und prustend auf. Sie schwamm ans Ufer, ergriff eine Baumwurzel und zog sich heraus. Zähneklappernd stolperte sie zu der Stelle zurück, an der sie das Geschenk zurückgelassen hatte, und durchsuchte das Unterholz. Ohne die Fackeln war es sehr dunkel unter den Bäumen. Der Dämonenteich hinter ihr sah aus wie ein Loch in der Erde.

Sie wollte gerade die Nachbarbäume absuchen, weil sie hoffte, sie hätte sich vielleicht falsch erinnert, da sagte eine ruhige Stimme hinter ihr: »Du warst schwimmen, Telchinen-Mädchen, nicht wahr? Hast du etwas Interessantes gefunden?«

Erschrocken fuhr sie herum und sah einen Mann

mit einem dunklen Umhang aus dem Schatten treten und seine Kapuze herunterklappen. Das Silber in seinem Haar und seinem Bart leuchtete im Sternenlicht auf.

Es war Ratsherr Iamus.

Auras erster Impuls war: weglaufen. Sollte Ratsherr Iamus doch das Geschenk nehmen – viel Glück damit. Sie war sich beinahe sicher, dass das seltsame Geschöpf ihre Mutter dazu bewogen hatte, in den Teich zu springen. Aber wenn sie Iamus das Geschenk überließ, verlor sie die einzige Verbindung zu ihrem Vater.

Der Ratsherr lächelte und öffnete die Hände, um ihr zu zeigen, dass er keine Waffen bei sich hatte. »Beruhige dich, Telchinen-Mädchen. Du bist nicht in Gefahr, also brauchst du nicht deinen bösen Blick auf mich zu richten. Ich habe die Soldaten mit den Gefangenen vorausgeschickt. Anscheinend hast du das Geschenk des Helios dort unten nicht gefunden – schade, aber das ist nicht der einzige Grund dafür, dass ich hier bin. Ich wollte mit dir ein Wort unter vier Augen reden.«

»Rührt mich nicht an!«, sagte Aura und ging rückwärts zu einem Baum. »Ihr habt mich auf Eurem Schiff anketten lassen. Und dann ließ Euer grässlicher Oberpriester meine Mutter nach Rhodos bringen, und jetzt habe ich sie im Dämonenteich verloren!«

»Du hast deine Mutter verloren?« Der Ratsherr zog eine Augenbraue hoch. »Ich bezweifle das. Die Nachtfalter haben hartnäckig behauptet, ihr wärt alle beide ertrunken, sowohl du als auch deine Mutter. Aber als meine Männer behaupteten, sie hätten eine Nymphe gesehen, wusste ich, dass du wiederkommst. Telchinen ertrinken nicht in einer Pfütze wie dieser hier. Ich schätze, sie ist noch immer irgendwo dort unten und versteckt sich.«

Er schien sich keine Sorgen um ihre Mutter zu machen. Aura äugte immer wieder misstrauisch ins Unterholz. Sie traute ihm nicht. Vielleicht hatte er ein paar Soldaten zurückbehalten, die jetzt im Hintergrund warteten. Sie würden sich wegen ihres Augenzaubers in Acht nehmen, da sie nicht wussten, dass sie ihn gar nicht benutzen konnte, wenn sie keinen Anhänger hatte, der die Verbindung zum Geschenk des Helios herstellte. Das Vernünftigste wäre wegzurennen, ehe sie es merkten.

»Falls du daran denkst, wegzulaufen«, sagte der Ratsherr, als könne er ihre Gedanken lesen, »werde ich nicht versuchen, dich daran zu hindern. Ich werde dich und deine Freunde schon wiederfinden. Aber wenn du mir hilfst, kann ich vielleicht auch dir helfen. Der Oberpriester ...« Er musste gesehen haben, dass sie erstarrte, denn er fuhr fort: »Keine Angst, er ist nicht hier. Er hat einen Schädelbruch von dem Stein, den du bei deiner Flucht von der Mauer aus auf ihn geworfen hast. Die besten Ärzte von Rhodos kümmern sich um ihn, deshalb wird er es überleben. Aber dass er zeitweilig außer Gefecht ist, hat mir die Gelegenheit gegeben, die Sache mit dem verschwundenen Geschenk des Helios zu untersuchen, ohne dass er mir ständig auf die Finger schaut. Xenophon will natürlich, dass du so bald wie möglich zusammen mit dem Geschenk in die Stadt zurückgebracht wirst. Aber da uns offenbar wieder ein paar von den Nachtfaltern entwischt sind, denke ich, dass er mir glaubt, wenn ich ihm sage, du seist ebenfalls entkommen.«

Aura blickte hinter sich, nur mit halbem Ohr zuhörend. Wenn wir es wiederfinden. Also hatte er das Geschenk doch nicht.

»Du weißt vielleicht nichts davon«, fuhr der Ratsherr fort, »aber ein sehr wichtiger Gast ist auf dem Weg nach Rhodos, mit ägyptischem Gold für die Wiedererrichtung des Helios-Kolosses und den Wiederaufbau unserer zerstörten Städte und Tempel. Normalerweise würde der Rat sein Angebot ohne Zögern annehmen, und natürlich wollen alle ihren Sonnengott wieder stolz und groß in den Himmel ragen sehen. Die öffentliche Meinung ist etwas sehr Mächtiges, und wenn wir vom Rat sie missachten, kommt uns das teuer zu stehen. Aber wenn wir unsere Riesenstatue des Helios wieder aufstellen, wird nicht einmal das Gold von König Ptolemaios weit reichen, um andere, dringendere Vorhaben umzusetzen. Ein weiterer Grund für meine Vorsicht ist, dass der Oberpriester einen merkwürdigen Widerstand dagegen zu hegen scheint, dass der Koloss ohne das Geschenk wieder aufgestellt wird, und allmählich frage ich mich, warum.«

Er blickte sie fragend an. Aura sagte nichts.

»Ich war noch zu klein, als der Koloss errichtet wurde, um mich daran zu erinnern«, fuhr der Ratsherr im Plauderton fort. »Aber laut Xenophon war das Geschenk des Helios Teil eines Opfers, das der Statue Kraft verleihen sollte. Ich nahm an, es sei das Herz eines Stieres oder eines Pferdes. Später fragte ich mich dann, ob es das Herz eines Menschen sein könnte. Im Gegensatz zu den kleinen Anhängern, die die Götter tragen, wurde das Geschenk stets von den Menschen ferngehalten, und nur Priester durften es anrühren. Um den Tod des Mannes, der den Koloss gemacht hat, Chares von Lindos, gibt es irgendein Rätsel und ich habe mich gefragt, ob der alte Xenophon womöglich gedacht hat, das Blut seines Erbauers könnte dazu beitragen, dem Koloss Kraft zu verleihen. In den alten Texten werden Beispiele für solche Opfer genannt und Xenophon wäre so etwas durchaus zuzutrauen.«

Aura starrte ihn an und erinnerte sich an die Behauptung der Soldaten, die sie zum Helios-Tempel gebracht hatten, ihr Großvater, Chares von Lindos, hätte sich umgebracht. Sie fröstelte. Ihre nassen Haare klebten an ihr wie Schlingpflanzen, und sie war sich bewusst, dass ihre Tunika überall an den dicksten Teilen ihres Körpers klebte. Aber sie war sich ziemlich sicher, dass das Geschenk nicht das Herz von irgendjemandem war.

Der Ratsherr betrachtete sie nachdenklich. »Und doch hat es den Anschein, als sei dieses Geschenk des Helios weit eigentümlicher als jedes Opfer«, sagte er. »Um herauszufinden, warum Xenophon dich um jeden Preis wiederhaben will, habe ich einige Nachforschungen angestellt, und es sieht so aus, als sei dein abwesender Vater der Sohn des Chares von Lindos. Sehr interessant, findest du nicht?« Er wartete gespannt auf eine Reaktion und schien enttäuscht, dass sie nicht mit Überraschung reagierte. »Das wirft ein neues Licht auf die Sache. Also steh mir Rede und Antwort, Aura. Sag mir, ob die Gerüchte wahr sind. Habt ihr Telchinen irgendeine Art von Verbindung zu diesem Geschenk?«

Aura spähte in die Bäume. Was genau mochten ihm die gefangenen Nachtfalter erzählt haben? »Ich … ja, stimmt.«

Der Ratsherr seufzte. »Aha. Dann nehme ich an, du weißt bereits über die Botschaften Bescheid und darüber, in welcher Weise das Geschenk die Anhänger der Götter kontrolliert?«

Aura nickte knapp.

»Es kann auch töten, jedenfalls behaupten das die Helios-Priester«, sagte der Ratsherr. »Anscheinend verbrannten die Priester, die im Koloss waren, als er umstürzte. Also können wir wohl festhalten, dass es sich um etwas Mächtiges handelt. Das erklärt wahrscheinlich, dass der alte Xenophon es unbedingt zurückhaben will. Was weißt du sonst noch darüber? Glaubst du, es könnte vielleicht Erdbeben auslösen?«

»Erdbeben?«, wiederholte Aura beklommen.

»Offenbar glaubst du das nicht«, sagte der Ratsherr mit einer ungeduldigen Handbewegung. »Aber vielleicht kannst du es für mich herausfinden. Ich vermute, dein Großvater hat deinem Vater die Geheimnisse des Geschenkes anvertraut, ehe er starb. Ich möchte dir etwas erklären, Aura. Rhodos kann seine Unabhängigkeit nur wahren, weil es gute Beziehungen mit den verschiedenen Mächten der zivilisierten Welt unterhält. Mit Rom, Ägypten, Griechenland, Makedonien, Anatolien, Persien … Wenn es einen Krieg gibt, sitzen wir zwischen allen Stühlen, und du verstehst doch sicher, dass unseren Interessen am meisten gedient ist, wenn wir den Frieden erhalten können. Ich erwarte von einer ungebildeten Schwammtaucherin nicht, dass sie die Feinheiten der

Politik versteht, aber du kannst mir glauben, wenn ich dir sage, dass ein Mann wie Xenophon mit einer ausreichend starken Waffe – wie offenbar dieses Geschenk des Helios – unsere Insel zerstören könnte. Ich werde in aller Kürze das Geschenk in sicherem Gewahrsam haben. Wenn du bis dahin für mich herausfinden kannst, welche Fähigkeiten es genau besitzt, hilfst du nicht nur dem Rat, sondern auch deiner Familie und deinen Freunden.«

Nach ihrem gerade erlittenen Verlust war ihr das zu viel. Aura begriff lediglich, dass der Ratsherr sie aus irgendeinem Grund, den sie nicht recht verstand, gehen ließ.

Sie zog sich von ihm zurück und schüttelte dabei den Kopf. »Ich weiß nichts über Erdbeben«, sagte sie. »Ich will einfach nur meine Mutter wiederhaben und meinen Vater in Sicherheit wissen. Ich will nach Hause.«

Der Ratsherr betrachtete sie kühl. »Finde heraus, was ich wissen will, Telchinen-Mädchen. Rede mit deinem Vater und auch mit deiner Mutter, wenn sie wieder aus diesem Teich herauskommt. Ich habe den Rat davon überzeugen können, dass es klug wäre, den Rat des Orakels von Lindos einzuholen, ehe wir uns dazu entschließen, die Riesenstatue des Helios wieder aufzustellen. Die Öffentlichkeit wird annehmen, was das Orakel sagt, also riskiert der Rat nicht, bei den Helios-Priestern in Ungnade zu fallen, wenn die Antwort abschlägig ausfällt. Sobald König Ptolemaios ankommt, bringen wir ihn nach Lindos. Dort kannst du mich ebenfalls treffen, in sicherer Entfernung von den Ohren der Helios-Priester. Ich verspreche dir, deine Eltern zu schützen, wenn du mit mir zusammenarbeitest. Außerdem halte ich dir den Oberpriester vom Hals, solange ich kann.« Er entfernte sich rückwärts durch die Bäume und behielt sie wachsam im Auge, bis die Dunkelheit ihn verschluckte.

Als er gegangen war, holte die Angst Aura ein wie eine Welle, die ihr über den Kopf schwappte. Sie schlug den Weg zum Teich ein und rief nach ihrer Mutter, obwohl sie wusste, dass die Telchinin sie unter Wasser nicht hören konnte. Aber noch ehe sie das Ufer erreichte, plumpste jemand von einem Baum herab, presste ihr die Hand auf den Mund und zog sie zu Boden.

Sie kämpfte panisch und konnte einen erstickten Schrei ausstoßen.

»Still, du Närrin!«, sagte eine vertraute Stimme. »Willst du, dass die Soldaten zurückkommen?« Milos dunkle Augen blickten auf sie herab. Erleichtert erschlaffte sie.

Der Junge von Chalki rollte von ihr herunter. Aura stand auf und klopfte sich ab, in einer Mischung aus Verlegenheit und unerwarteter Freude. »Milo ... du bist entkommen!«

»Nicht dein Verdienst!« Er warf ihr einen ergründlichen Blick zu. »Was hast du dir dabei gedacht, einfach so in den Dämonenteich zu tauchen? Du warst endlos lange dort unten! Ich weiß, du hast die Lungen einer Schwammtaucherin, aber ich habe ehrlich gedacht, du wärst ertrunken. Ich war gerade im Begriff, dir nachzutauchen, ganz gleich, was Androkles über Dämonen sagte, aber da kamen die Soldaten und wir mussten uns verstecken. Ich saß eine Ewigkeit auf dem Baum und habe darauf gewartet, dass du wieder auftauchst!« Er schnitt eine Grimasse. »Sie haben ein paar von den Nachtfaltern gefangen und ausgefragt. Aber offensichtlich haben sie dem Ratsherrn nicht viel erzählt. Warum hat er dich gehen lassen?«

Aura erkannte, dass er die ganze Szene mit angesehen hatte. Sie schüttelte den Kopf. Sie verstand es ja selbst kaum. »Ich glaube nicht, dass er mit dem Oberpriester zusammenarbeitet. Er hat gesagt, er wolle das Geschenk in sicheren Gewahrsam nehmen. Noch hat er es nicht, aber er scheint zu glauben, dass er es bald findet. Er will, dass ich ihn in Lindos treffe, nachdem ich die Chance hatte, Vater nach den Kräften des Geschenkes zu fragen. Er weiß schon von den Botschaften und dass Telchinen irgendeine Verbindung mit dem Geschenk haben, aber offenbar ist ihm nicht klar, dass die Anhänger der Götter Stücke davon sind. Vielleicht hätte ich es ihm sagen sollen ...« Wieder klapperte sie mit den Zähnen.

»Nein, hättest du nicht!« Milo fasste sie am Arm. »Sag ihm gar nichts! Keine Angst. Elektra ist bei den anderen in Sicherheit. Als die Soldaten abzogen, habe ich mich gemeldet, zurückzugehen und auf dich zu warten. Timosthenes sagt, sie bringen ihre Gefangenen auf die Küstenstraße hinunter, aber sie haben uns nicht alle erwischt.«

»Milo, warte! Meine Mutter ist immer noch in dem Teich. Wir können sie nicht einfach dort unten lassen. Und jetzt ist auch das Geschenk weg ...«

Milo lächelte. »Darüber brauchst du dir keine Sorgen zu machen. Elektra hat sich deine Tasche geschnappt, als die Soldaten kamen. Sie ist flink, wenn sie will, das muss ich ihr lassen.« Er blickte zurück auf den Teich und sein Ton wurde wieder ernst. »Ich weiß, dass deine Mutter dir fehlt, Aura, aber sie muss ihre Gründe haben. Niemand hat sie gezwungen hineinzuspringen, oder? Sie ist dort gut aufgehoben. Wenn es für sie an der Zeit ist, kommt sie wieder heraus. Wenigstens weißt du, wo sie ist. Wir können nicht mehr länger hier herumstehen. Die Soldaten könnten zurückkehren. Los, komm, hier lang.«

Aura seufzte und wusste, dass er recht hatte. Sie schwor, wiederzukommen und nach ihrer Mutter zu suchen, sobald es sicher war, und folgte dann dem Jungen von Chalki in den Wald.

KAPITEL 10

DER VERRAT

Milo führte sie zwischen dunklen Bäumen hindurch zu einer kleinen Höhle. Fünf Jungen und vier Mädchen kauerten, noch schmutziger und zerzauster als vorher, im Dämmerlicht um eine flackernde Fackel. Androkles fuchtelte mit der Faust und sprach eifrig. Offenbar versuchte er, die Übrigen aufzuheitern, aber niemand lächelte. Elektra kniete am Rand der Gruppe, weinte leise und versuchte, es zu verbergen. Ihre schwarzen Haare hingen ihr wirr und verfilzt um den Kopf, und auf einer Wange hatte sie einen hässlichen Kratzer.

Aura trat auf einen Zweig und alle fuhren hoch. Die Fackel wurde blitzartig gelöscht und ein Dolch erschien in Androkles' Hand. Kimon rannte zu seinem Bruder, schlang die Arme um seine Taille und vergrub das Gesicht an seiner Brust. Die anderen starrten Aura an, als wäre sie ein Geist.

Die Nachtfalter suchten mit angstvollen Augen den Wald ab, als erwarteten sie, dass hinter den Ankömmlingen Soldaten aus der Dunkelheit auftauchten.

Elektra stieß einen Schrei aus, rannte zu Aura und ergriff ihre Hand. »Ich dachte, du seist ertrunken!«, schluchzte sie. »O Aura, jage mir nie mehr solche Angst ein!« Sie drückte Auras Finger so fest, dass sie beinahe so wehtaten wie damals, als sie ihre Schwimmhäute abgeschnitten hatte.

Sie machte sich frei und Elektra hob schniefend mit einem schwachen Lächeln die Tasche mit dem Geschenk des Helios hoch. »Ich habe den Gott gerettet. Wir können nicht zulassen, dass der Oberpriester ihn wieder mit Draht an seinem Koloss befestigt und behauptet, er sei ein Orakel! Androkles meint, jemand müsse uns verraten haben, weil die Soldaten genau wussten, wo wir waren.«

Aura fiel wieder ein, wie Timosthenes einen Satz von der Tasche weg gemacht hatte, ehe ihre Mutter in den Teich gesprungen war. Sie blickte auf den blonden Jungen und schüttelte den Kopf. Nein. Selbst wenn Timosthenes wusste, wie man das Geschenk dazu nutzen konnte, eine Botschaft zu schicken, kam er doch in der Bande gleich nach Androkles an zweiter Stelle. Er konnte sie nicht an den Ratsherrn verraten haben. Wahrscheinlicher war, dass einer von Xenophons Priestern im Allerheiligsten eines Tempels gewesen war, als sie versucht hatte, Kontakt zu ihrem Vater aufzunehmen, und sie durch den Anhänger eines Gottes gehört hatte.

»Nimm ihn, Aura!«, drängte Elektra. »Ich kann den Gott nicht tragen. Ich bin nicht würdig genug.«

Ich auch nicht, hätte Aura am liebsten gesagt.

Für alle Fälle wandte sie das Gesicht von ihren Freunden ab, als sie die Tasche nahm. Aber in ihrem

Kopf entstanden keine Regenbogen. Sie fingerte unbehaglich an den Bändern herum und hätte gerne hineingeschaut, aber nach dem, was letztes Mal geschehen war, hatte sie Angst, das Geschenk zu berühren.

Niedergeschlagen machten die Nachtfalter wieder Feuer im hinteren Teil der Höhle und kauerten sich eng um die Flammen, um zu planen, was sie als Nächstes machen sollten. Der Angriff am Teich hatte sie offenkundig sehr verängstigt. Zwei weitere Jungen, die zu den Nachtfaltern gehörten, gesellten sich im Laufe der Nacht zu ihnen. Sie waren tief in den Wald geflohen, hatten sich dann vorsichtig zurückgetastet und mit Hilfe von Eulenrufen ihre Freunde wiedergefunden. Mit Aura und Milo waren sie nun dreizehn. Ein kleines, trauriges Häufchen, verglichen mit der munteren Schar im Basislager in Ialysos, an die Aura zurückdachte.

»Die Frage ist, ob der Rathsherr weiß, dass wir zum Unsichtbaren Dorf gehen«, sagte Androkles. »Vielleicht haben sie einfach geraten, dass wir am Dämonenteich sein könnten, und Glück gehabt.«

»Er weiß, dass wir auf dem Weg zu Auras Vater sind«, sagte Milo und sah sie an.

Also musste Aura von ihrem Gespräch mit dem Ratsherrn Iamus berichten und erklären, warum er sie hatte gehen lassen. Timosthenes nickte, aber die übrigen Nachtfalter warfen ihr misstrauische Blicke zu. Sie machte ihnen keinen Vorwurf. Selbst Elektra runzelte die Stirn.

»Natürlich hatten sie nicht einfach Glück«, sagte Timosthenes. »Sie haben offensichtlich herausgefunden, dass wir zur Küste unterwegs sind, und haben uns eine Falle gestellt. Ich meine, wir sollten das tun, was sie am wenigsten erwarten. Ich bringe Aura und das Geschenk zum Unsichtbaren Dorf und du führst die anderen zurück nach Ialysos. Ich weiß, wo es ist — mein Vater ist einmal mit mir hingegangen, als ich noch klein war. Es ist nicht nötig, dass wir uns alle in Gefahr bringen.« Es entstand zustimmendes Gemurmel und man beratschlagte, welcher Weg der sicherste war.

Aura schloss die Augen. Sie überlegte, ob es schon sicher sei, zum Teich zurückzukehren. Die Nachtfalter schienen nicht vorzuhaben, noch einmal dorthin zu gehen.

»Nein«, sagte Androkles fest. »Wir gehen nicht nach Ialysos zurück, ehe wir unsere Freunde befreit haben. Der Ratsherr wird das Unsichtbare Dorf niemals finden. Und wenn dieser König Ptolemaios eine Schiffsladung Gold aus Ägypten gebracht hat, um den Koloss wieder aufzustellen, wird das alle ablenken. Aura kann uns mit ihrem bösen Blick helfen.«

»Vielleicht kriegen wir sogar ein bisschen etwas von dem ägyptischen Gold in die Finger, wenn wir schon dabei sind!«, meinte ein Mädchen, was schallendes Gelächter auslöste und ihre Stimmung hob.

Timosthenes schnitt eine Grimasse, als die anderen Nachtfalter Vorschläge machten, wie man das Gold stehlen könnte. Androkles ließ sie reden und starrte nachdenklich hinaus in die Nacht. In der Höhle wurde es laut, als sie immer kühnere Pläne schmiedeten, wie sie ihre Freunde retten, das Schiff des Königs

Ptolemaios mit dem Gold an Bord kapern und damit auf eine einsame Insel segeln würden, wo sie für immer glücklich und in Freuden leben würden, ohne irgendwelche Erwachsene, die sie herumkommandierten.

Still knüpfte Aura die Bänder der Tasche auf und griff hinein. Das Geschenk leuchtete auf, als sie einen Draht berührte. Sie schloss die Augen und machte sich bereit, den Kontakt sofort abzubrechen, wenn sie wieder eine Vision vom Allerheiligsten eines Tempels hatte, aber diesmal geschah überhaupt nichts.

»Vater?«, flüsterte sie und versuchte, ein Bild von dem Schiff heraufzubeschwören, das sie gesehen hatte. »Vater, kannst du mich hören?«

Nichts.

»Mutter? Tut mir leid, dass ich dich beunruhigt habe. Bitte komm aus dem Teich.«

Nichts.

Sie ballte die Fäuste, zerrte das Geschenk an den Drähten aus der Tasche und schleuderte es frustriert gegen den Felsen. »Lass mich mit meinen Eltern reden!«, schrie sie und funkelte das Geschöpf zornig an. »Tu nicht so, als wäre ich gar nicht da!«

»Nein, Aura!«, keuchte Elektra. »Poseidon wird dich bestrafen ...«

Das Geschenk leuchtete kräftig blau auf und erhellte die Nacht. Regenbogen erschienen in Auras Kopf. Sand rieselte von der Decke der Höhle herab, als der Felsen erzitterte. Sie empfand eine Mischung aus Triumph und Schrecken, sprang mit wild klopfendem Herzen auf die Füße und taumelte, geblendet von dem plötzlichen Licht. Milo fing sie in seinen Armen auf. Er führte sie Richtung Eingang, wobei er gegen die Nachtfalter stieß, die ebenfalls aufgesprungen waren, als die Erde bebte.

Aura umklammerte das Geschenk und wusste, sie sollte es fallen lassen und den Kontakt unterbrechen, musste aber herausfinden, was mit ihren Eltern geschehen war. Wieder schloss sie die Augen. »Hilf mir!«, zischte sie.

»Ruhig, Aura«, flüsterte Milo, der ihre Bitte als Hilferuf missverstand. »Ist schon gut. Es ist nur ein kleiner Erdstoß. Ich glaube nicht, dass uns die Decke auf den Kopf fällt. Schau – du bist in Sicherheit, siehst du?«

Sie schüttelte den Kopf. Die Regenbogen strahlten heftig, fast grell. Sie wusste mit schrecklicher Gewissheit, dass in dem Augenblick, in dem sie ihre Augen öffnete, jemand zu Schaden kommen würde.

»Bring mich raus«, sagte sie mit zusammengebissenen Zähnen. »Bitte Milo … tu es einfach.«

Sie hörte Geflüster und Gemurmel von den Nachtfaltern und eine angstvolle Frage von Elektra. Dann führten Milos starke Arme sie zwischen den Umstehenden hindurch und sie fühlte, wie der Nachtwind ihr Haar hochwehte. Blätter streiften ihr Gesicht, als er sie weiter ins Dickichts führte. Sie roch die Blüten der Alraune und atmete ein wenig freier.

»Lass mich hier«, sagte sie. »Geh zurück und hol die anderen ins Freie, aber nicht in die Nähe von Bäumen, und halte sie von mir fern.«

»Ich lasse dich doch in diesem Zustand nicht hier allein, was glaubst du denn? Die Soldaten könnten zurückkommen. Was ist denn los? Komm, Aura, mir

kannst du es sagen. Ich sage es nicht weiter. Schwammtaucherkodex, weißt du noch?«

»Ich muss mit dem Geschenk reden. Mir passiert
nichts, wenn die Soldaten kommen – ich habe meinen
Augenzauber. Aber die anderen sind in Gefahr. Glaub
mir, du musst sie unbedingt aus der Höhle heraus-
holen. Geh, Milo!«

Widerstrebend ließ er sie los. Sie hörte, dass er
durch das Unterholz denselben Weg zurückging, den
sie gekommen waren. Sie kniete sich hin, drückte ihr
Gesicht in die Erde und hielt die Regenbogen im Kopf
fest. »Zeig mir, wohin meine Mutter gegangen ist«,
presste sie zwischen den Zähnen hindurch.

Aber Elektra hatte anscheinend recht. Sie hatte das
Geschöpf zornig gemacht. Sie ballte die Fäuste, als die
Regenbogen noch stärker strahlten. Die Kraft baute
sich auf, immer schmerzhafter, und drückte von innen her gegen ihren Schädel, bis sie sie nicht mehr
zurückhalten konnte.

Sie öffnete die Augen.

Mit einem tiefen Ächzen spaltete sich die Erde unter ihren Händen und Knien.

Ein Baum fiel ganz in der Nähe im Dunkeln krachend zu Boden und seine Wurzeln wurden aus der
Erde gerissen. Sie hörte Schreie, als mit großem Ge-
töse die Höhle, in der sie Zuflucht gesucht hatten,
einstürzte.

Aura richtete sich auf. Das Geschenk lag in den
Blättern, nunmehr matt im Licht der Sterne. Sie
fühlte sich wie betäubt. Die Nachtfalter versammelten sich schweigend um sie. Milo hielt seinen
schluchzenden Bruder im Arm. Androkles schüttelte

den Sand aus den Haaren, die Lippen fest zusammengepresst.

Elektra biss sich auf die Lippen. »Das hättest du nicht tun dürfen, Aura«, sagte sie. »Poseidon ist zornig geworden. Er hat die Erde beben lassen, um uns zu bestrafen.«

»Zwei Verletzte, Boss«, berichtete Timosthenes und funkelte Aura böse an. »Gut, dass der Junge von Chalki die anderen rechtzeitig rausgeholt hat, sonst wären wir alle dort drinnen lebendig begraben worden.«

Die Nachtfalter sahen dankbar auf Milo. Zum Glück schienen sie jetzt ebenso wenig geneigt, Elektras Worten Glauben zu schenken, wie vorher, als sie behauptet hatte, ihr »Heiler« sei ein Gott. Sie dachten nicht daran, Aura einen kurzen Erdstoß zur Last zu legen, der bei Weitem nicht so schlimm war wie das Beben, das den Koloss hatte umstürzen lassen. Sie jedoch musste immerzu an die Worte des Ratsherrn denken: Meinst du, es könnte vielleicht Erdbeben auslösen?

Sie schlang unglücklich die Arme um sich. Zwei Verletzte. Ein Junge hatte ein gebrochenes Bein und dem anderen lief aus einer Kopfwunde Blut übers Gesicht. Es hätte schlimmer sein können. Es hätte viel besser sein können. Warum, o warum war sie so dumm gewesen?

»Das Telchinen-Mädchen hat seine magische Kraft offenkundig nicht im Griff«, sagte Timosthenes, der Aura noch immer grimmig ansah. »Bei einem Überfall würde sie mehr schaden als nützen. Bitte, Boss, lass mich mit ihr zum Unsichtbaren Dorf gehen und bleib du mit den Verletzten hier.«

Androkles machte ein finsteres Gesicht. »Ich habe dir schon gesagt, dass wir zusammenbleiben, jetzt erst recht.«

Die verletzten Jungen stimmten zu und der mit dem gebrochenen Bein stand mühsam auf. Er nahm einen Ast als Stütze, hüpfte über die Lichtung und schnappte sich eine der Schleudern, um zu beweisen, wie gut er einen Stein schießen konnte. Timosthenes sagte, er solle nicht so dumm sein, und ob er denn glaube, er könne den ganzen Weg zur Küste so hüpfen? Der Junge, den ein Stein am Kopf getroffen hatte, konnte gut laufen, aber er sah verschwommen und konnte nicht geradeaus werfen. Als eines der Mädchen scherzte, zwei verletzte Nachtfalter ergäben zusammen einen gesunden, und Timosthenes brummte, das einzig Vernünftige sei, sich zu trennen, verlor Androkles die Beherrschung und schrie sie alle an, sie sollten den Mund halten, damit er nachdenken könne, was zu tun sei.

Während der ganzen Zeit hatte Aura versucht, genug Mut zu sammeln, um das Geschenk noch einmal zu berühren. Sie hatte sich gerade halbwegs davon überzeugt, dass es ihren Augenzauber ganz gewiss nicht so schnell wieder wecken würde, als Timosthenes sie an den Haaren packte.

»Ich weiß nicht, was du im Schilde führst, Telchinin«, zischte er. »Aber wenn du noch einmal so was wie den Trick in der Höhle probierst, bist du mitsamt deinen Freunden von Chalki tot.«

Aura entzog sich ihm ungeduldig. Begriff er nicht, dass sie sich jetzt um wichtigere Dinge sorgen mussten? Sie erinnerte ihn daran, dass sie nur zur Hälfte

Telchinin war und das Geschenk nicht immer dazu bringen konnte, zu tun, was sie wollte. Timosthenes' Miene wurde bitterböse und er ballte die Faust. Aber sie erfuhr nie, ob er sie geschlagen hätte, denn vorher schlug Milo zu.

Die beiden Jungen balgten sich in den Blättern, bald im Sternenlicht, bald im Schatten, und kratzten und bissen wie Tiere. Kimon ermutigte seinen Bruder durch Zurufe, während Androkles beide anschrie, sie sollten sich wie Erwachsene benehmen. Elektra blickte mit aufgerissenen Augen Aura an. »Mach doch was!«, sagte sie. »Sonst hören uns die Soldaten.« Die Nachtfalter versuchten, Timosthenes und Milo zu trennen, aber einer bekam versehentlich einen Schlag ab und bald rauften noch ein paar Jungen mit.

Aura tat das Einzige, das ihr einfiel. Sie schnappte sich das Geschenk aus den Blättern und rief die Regenbogen. Der Kontakt war beinah so stark wie zuvor, aber diesmal hatte sie mehr Kontrolle. Sie vergewisserte sich, dass niemand so nahe war, dass er verletzt würde, und ließ den Augenzauber frei. Blaue Blitze trafen die Steine, die den Eingang zur Höhle blockierten. Splitter flogen durch die Luft. Das Geräusch kam den Bruchteil einer Sekunde später, ein Krachen wie von Donner.

Die Nachtfalter brachen ihre Rauferei ab und starrten sie an, plötzlich sehr still. Die beiden ursprünglichen Gegner trennten sich und funkelten sich zornig an. Zuerst bemerkten sie nicht, dass Aura mit geballten Fäusten keuchend im Schatten der Bäume stand. Milo hatte eine Platzwunde über dem Auge und Timosthenes eine blutende Lippe. Einen schrecklichen Augenblick lang dachte Aura, sie würden ihren Kampf fortsetzen. Dann seufzte Milo und half dem blonden Jungen auf die Füße.

Androkles schüttelte den Kopf. »Das war bescheuert!«, sagte er und blickte alle der Reihe nach zornig an. Er betrachtete den Schutt in der Höhle, den umgestürzten Baum und die beiden verletzten Jungen. »Also, wir brauchen eine Trage für den Jungen mit dem gebrochenen Bein. Du und du, ihr tragt sie.« Er zeigte auf zwei kräftig aussehende Jungen und stampfte dann auf die Erde, um zu sehen, ob sie wieder hielt. »Du, Telchinen-Mädchen, machst dich nützlich und siehst zu, ob du das Geschenk-Dingsda dazu bringen kannst, die Verletzten zu heilen. Wir bleiben bei unserem Plan und verstecken uns im Unsichtbaren Dorf, bis wir wieder stark sind. Wir können ja sehen, ob Auras Vater irgendwelche tollen Ideen hat, wenn er kommt. Aber jetzt sammelt jeder ein paar Steine auf, hält seine Schleuder bereit und folgt mir. Jeder, der noch einmal eine Rauferei anfängt, seinen bösen Blick benutzt oder auch nur ein *einziges* Wort sagt, ehe wir an der Küste sind, ist kein Nachtfalter mehr und muss sehen, wie er allein fertig wird. Verstanden?« Sein Blick blieb kurz an Timosthenes hängen.

Die Übrigen nickten, ohne einander anzusehen.

Während die Träger aus zwei Ästen und einem Umhang eine Trage bastelten, kramten die übrigen Nachtfalter im Schutt nach Steinen der richtigen Größe. Kleidung und Waffen wurden schweigend zusammengesucht. Der andere verletzte Junge band sich einen Lappen um den Kopf, damit ihm kein Blut in die Augen lief. Aura trug das Geschenk ohne große Hoffnung zu den beiden hin, war aber im Grunde nicht überrascht, als nichts geschah. Sie steckte das Geschöpf wieder in die Tasche zu dem Anhänger und sah zu, wie Elektra eine Schiene am gebrochenen Bein des Jungen befestigte. Androkles blickte alle noch einmal drohend an und führte sie dann umsichtig durch die Nacht.

Aura hatte Schwierigkeiten, auf dem dunklen Pfad zu sehen, wohin sie trat, und landete schließlich hinten bei den Jungen mit der Trage und Elektra. Timosthenes warf ihr feindselige Blicke zu, schien aber durch die letzte Anwendung ihres Augenzaubers vorsichtig geworden und hielt Abstand. Der Atem reichte nicht zum Reden und für Streitereien war wenig Energie übrig. Als es hell zu werden begann, schnitt Androkles einen Stock, um das Gestrüpp aus dem Weg zu schlagen, damit sie schneller vorankamen. Die anderen folgten schweigend und warfen ängstliche Blicke ins Dämmerlicht um sie herum, das jetzt noch unheimlicher war als die völlige Dunkelheit vorher.

Der Marsch durch das geisterhafte Zwielicht schien endlos. Zweige verhakten sich in Auras Kleidung und ihr Rücken schmerzte unter dem Gewicht des Geschenkes. Allmählich fragte sie sich, ob der Anführer der Nachtfalter sich verirrt hatte. Dann aber kamen sie plötzlich aus den Bäumen heraus, hoch oben auf einem Felsen, und blieben atemlos stehen.

Unter ihnen glitzerte das Meer im Sonnenaufgang in allen Farben. Am Horizont bildete die Küste von Anatolien eine lila Linie vor der riesigen roten Sonne.

Obwohl sie auf der Seite von Rhodos waren, von der aus ihre Heimat nicht zu sehen war, spürte Aura ein Ziehen im Herzen.

»Aura?«

Eine Berührung am Arm ließ sie zusammenschrecken. »Du hast geträumt«, sagte Elektra mit einem Lächeln. »Du bist fast über den Rand gefallen. Androkles sagt, das Unsichtbare Dorf liegt dort unten. Anscheinend war vor dem Erdbeben dieser Abhang auch bewaldet.«

Aura folgte mit den Augen ihrem Zeigefinger und sah einen steilen Hang, übersät von losem Geröll, zersplitterten Bäumen und Felsblöcken. Etwa auf halber Höhe war anscheinend eine Kante, dahinter fiel der Hang jäh ins Meer ab. Ein verlassener Kiesstrand war unten gerade noch sichtbar. Seevögel stießen unter ihnen zu ihren Nestern in den Felsen herab, was zeigte, wie hoch sie standen. Auras Mut sank. Sie hoffte, Androkles würde nicht von ihr erwarten, dass sie dort hinunterkletterte. Die Nachtfalter hüpften bereits über den Abhang und sammelten weitere Steine für ihre Schleudern. Unterwegs hatten sie eine Menge nutzlos vertan, weil sie auf Schatten im Wald geschossen hatten.

Aber nachdem Androkles das Gelände auf dem Felsen erkundet hatte, winkte er sie zu einem steilen Pfad, der hangabwärts schräg auf die Kante zuführte. Die Nachtfalter mit der Trage gingen langsam voran und achteten sorgfältig darauf, wohin sie ihre Füße setzten. Timosthenes folgte und blickte sich immer wieder um. Er hatte seit der Rauferei fast nichts gesprochen und Aura war froh, dass Androkles ihm nicht erlaubt hatte, sie allein hierherzubringen. Sie sah zu, wie Milo seinem Bruder an steilen Stellen half. Er ertappte sie dabei und zwinkerte ihr zu. Ihr wurde warm ums Herz, und sie erinnerte sich wieder, wie er sie beschützt hatte, als Timosthenes sie schlagen wollte. Aber vielleicht hatte er das getan, weil er das Geschenk brauchte, um seinen Vater zu heilen, und sie die Einzige war, die es zum Funktionieren bringen konnte ... manchmal. Sie schüttelte den Kopf und ärgerte sich, dass der Junge von Chalki sie so durcheinanderbringen konnte.

»Was ist los?«, fragte Elektra. »Hat der Gott wieder zu dir gesprochen?«

Aura schüttelte den Kopf und flüsterte: »Elektra, weißt du, wo wir sind?«

»Irgendwo an der Küste, zwischen Rhodos-Stadt und Lindos, glaube ich. Hier ist auch irgendwo eine Stadt, in die alte Leute gehen, um alle möglichen Schmerzen und Gebrechen loszuwerden, aber ich glaube, wir sind ein ganzes Stück südlich davon.«

»Nein, ich meine dieses Unsichtbare Dorf ... weißt du irgendetwas darüber? Die Geschichte von den verschwundenen Menschen, die uns die Nachtfalter erzählt haben, klang so merkwürdig.«

»Wahrscheinlich sind es einfach Ruinen«, sagte Elektra achselzuckend. »Es gibt eine Menge verlassene Dörfer auf Rhodos. Schau dir Ialysos an – die ganze Bevölkerung ist nach Rhodos-Stadt umgezogen, weil die Leute dachten, das wäre besser für sie. Warum fragst du danach?«

»Ich habe mir überlegt, wie viel mein Vater darüber weiß. Androkles hat gesagt, niemand könne diesen Ort finden, wenn er nicht schon einmal dort gewesen sei, nicht wahr? Das heißt, mein Vater muss schon wenigstens einmal hier gewesen sein, und wenn der Oberpriester hinter ihm her war, dann war das wahrscheinlich, ehe er Rhodos verließ und nach Alimia kam und meine Mutter kennenlernte, vielleicht sogar, ehe die Leute, die hier gelebt haben, verschwunden sind.« Sie schüttelte den Kopf. »Ach, ich weiß nicht. Ich wollte einfach, meine Mutter wäre nicht weggegangen. Ich möchte sie noch so vieles fragen. Ich hatte nie richtig Gelegenheit dazu.«

Elektra biss sich auf die Lippen und schlang die Arme um sie. »Ach, Aura! Es tut mir leid! Ich weiß, ich hätte versuchen sollen, deine Mutter daran zu hindern, in den Teich zu springen, aber es ging alles so schnell ...«

»Du hättest sie nicht daran hindern können«, sagte Aura rasch und drückte der Novizin die Hand. »Und du hast das Geschenk vor den Soldaten gerettet. Ich bin froh, dass du bei mir bist. Du bist die Einzige, die wirklich versteht, wie es ist, wenn man Worte durch das Geschenk hört.«

Elektra lächelte flüchtig. »Orakel ergeben oft keinen rechten Sinn. Zumindest ist deine Mutter jetzt vor den Soldaten sicher. Wir gehen besser hinunter. Androkles winkt uns.«

Aura erwähnte nicht, was für ein merkwürdiges Gefühl dieser Ort in ihr weckte, und es wurde noch stärker, als sie hinabstiegen. Sie hatten keine Puste zum Reden, als sie sich, einander fest an den Händen haltend, den steilen Pfad hinabtasteten. Ihre Tasche schlug gegen den Felsen und blieb immer wieder an abgebrochenen Ästen hängen. Mehr als einmal rutschte sie aus und kickte Geröll über den Rand des Pfades, wenn sie mit Herzklopfen und Verrenkungen das Gleichgewicht zu halten suchte. Die Nachtfalter waren schon alle sicher unten angelangt. Aura konnte sie triumphierend schreien hören, als sie die Felskante entlangrannten, um das Dorf zu erkunden. Timosthenes eilte voraus, um die Sicherheit zu überprüfen.

»Ruinen, genau wie ich dir gesagt habe«, sagte Elektra, als sie nach unten spähte. »Sie sehen aus, als gingen sie direkt in die Felswand hinein – es muss eine Art Höhle sein.«

Rotes Licht übergoss den Abhang. Sie hatten die Sonne in den Augen, als sie zur ersten überwucherten Mauer kamen. Der Junge mit dem gebrochenen Bein setzte sich auf seiner Trage auf und keuchte, als sei er selbst hinuntergeklettert.

»Das war zum Fürchten«, sagte er mit einem Grinsen, als sie bei ihm ankamen. »Ich dachte, sie würden mich über den Rand fallen lassen. An diesem Ort findet uns ganz bestimmt so leicht keiner. Selbst wenn das nicht das Unsichtbare Dorf sein sollte, können wir uns hier eine Zeit lang verstecken ...« Er stockte und starrte in den schattigen Bereich unter der Felswand, in den Timosthenes gegangen war. Er flüsterte: »Habt ihr gesehen? Da drinnen hat sich etwas bewegt!«

Aura erstarrte und ihre Nackenhaare sträubten sich. Noch während Elektra sagte: »Geister, vielleicht ...«, kam ein Schrei von weiter vorn auf der Kante, wo die Nachtfalter waren, die den Ort erkunden wollten, und Timosthenes kam zurückgerannt und schwenkte die Arme.

»Es ist eine Falle«, schrie er. »Alle wieder nach oben!«

Soldaten traten mit gezogenen Schwertern hinter den Mauern hervor. Der Junge mit dem gebrochenen Bein wurde blass. Die anderen kletterten auf allen vieren wieder den Hang hinauf. Steine flogen nach unten, als sie ihre Schleudern herauszogen und versuchten, genug Halt zu gewinnen, um ordentlich zielen zu können. Mit zitternden Händen hob Elektra das eine Ende der Trage hoch. Sie sah verängstigt, aber entschlossen aus. »Los, komm, Aura!«, sagte sie. »Wir können ihn nicht einfach hierlassen!«

Aber noch als Aura das andere Ende hochhob, wusste sie, dass es aussichtslos war. Weitere Soldaten blockierten den Pfad, den sie benutzt hatten, um in das Dorf hinunterzugelangen, und die Felswand war zu steil zum Hinaufklettern, selbst für die beweglichen Nachtfalter. Die Höhle war eine Sackgasse. Auf der anderen Seite war die senkrecht abfallende Steilwand.

Ratsherr Iamus kam auf einem Rappen aus dem Halbdunkel geritten und streckte die Hand aus. »Gib mir das Geschenk, Telchinen-Mädchen«, sagte er.

Aura schüttelte mit Tränen in den Augen den Kopf. »Ich muss es meinem Vater bringen. Ich dachte, Ihr hättet gesagt, ich solle mehr darüber herausfinden für Euch.«

»Dafür brauchst du das Geschenk nicht zu behalten. Gib es mir, und du kannst mit deiner Freundin, der Priesterin, frei abziehen und herausfinden, was ich dir aufgetragen habe. Die anderen kommen mit uns. Wir können über ihr Schicksal sprechen, wenn du mit den Informationen nach Lindos kommst und wir uns treffen.«

»Wohl kaum!«, schrie Androkles von der halben Höhe des Hanges her und ein Stein prallte vor Aura an der Mauer ab. Das Pferd machte auf der Hinterhand kehrt und hätte dabei fast seinen Reiter abgeworfen. Ratsherr Iamus fluchte verhalten und rief seinen Männern Befehle zu. Sie verteilten sich mit bestürzender Schnelligkeit: zwei liefen den Hang hoch, hinter Androkles her, zwei ergriffen die Trage des verletzten Jungen, vier bewachten die Nachtfalter, die sie schon gefangen hatten, und zwei weitere blockierten den Pfad. Androkles wurde trotz heftiger Gegenwehr heruntergezerrt und musste sich hinknien, ein Schwert an der Kehle. Timosthenes ballte ohnmächtig die Fäuste. Die übrigen Nachtfalter schlitterten auf dem Hinterteil den Hang hinunter, um ihrem Boss beizustehen, schreiend und mit einer ganzen Lawine von Geröll und Staub.

»Es geht alles schief!«, rief Elektra und ihre Augen füllten sich mit Tränen. »Androkles hatte recht, dass uns jemand verraten hat – irgendwer muss dem Ratsherrn gesagt haben, dass wir das Geschenk hierher bringen! Aura, mach was. Benutze deinen bösen Blick!«

Zitternd öffnete Aura die Tasche und fasste an einen Draht. Sie spannte sich an. Aber es kamen keine Regenbogen, nicht die leiseste Spur. Verwirrt runzelte sie die Stirn.

Der Ratsherr hatte sein Pferd wieder unter Kontrolle gebracht. Er lächelte und kam langsam im Trott auf die Stelle zu, wo die Mädchen kauerten. Aura blickte sich verzweifelt um. Sie sah nicht, was mit Milo und seinem Bruder geschah.

Sie packte Elektras Hand und zog sie von dem Pferd weg. »Hilf uns!«, schrie sie das Geschenk an. »Willst du, dass der Oberpriester dich wieder in dem Anhänger am Hals des Kolosses befestigt?«

Das Geschenk rührte sich nicht.

»Was ist los?«, keuchte Elektra. »Warum funktioniert dein böser Blick nicht? Schnell, Aura!«

Zwei Soldaten schoben sich langsam näher, um ihnen den Fluchtweg abzuschneiden. Aura holte tief Luft und hielt die Tasche über den Rand der Steilwand. »Keinen Schritt näher oder ich lasse sie fallen!«, drohte sie.

Ratsherr Iamus winkte die Soldaten zurück. »Sei vernünftig, Telchinen-Mädchen«, sagte er ruhig. »Ich werde es doch nicht Xenophon zurückgeben! Ich werde es in sicherem Gewahrsam behalten, bis wir mehr über seine Kräfte wissen ...«

Das Pferd kam noch einen Schritt näher und blaues Licht quoll aus Auras Tasche. Der Ratsherr zog scharf die Luft ein, zügelte das Tier und brachte es auf sicheren Abstand. Endlich füllte sich Auras Kopf mit Regenbogen – aber zu spät. Elektra schrie gellend auf und packte ihre Hand, als eine Spalte wie ein Blitz im Zickzack auf ihre Füße zulief.

Aura taumelte. Ein Stück der Kante brach unter ihrem Gewicht ab und fiel polternd die Felswand hinunter. Elektra schrie wieder, als der Felsen unter ihren Füßen verschwand, sodass sie einen Moment in der Luft zu stehen schienen.

Aus dem Augenwinkel sah Aura Elektras Arme wild rudern, als versuche die Novizin zu fliegen. Der Ratsherr rief etwas und die Soldaten rannten an die Kante. Aura schloss die Augen und erkannte endlich das wahre Ausmaß der Tücke des Geschöpfes. Wir werden sterben, dachte sie. Es wird unbeschadet im Meer landen, aber wir werden uns auf den Felsen dort unten die Schädel zerschmettern und …

Regenbogen flammten auf.

Das Geschrei oben brach jäh ab, als hätte jemand eine Tür zugeschlagen, und nur der Wind blies ihr in die Ohren.

Sie erinnerte sich nicht an die Landung. Als sie wieder zu sich kam, kullerte sie durch weichen Sand. Ein Keuchen in der Nähe sagte ihr, dass auch Elektra am Leben war. Sie riskierte einen Blick. Meer, Himmel und rote Sonne wirbelten um sie herum. Dann lief der Hang eben aus und sie rollte hart gegen die Mauer einer Hütte, die vorher nicht da gewesen war. Sie hielt noch immer die Tasche in der Hand. Drinnen leuchtete das Geschenk heller als je zuvor, Regenbogenfarben liefen in Wellen unter seinem blauen Fleisch an den Drähten entlang. Der Anhänger war herausgefallen und lag in der Nähe, ebenfalls stark leuchtend. Aura hob ihn zitternd und nach Luft schnappend aus dem Sand auf.

»Was ist passiert?«, flüsterte die Novizin. »Hat uns das Geschenk gerettet? Ich kriege sicher von oben bis unten blaue Flecken, und meine Ohren fühlen sich merkwürdig an. O Aura, ich dachte, es wäre aus mit uns!« Sie setzte sich auf und blickte sich verwirrt um. »Wo sind wir? Woher kommen diese Hütten? Was ist mit den Nachtfaltern geschehen? Aura … wohin ist das Unsichtbare Dorf verschwunden?«

Aura kam mühsam auf die Knie und blickte nach oben. Nirgendwo war eine Spur vom Ratsherrn Iamus oder den Soldaten zu sehen, die über den Rand geäugt hatten. Sie sah keine Männer, keine gefangenen Nachtfalter und − wie Elektra gesagt hatte − keine Spur von den Ruinen oder der Felskante, von der sie heruntergefallen waren. Die Steilwand erhob sich senkrecht und weiß bis zu den Bäumen ganz oben, die hoch in den Himmel ragten, als hätte es nie ein Erdbeben gegeben.

Sie drehte ganz langsam den Kopf. Das Meer war noch da und glitzerte in der frühen Morgensonne. Aber zwei Boote lagen am Strand, beladen mit Schwämmen. Die Hütte, die ihren Fall gestoppt hatte, gehörte zu einem Dorf, das vorher eindeutig nicht da gewesen war. Muschelschnüre baumelten mit leisem Klingeln an jeder Tür, und die runden Mauern waren mit Schätzen aus der Tiefe des Meeres geschmückt, die Aura in ihrer Verwirrung nicht einordnen konnte. Als sie noch mit aufgerissenen Augen schaute und sich fragte, wie ein ganzes Dorf nach obenhin so gut versteckt gewesen sein konnte, kamen riesige Geschöpfe mit Schwimmhäuten zwischen den Fingern und mit wallendem Silberhaar langsam und anmutig aus den Hütten und versammelten sich um sie. Schweigend und geisterhaft standen sie vor der roten Sonne. Mit ihnen kam der frische Geruch des Meeres.

Ich habe einen Schlag auf den Kopf gekriegt und das ist ein Traum, dachte Aura. Aber ihr Körper tat viel zu weh, als dass es ein Traum sein konnte, und obendrein war auch Elektra da. Außerdem kannte sie diesen Duft besser als ihr eigenes Herz.

Die Novizin schob eine kalte Hand in die ihre. »Aura«, hauchte sie und blickte erstaunt auf die riesigen Kreaturen, die sie umgaben. »Was sind das für Wesen?«

»Telchinen«, flüsterte Aura zurück und drückte aufgeregt und ziemlich ängstlich Elektras Hand. »Ich glaube, wir haben das Volk meiner Mutter gefunden.«

TEIL 2

DIE WELT DER TELCHINEN

Dir, o Poseidon,
geben die Kinder von Rhodos
dieses Geschenk in die Wellen des Meeres zurück,
nachdem sie, durch Krieg schwer getroffen,
von seiner Macht Gebrauch machten,
um sich vor dem Feind zu schützen.

KAPITEL 11

DAS UNSICHTBARE DORF

Noch ganz benommen von ihrem Sturz, dachte Aura erst im letzten Moment daran, die Tasche mit dem Geschenk hinter sich zu schubsen. Sie steckte gerade den Anhänger unter ihre Tunika, als ein pummeliger Telchinen-Junge sich vor sie und Elektra hinkniete, ihnen die Zehen spreizte und halblaut zählte. Eine Frau mit gelben Augen und Haaren bis auf die Knöchel scheuchte ihn weg. Die Hände in die Hüften gestemmt, blickte sie auf die Mädchen hinunter. Zwischen den Fingern hatte sie dicke grüne Schwimmhäute, wie der Junge auch. Obwohl sie alt aussah, hielt sie sich aufrecht und hatte bei aller Fülle dieselbe Anmut, die auch die anderen besaßen. Die übrigen Telchinen, alle von eindrucksvoller Größe und mit silbernen Haaren, hielten Abstand und starrten die beiden flüsternd an.

Die alte Frau brummte: »Ein Mensch und ein Mischlingsmädchen! Wie merkwürdig. Niemand ist über die Grenze gekommen, seit Lindia das Geschenk Poseidons gestohlen und es in die Welt der

Menschen gebracht hat. Wie seid ihr denn herübergekommen?«

Aura dachte, dass sie viel besser Griechisch sprach
als ihre Mutter, war aber von ihrem Sturz noch so betäubt, dass die Worte kaum bei ihr ankamen. Grenze?
Geschenk Poseidons? Lin…? Sie richtete sich kerzen-
gerade auf und ihre Haut prickelte. »Meine Mutter
heißt Lindia!«, sagte sie und sah sich mit wachsender
Erregung im Kreis der Telchinen-Gesichter um. »Ist
sie hier? Ist sie zu euch gekommen?«

Elektra drückte ihre Hand und klammerte sich an
ihren Arm. »Schau sie nicht an, Aura, sonst richten sie
ihren bösen Blick gegen uns!«

»Aber die Frau kennt meine Mutter! Vielleicht hat
sie sie gekannt, ehe sie nach Alimia ging und Vater
geheiratet hat … Ist das die Lindia, die ihr meint?«,
fragte sie hoffnungsvoll die Telchinen. »Die, die Leonidus, den Sohn des Bildhauers Chares, geheiratet
hat?«

Der Junge öffnete den Mund und wollte etwas
sagen, aber die alte Frau legte den Finger auf die Lippen. Sie betrachtete Aura genauer. »Aha, jetzt verstehe ich. Von einem Menschenmann ein Kind zu
bekommen, das sieht Lindia ähnlich. Du bist also
Lindias Tochter, Mischlingsmädchen? Das erklärt
natürlich, woher du von diesem Ort gewusst hast.
Wo ist Lindia jetzt?« Sie blickte an der Felswand hoch,
als erwarte sie, dass Auras Mutter jeden Augenblick
hinter den beiden hergestürzt käme.

»Sie ist in den Dämonenteich gesprungen«, flüsterte Aura. Noch immer traten ihr bei dem Gedanken
Tränen in die Augen.

Die Telchinin runzelte die Stirn. »Dann versucht sie wahrscheinlich, durch die Unterwassertunnel zur Grotte zurückzukehren. Ich dachte doch, ich hätte das Geschenk Poseidons in der Nähe gespürt! Ist es dort, in deiner Tasche?«

Verlangen malte sich auf ihrem Gesicht. Sie beugte sich über die beiden Mädchen, sodass ihr Haar Auras Knie streifte. Die anderen Telchinen kamen näher und ihre gelben Augen funkelten.

»Gib es ihr nicht«, flüsterte Elektra.

»Komm schon, Mischlingsmädchen«, sagte die alte Telchinin ungeduldig. »Ich muss mich davon überzeugen, dass es keinen Schaden erlitten hat. Ich schätze, Lindia hat dich damit hergeschickt, weil sie zu viel Angst hatte, selber zu kommen, aber ich kann mir nicht vorstellen, warum sie dich so vom Felsen hat springen lassen. Es gibt doch einen ganz bequemen Weg.«

Auras Magen zog sich zusammen, als ihr wieder einfiel, warum sie ursprünglich auf dem Felsen gewesen waren. Sie stand auf. »Wir müssen zurück! Unsere Freunde dort oben sind in Not. Außerdem irrst du dich. Das hier ist das Geschenk des Helios, nicht des Poseidon.« Sie drückte die Tasche an sich und starrte an der Felswand hinauf. Wie hatten sie diesen Sturz überleben können?

Die alte Telchinin nickte langsam. »Ich habe gehört, dass die Menschen es so nennen – das Geschenk des Helios. Aber für uns wird es immer das Geschenk Poseidons bleiben. Lange ehe die Menschen es uns gestohlen haben, hat Poseidon es uns gegeben, damit wir uns verteidigen können, wenn wir angegriffen werden, und unsere Verletzten heilen können. Später, als Helios die unsichtbare Grenze zwischen der Welt der Menschen und der der Telchinen errichtet hat, haben wir das Geschenk dazu genutzt, an den durchlässigen Stellen mit den Menschen zu reden. Dieses Dorf ist ein solcher Ort, an dem unsere Welten sich berühren. Vielleicht versteht ihr jetzt, wo ihr seid?«

»Wir sind in einer anderen Welt, Aura!«, hauchte Elektra. »Die Priesterin Themis hat immer gesagt, die Telchinen seien so plötzlich verschwunden, dass unmöglich alle gestorben sein könnten. Ach, das ist alles so seltsam ...« Sie kicherte nervös. »Aber wenigstens kann der Oberpriester jetzt den Gott nicht in die Hand bekommen und ihn wieder dem Koloss um den Hals hängen!«

Eine andere Welt ... Aura wusste, dass sie eigentlich mehr Angst haben müsste, aber im Augenblick empfand sie die Grenze zwischen den Welten einfach nur als weiteres lästiges Hindernis, das sie von den Ihren trennte.

Beklommen blickte sie auf das Dorf und die Boote mit den Schwämmen. »Wir können nicht hierbleiben. Wenn das Schiff aus Ägypten ankommt, rechnet Vater damit, dass wir uns in der Menschenwelt treffen ... wenn er uns nicht findet, kehrt er nach Alimia zurück und sucht uns dort. Dann findet er die Botschaft, die die Männer in unserer Hütte hinterlassen haben, und folgt uns nach Rhodos-Stadt und der Oberpriester Xenophon kann ihn töten!«

Bei der Erwähnung von Xenophons Namen stießen die Telchinen alle zusammen ein lautes Zischen aus, das Elektra zusammenzucken ließ.

Die alte Frau stimmte mit beruhigender Stimme eine Art Singsang an: »Du bist ein armes Kind, Mischlingsmädchen. Und so mager. Du hast es nicht leicht gehabt, das sehe ich schon. Ich verstehe deine Angst. Den Namen Xenophon kennen wir schon von früher her. Aber wir können dich nicht mit dem Geschenk Poseidons über die Grenze zurückgehen lassen. Wegen Lindia haben wir es schon einmal verloren. Ein zweites Mal passiert uns das nicht. Es tut mir leid.« Sie nahm Aura die Tasche aus den starren Fingern.

Elektra wurde blass. »Dann sind wir eure Gefangenen?«

Die Telchinin blickte in die Tasche und runzelte die Stirn über die Drähte. »Hab keine Angst. Du trägst das Gewand der Athene, deren Priesterinnen stets auf die Stimmen der Götter gehört haben, und die Mutter des Mischlingsmädchens ist meine Tochter. Ihr habt uns den rettenden Helfer zurückgebracht, den wir für immer verloren glaubten. Wir werden euch nichts zuleide tun. Aber wir müssen uns überlegen, wie wir am besten vorgehen sollen. Als Erstes müssen wir herausfinden, ob das Geschenk Schaden genommen hat, während es in der Menschenwelt war, und so wie es aussieht, fürchte ich, dass das durchaus sein könnte. Wenn wir es nicht heilen können, müssen wir uns vielleicht der Tatsache stellen, dass wir uns nicht länger vor den Menschen verstecken können und uns auf einen Krieg vorbereiten müssen. Die Grenze ist durchlässig geworden, als Lindia das Geschenk auf die andere Seite mitnahm. Viele Menschen sind durch die Löcher gefallen. Es ist uns gelungen, das Problem im Griff zu behalten – es waren einfache

Dorfbewohner, die uns nicht schaden wollten. Aber es ist nur eine Frage der Zeit, wann jemand wie euer Oberpriester entdeckt, wie man ein Heer über die Grenze bringt, und uns vernichtet.«

Sie drehte sich langsam und anmutig um, strich ihr silbernes Haar über die Schultern nach hinten und trug das Geschenk in eine Hütte. Sanft, aber entschieden führten die anderen Telchinen Aura und Elektra in die entgegengesetzte Richtung, an den Strand. In die Mitte einer Mulde im Kies legten sie ein Stück Treibholz, auf das sie sich setzen konnten.

Aura versuchte nachzudenken. Die Geschichte von den Dorfbewohnern, die durch die Löcher in der Grenze gefallen waren, passte zu dem, was die Nachtfalter ihnen über das Verschwinden der Bevölkerung des Unsichtbaren Dorfes erzählt hatten. Sie fürchtete sich zu fragen, was mit diesen Menschen geschehen war. Das Treibholz stammte anscheinend von einem Schiffswrack. Das Stück, auf dem sie saß, zeigte noch blasse Farbspuren von einem aufgemalten Auge. Wahrscheinlich hätten sie weglaufen können. Wenn die Telchinen an Land so langsam und schwerfällig waren wie ihre Mutter, entkamen sie ihnen vielleicht. Aber wo sollten sie hin ohne das Geschenk, das sie wieder in ihre eigene Welt zurückbrachte? Milo und die anderen mussten sie und Elektra für tot halten. Wenn sie versuchten, in die Hütte einzudringen, in die die alte Telchinin das Geschenk gebracht hatte, würde man sie nur erwischen. Am besten spielten sie wohl einfach mit, bis sie mehr über diesen Ort herausgefunden hatten.

Während die Erwachsenen einen Wall aus Kies um

die Mulde bauten, schlich sich der Junge zu ihnen. Er grinste sie zögernd an. »Ich heiße Phaeton«, sagte er und deutete auf die Hütte, in die die alte Frau gegangen war. »Die Ahne heißt Rhodos.«

»Rhodos?«, fragte Elektra, deren Neugier jetzt über die Angst siegte. »Du meinst, wie die Insel?«

Das Grinsen des Jungen wurde breiter. »Genau! Sie ist sehr alt, wisst ihr. Die älteste von uns allen.«

Aura runzelte die Stirn. Sie zählte zwanzig Telchinen, die um die Mulde herumsaßen und ihnen wachsame Blicke zuwarfen. Etwa gleich viele bewegten sich langsam im Dorf herum. Konnte die alte Frau, Rhodos, wirklich ihre Großmutter sein?

»Wo hast du so gut Griechisch sprechen gelernt?«, fragte sie und versuchte, ihre Gedanken von dem zu lösen, was wohl in der Menschenwelt geschehen mochte. »Meine Mutter … Lindia, meine ich … konnte es nie richtig lernen.«

Phaeton warf ihr einen merkwürdigen Blick zu. »Du sprichst die alte Sprache.«

Aura sah ihn erstaunt an. »Aber ich konnte Mutters Sprache nie lernen. Ich habe es versucht, glaub mir.« Sie schaute Elektra an. »Du musst Griechisch sprechen. Elektra kann dich auch verstehen.«

»Poseidons Geschenk sorgt dafür, dass wir einander verstehen können.« Phaeton tat das mit einem Achselzucken als unwichtig ab. »Die Ahne Rhodos hat gesagt, das habe es gekonnt, ehe deine Mutter es gestohlen und in die Welt der Menschen gebracht hat. Menschen sind früher immer in die Grotte unterhalb von Lindos gekommen und haben uns Fragen gestellt, und Cousine Lindia und Großtante Kamira haben

ihnen alles Mögliche erzählt, um ihnen Angst einzu-
jagen und sie von Rhodos zu vertreiben. Das muss lustig gewesen sein, aber das war vor meiner Geburt.
Trotzdem habe ich die besten von den Geschichten alle
gehört. Anscheinend sind die Menschen so dumm,
dass sie an sprechende Felsen glauben. Sie nennen sie
Orakel und halten sie für Götter, die zu ihnen sprechen. Daher dachten sie natürlich, Großtante Kamira
und Cousine Lindia wären Göttinnen, die durch den
Felsen Orakelsprüche verkündeten, und das heißt, sie
haben alles geglaubt, was sie sagten.«

»Aber das ist Gotteslästerung!«, sagte Elektra.
Dann errötete sie, weil sie sich offensichtlich daran
erinnerte, wie sie vom Anhänger der Athene Chalkia
genarrt worden war. »Das ist genauso schlecht, wie
wenn der Oberpriester sich als Göttin ausgibt. Vielleicht hat deine Mutter dem Oberpriester verraten,
wie er das Geschenk benutzen kann, Aura, und das ist
der Grund, warum Poseidon sie bestraft hat?«

Aura erstarrte. »Meine Mutter hätte so etwas nie
getan!«

Phaeton wollte natürlich wissen, wie Poseidon
seine Cousine bestraft hatte, aber Aura hörte kaum
hin, als Elektra erklärte, dass sie dachten, ihre Mutter
sei von dem Geschenk geblendet worden, weil sie sich
geweigert habe, ihren Augenzauber gegen Leonidus
einzusetzen. »Wer verkündet jetzt das Orakel in der
Grotte?«, fragte Aura und fröstelte, als ihr wieder einfiel, dass Ratsherr Iamus gesagt hatte, er wolle den
Rat des Orakels einholen.

»Niemand geht mehr zu der alten Grotte, Dumm-
chen«, sagte Elektra. »Sie gehen hinauf zum Tempel

der Athene auf der Akropolis von Lindos. Die Priesterin atmet Rauch ein, damit sie das Wort der Göttin
weitergeben kann, und ...«

Sie brach ab, als sie erkannte, was das bedeutete.

»... und der Oberpriester schickt Botschaften an
den Anhänger, den die Statue der Athene Lindia
trägt«, vollendete Aura den Satz für sie. »Und das
heißt, wenn der Rat den ägyptischen König nach Lindos bringt, um das Orakel zu befragen, braucht der
Oberpriester nur zu sagen, sie sollten den Koloss wieder aufstellen.«

»Bloß kann er das nicht, weil wir das Geschenk haben«, sagte Elektra. »Hast du nicht überhaupt gesagt,
Ratsherr Iamus wisse über die Botschaften Bescheid?
Er fällt doch ganz bestimmt nicht auf diesen Trick
herein.«

Aura war sich nicht so sicher. Konnte der Ratsherr
am Ende nicht doch mit dem Oberpriester gemein-
same Sache machen? Oder glaubte er, wenn der Oberpriester das Geschenk nicht hatte, mit dem er falsche
Botschaften zu den Anhängern schicken konnte, würde tatsächlich die Göttin sprechen?

Sie rutschte unruhig auf dem Treibholz herum,
dann trat Rhodos aus der Hütte heraus. Die Telchinin
ging langsam und würdig und blaues Licht lief in
Wellen unter ihrer Haut entlang. Die anderen Telchinen hörten auf zu reden. Phaeton warf einen Blick auf
die leuchtende Haut der Ahne und entfernte sich ein
Stück von den Mädchen. Auras Herz schlug schneller,
als sie sich erinnerte, dass Milo gesagt hatte, ihre
Haut leuchte auf, wenn sie ihren Augenzauber benutzte.

Aber Rhodos blinzelte und das blaue Licht verblasste. »Ich habe die grausamen Drähte der Menschen aus dem Geschenk Poseidons herausgenommen«, sagte sie sanft. »Und der Gott hat zu mir gesprochen.«

Die Telchinen stießen alle zusammen einen Seufzer aus.

»Das Geschenk ist kleiner als früher. Die Menschen haben viele Stücke davon abgeschnitten.«

Erschrocken schnappten die Telchinen nach Luft und starrten mit ihren gelben Augen vorwurfsvoll auf Elektra und Aura.

»Aber der Gott hat mir gesagt, die Menschen könnten das Geschenk nicht auf dieselbe Weise nutzen wie wir. Wir können kleine Stücke seines Fleisches zu uns nehmen, aber sie müssen es berühren, um Zugang zu seinen Kräften zu erhalten, und deshalb haben sie so viele Stücke abgeschnitten. Es war ein Versuch, seine Macht in ihrer Welt zu verbreiten.«

Die Telchinen *aßen* Stücke des Geschenkes …? Das kam Aura noch schlimmer vor, als Stücke abzuschneiden und sie in die Anhänger der Götter zu sperren. Aura fühlte unwillkürlich Mitleid mit dem Geschöpf. Ganz gleich, in welcher Welt es war, verletzt wurde es auf alle Fälle.

Dann erinnerte sie sich an die Warnung ihres Vaters.

»Aber du kannst die Drähte nicht herausnehmen!«, rief sie und sprang auf. »Vater hat gesagt, es sei gefährlich. Er kommt hierher, um mich zu treffen. Also, wenigstens kommt er ins Unsichtbare Dorf in unserer Welt … ich meine, in seiner Welt …« Sie schüttelte den Kopf und war nicht mehr sicher, welche Welt sie ihre eigene nennen sollte.

»Es ist, wie das Mischlingsmädchen sagt«, bestätigte Rhodos und sah sie fest an. »Der Mensch Leonidus bringt die fehlenden Stücke zurück zu dem Ort, der in der Menschenwelt das Unsichtbare Dorf genannt wird. Ich weiß nicht, welche Absichten er hegt. Aber ich denke, er muss seiner Tochter gesagt haben, sie solle die Drähte nicht von dem Geschenk entfernen, weil er fürchtete, dass es dann genug Kraft bekommen würde, sie und ihre Mutter ohne ihn über die Grenze zu bringen. Leonidus weiß, dass es stärker wird, wenn es seine fehlenden Stücke zurückerhält. Vielleicht möchte er den Versuch machen, selbst die Grenze zu überqueren.«

Die anderen begannen, unbehaglich herumzuzappeln.

Rhodos fuhr fort: »Wir müssen das Geschenk Poseidons so bald wie möglich heilen und dann dafür sorgen, dass es nicht wieder den Menschen in die Hände fällt. Wenn Leonidus kommt, kann das Mischlingsmädchen Aura als Vermittlerin dienen. In der Zwischenzeit müssen wir uns alle mit Kraft aufladen, falls es Schwierigkeiten gibt. Kamira, geh und suche für unsere Gäste etwas zu essen. Phaeton, du kommst mit mir. Wächter, begebt euch auf eure Posten und passt gut auf. Alle anderen bewachen unsere Gäste. Mischlingsmädchen Aura und Priesterin Elektra, bitte versteht, wenn ihr diese Mulde ohne Erlaubnis verlasst, sind wir gezwungen, euch als Feinde zu betrachten.«

Phaeton kletterte aus der Mulde und folgte Rhodos zurück zu der Hütte. Eine der Frauen blickte stirnrunzelnd in Richtung Aura und Elektra, stampfte dann über den Strand davon und verschwand im Meer. Vier andere verteilten sich auf ihre Ausgucke. Dann waren noch fünfzehn Telchinen für die Bewachung der Mädchen übrig. Zwar schienen sie ihren Gefangenen nicht allzu viel Aufmerksamkeit zu schenken, aber das gelegentliche Aufblitzen eines gelben Auges genügte, um sie zu überzeugen, dass ein Fluchtversuch sinnlos war.

Elektra rückte näher an Aura heran. »Ich habe Angst, Aura.«

»Sie haben uns noch nichts getan«, flüsterte diese zurück. »Ich glaube, sie haben mehr Angst vor uns als wir vor ihnen. Keine Sorge, wenn das Schlimmste passiert, habe ich immer noch das hier.« Sie zeigte der Novizin den Anhänger unter ihrer Tunika.

Elektras Augen weiteten sich. Aber sie hatten keine Zeit, irgendwelche Pläne zu schmieden, denn nun kam Phaeton zurück und trug einen Teller mit hauchdünnen Scheibchen von etwas in der Hand, das nur das Geschenk sein konnte. Alle Telchinen neigten ehrfürchtig den Kopf, ehe sie die Häppchen verschlangen. Fast sofort begann die Haut der Telchinen schwach bläulich zu schimmern. Nachdem das Ritual beendet war, machten sich die Telchinen über Schwämme aus ihren Booten her. Dann kehrte Kamira zurück und hielt zwei rohe Fische in der Hand, die sie Aura und Elektra in den Schoß warf.

»Esst«, sagte sie. »Lindia hat etwas Schlimmes getan, aber wir lassen unsere Gäste trotzdem nicht Hunger leiden.«

»Sie können nichts dafür, Großtante«, sagte Phaeton. »Sie haben uns ja sogar das Geschenk Poseidons zurückgebracht, nicht wahr?«

»Es wird sich noch zeigen, auf welcher Seite sie stehen«, sagte Kamira steif, marschierte davon und ging zu Rhodos in die Hütte.

Phaeton biss ein gewaltiges Stück von seinem Schwamm ab und sprach mit vollem Mund. »Großtante Kamira hat deiner Mutter noch nicht verziehen. Es tut mir leid. Warum esst ihr nicht? Ich dachte, Menschen mögen Fisch.«

Elektra sah ihren Fisch zweifelnd an, aber ihre letzte ordentliche Mahlzeit hatten alle beide auf Chalki bekommen. Als Aura ihr half, den Kopf abzureißen und die Gräten herauszuziehen, rümpfte Elektra die Nase und kaute auf dem rohen Fleisch herum.

»Iss ihn auf«, flüsterte Aura. »Er ist gut. Du musst deine Kräfte beisammenhalten.«

Elektra nickte und würgte hinunter, was sie im Mund hatte. Während sie aßen, hörte Aura den Telchinen zu, die darüber stritten, was sie tun sollten, wenn das Geschenk erst wieder ganz war. Die Jüngeren waren anscheinend dafür, es sofort über die Grenze nach Rhodos-Stadt zu bringen und die Menschen ein für alle Mal mit ihrem Augenzauber zu vertreiben. Die Älteren sagten, sie seien zu wenige für einen Großangriff, und die Menschen würden sie töten, sobald sie die Grenze überquerten. In diesem Krieg seien sie diejenigen, denen Unrecht geschähe, also könnten sie auf den Beistand Poseidons vertrauen. Die meisten wollten offenbar – wie die Ahne – warten, bis sie herausgefunden hatten, ob die Grenze stark genug war, um ihre Sicherheit zu gewährleisten wie zuvor.

Aura musste immerzu an ihren Vater denken, der in der Menschenwelt auf sie wartete. Sie fragte sich, ob der Anhänger ihr erlauben würde, über die Grenze hinweg mit ihm zu sprechen. Aber jetzt war Phaeton wieder in die Mulde zurückgeklettert und Elektra fragte ihn, warum Telchinen Menschen so sehr hassten und wie die Grenze überhaupt errichtet worden war. Mit einem Seufzer nahm Aura die Hand von dem Anhänger weg. Die Novizin hatte recht. Je mehr sie über die Welt der Telchinen erfuhren, desto leichter fanden sie einen Weg, in ihre eigene zurückzukehren.

»Das ist eine lange Geschichte«, sagt Phaeton. »Sie reicht zurück bis ganz an den Anfang, als diese Insel den Telchinen gehörte. Auf Rhodos lebten damals noch keine Menschen, erst nach der großen Flut, als sich die Insel aus dem Meer erhob. Danach nahm Zeus sie Poseidon weg und gab sie dem Sonnengott Helios. Helios fuhr mit seinem Viergespann vom Himmel herab, um sich sein neues Land anzusehen, und verliebte sich in ein junges Telchinen-Mädchen namens Rhodos – Poseidons Tochter, die in der Tiefe des Meeres geboren war. Nach ihr benannte er die Insel.«

»Wir haben diese Legende auch«, sagte Elektra. Sie blickte zu der Hütte hinüber und flüsterte ehrfürchtig: »Aura! Glaubst du, diese Ahne könnte die Rhodos aus der Geschichte sein?«

»Unsinn«, sagte Aura. »Wahrscheinlich benutzen sie Namen immer wieder, wie alle anderen auch. Rhodos hat gesagt, sie sei meine Großmutter. *So* alt ist sie auch wieder nicht!«

Phaeton runzelte die Stirn. »Unterbrecht mich

nicht immer, sonst verlier ich noch den Faden. Wo war ich? Ach ja … Nachdem sie sich mit dem Gott vereint hatte, gebar Rhodos sieben Töchter und sieben Söhne, die die Insel regierten, als Helios wieder seinen Sonnenwagen über den Himmel lenkte. Diese Kinder des Helios bauten schöne Tempel und Städte und ihre Kinder atmeten Luft. Sie trieben Handel mit anderen Völkern, die über das Meer kamen, Telchinen wie Fische jagten und sie Meeresdämonen nannten. Die Helios-Nachkommen heirateten Menschen und vergaßen die alten Geschichten. Aber die Telchinen-Angehörigen der Rhodos vergaßen nicht, dass die Insel ursprünglich ihnen gehört hatte. Sie beteten zu Poseidon, er möge ihnen helfen, die Kinder des Helios zu vertreiben. Poseidon hatte Mitleid mit ihnen und schickte ihnen das Geschenk, damit sie ihre Verletzten heilen und sich mit der Kraft ihrer Augen verteidigen konnten. So hat der Krieg zwischen den Telchinen und den Menschen begonnen.«

»Das ist traurig«, sagte Elektra. »Gab es denn auf Rhodos nicht genug Platz für beide?«

»Ich glaube, am Anfang schon«, sagte Phaeton. »Aber die Menschen vermehren sich viel schneller als wir. Die Ahne Rhodos sagt, sie hätten uns vernichtet, wenn Helios nicht eingegriffen und die Grenze zwischen der Welt der Telchinen und der Menschenwelt errichtet hätte. Obwohl die Menschen seine Kinder waren, erinnerte er sich noch daran, wie sehr er Rhodos geliebt hatte. Er wollte weder die einen noch die anderen verletzt sehen, daher schuf er die Grenze, die uns daran hindern sollte, miteinander zu kämpfen. Wir brachten das Geschenk in die Grotte von Lindos, die eine der durchlässigen Stellen ist, an denen sich die Welten berühren, damit wir ein Auge darauf haben konnten, was die Menschen trieben. Das Geschenk erlaubte uns, über die Grenze hinweg miteinander zu reden. Aber weil wir das Geschenk auf unserer Seite behielten, kontrollierten wir den Kontakt, sodass die Menschen uns nur hören, nicht aber sehen konnten. Schließlich, nachdem Großtante Kamira und Cousine Lindia ihnen so viele Dinge gesagt hatten, die sie ängstigen und vertreiben sollten, stand das alte Orakel im Ruf, unliebsame Ratschläge zu erteilen, und die Menschen kamen nicht mehr. Ich denke, um diese Zeit begannen sie, stattdessen zum Tempel deiner Athene zu gehen. Am Schluss kamen nur noch die Allerverzweifeltsten in die Grotte, um die alte Göttin um Hilfe zu bitten. Der Letzte war ein Junge namens Leonidus. Damals hat uns Cousine Lindia das Geschenk Poseidons gestohlen und es über die Grenze in die Menschenwelt gebracht.«

»Mein Vater«, flüsterte Aura und versuchte, sich den Mann, den sie liebte, als Jungen vorzustellen. »Das erklärt aber immer noch nicht, warum meine Mutter das Geschenk gestohlen und über die Grenze gebracht hat. Sie muss einen guten Grund dafür gehabt haben.«

Phaeton zuckte die Achseln. »Wir wissen nicht, warum sie es getan hat. Hat sie es dir nicht erzählt?«

»Sie hat nie über die Zeit vor dem Verlust ihrer Augen gesprochen und ich wusste nichts davon, dass es dieses Geschenk gibt, bis ich es in der Höhle der Nachtfalter sah, auch wenn ich Stücke davon in den Anhängern der Götter gesehen hatte und schon vorher von ihm Visionen geschickt bekam. Ich glaube auch, dass es meinen Knöchel geheilt hat und ...«

Sie verschluckte die nächsten Worte gerade noch rechtzeitig. Es war das Beste, wenn die Telchinen vorerst nicht wussten, dass sie ihren Augenzauber benutzen konnte.

Phaeton betrachtete sie mit schräg geneigtem Kopf. »Warum ist deine Mutter nicht mit dir zurückgekommen? Hatte sie wirklich Angst vor uns, wie die Ahne gesagt hat? Wir würden ihr nichts tun, weißt du. Tante Kamira ist nur wütend, weil sie Ärger bekommen hat, als sie sie das Geschenk über die Grenze mitnehmen ließ. Cousine Lindia war erst ungefähr so alt wie du jetzt, als sie uns verlassen hat.«

Aura lächelte. Es war nicht so schwer, sich ihre Mutter als Mädchen vorzustellen, da sie sich noch immer wie ein Mädchen verhielt. »Bitte hilf uns, nach Hause zu kommen«, sagte sie. »Ich habe euch euer Geschenk zurückgebracht, also werdet ihr in Sicherheit sein, wenn ihr hierbleibt. Aber mein Vater ist immer noch in Gefahr in der Menschenwelt und meine Mutter irrt im Dämonenteich herum. Ich muss zurückkehren und die beiden finden, ehe der Oberpriester sie erwischt.«

»Die Ahne sagt, ihr müsst bleiben. Wenn wir euch wieder in eure eigene Welt zurückkehren lassen, werdet ihr andere Menschen hierherbringen, die uns alle töten.«

»Nein, tun wir nicht! Ich verspreche es. Wir sind nur über die Grenze zu euch gekommen, weil das Geschenk uns herübergebracht hat. Die Menschen wollen nicht in eure Welt eindringen. Ich glaube, der

Oberpriester und der Ratsherr wissen nicht einmal etwas von diesem Ort.«

»Sie werden davon erfahren, wenn du zurückkehrst, und dann kommen sie hierher und stehlen uns das Geschenk wieder. Die Menschen versuchen seit Jahrhunderten, uns zu vernichten. Wir müssen uns verteidigen.« Phaeton schob den Unterkiefer vor, als wiederhole er etwas, das man ihm gesagt hatte, und nicht etwas, das er selbst glaubte.

»Aber Aura hat recht – ihr seid in Sicherheit, solange ihr hinter eurer Grenze bleibt und das Geschenk hierbehaltet«, sagte Elektra. »Ich hatte keine Ahnung davon, dass es eure Welt gibt. Aura auch nicht und sie ist zur Hälfte Telchinin! Poseidon würde doch nicht wollen, dass ihr kämpft, oder? Und es hört sich so an, als wolle auch Helios nicht, dass seine Menschen kämpfen. Ich dachte, du hättest gesagt, er hat diese unsichtbare Grenze errichtet, um den Krieg zu beenden? Sicherlich hätte Poseidon ihn das nicht tun lassen, wenn das für euch eine Gefahr bedeuten würde?«

Phaeton runzelte die Stirn. Er sah ein bisschen verwirrt aus, und Auras Hoffnung wuchs. Vielleicht würde er ihnen am Ende doch helfen. Aber da rief Kamira den Jungen und er kletterte sichtlich erleichtert aus der Mulde.

»Ihr müsst bleiben«, sagte er noch einmal. »Dann seid auch ihr in Sicherheit.«

Die Sonne stieg höher und der Tag wurde warm. Obwohl es merkwürdig war, in einer anderen Welt zu sein, dösten die beiden Mädchen auf ihrem Treibholz, erschöpft von den Anstrengungen der letzten Tage. Schließlich tauchte die Ahne aus der Hütte auf und brachte das Geschenk auf demselben Teller, den Phaeton vorher benutzt hatte, um die Scheibchen zu servieren. Eine feierliche Prozession von Telchinen folgte ihr. Aura setzte sich auf und ein Schauder überlief sie. Ohne die Drähte leuchtete das Geschenk heller denn je. Regenbogen flirrten rings umher in der Luft und über ihm tanzten am Himmel Fetzen von Dunkelheit.

Rhodos trug das Geschenk in die Mulde und stellte es sorgsam vor Auras Füße. Die Telchinen schoben sich näher heran, ihre gelben Augen auf sie gerichtet. In Aura stieg Spannung auf. Würde das Geschöpf sie wieder über die Grenze zurückbringen, wenn sie es darum bat, oder sich weigern, ihr zu helfen, wie oben auf dem Felsen, als sie den Augenzauber gebraucht hätte?

»Ich weiß, was du denkst, Mischlingsmädchen«, sagte die Ahne. »Wir haben darüber gesprochen, ob wir dir diese Aufgabe anvertrauen können, aber es gelingt uns nicht richtig, mit deinem Vater über die Grenze hinweg Verbindung aufzunehmen. Wir hoffen, dass du mehr Erfolg hast, weil du zur Hälfte ein Mensch bist.« Sie blickte auf Kamira, die ihre Arme verschränkte. »Ich denke, du hast ebenso wenig den Wunsch, das Geschenk Poseidons wieder mit Drähten im Koloss des Oberpriesters befestigt zu sehen, wie wir. Habe ich recht?«

Aura nickte. Sie befeuchtete sich die Lippen. In den dunklen Löchern am Himmel erblickte sie Sterne. Außerdem sah sie bruchstückhaft Strand und schwarzes Meer in ihnen. War es in der Menschenwelt bereits Nacht?

Die Ahne sah ihre Verwirrung und lächelte. »Ja, das ist die Menschenwelt, die du jenseits der Grenze sehen kannst. Die Zeit läuft dort tatsächlich schneller – deshalb haben wir nicht so viel Zeit, wie wir gerne hätten, um dich dafür zu gewinnen, dass du uns hilfst. Aber ich verspreche dir, wenn das Geschenk erst wieder heil ist, holen wir Lindia nach Hause und sorgen für sie, so gut wir können. Sie war noch sehr jung, als sie uns das Geschenk nahm, und Phaeton hat uns gesagt, was du ihm von ihren Augen erzählt hast. Wir sind zu dem Schluss gekommen, dass ihr Leben in der Menschenwelt Strafe genug für sie war.«

»Und was ist mit mir?«, flüsterte Aura.

»Du bist meine Enkelin. Wenn du bei uns bleiben möchtest, bist du uns gleichfalls willkommen.«

Aura blinzelte ein paar Mal. Das war nicht ganz das, was sie hatte wissen wollen. »Und Vater?«, fragte sie.

»Wir müssen erst herausfinden, warum Leonidus die fehlenden Stücke des Geschenkes nach Rhodos zurückbringt und was er mit ihnen vorhat. Darum sollst du für uns Kontakt zu ihm aufnehmen, damit wir die Rückgabe der Stücke über die Grenze hinweg besprechen können. Die Vision, die ich hatte, war verwirrend.«

Aura starrte auf die Löcher mit dem dunklen Meer und ihr Herz fing wieder an, stark zu klopfen. »Hast du ihn denn gesehen? Ist sein Schiff angekommen?«

Die Ahne blickte kurz die anderen an. »Ja, wir glauben, das ägyptische Schiff ist angekommen. Aber anscheinend kann ich nicht erreichen, dass er uns hört. Vielleicht weil er ein Mensch ist und das Geschenk noch nicht genug Kraft hat, um wie früher eine Verständigung über die Grenze hinweg zu erlauben. Oder auch, weil es irgendwelche Schwierigkeiten gegeben hat ...«

Sie kam nicht bis zu Ende. Aura ließ blitzschnell die Hände auf das Geschenk fallen, voller Schrecken, der Oberpriester könnte Leonidus schon getötet haben.

»Vater!«, rief sie. »Vater! Hörst du mich?«

Die Regenbogen flammten auf und zeigten ihr dieselbe Truhe wie beim letzten Mal, aber diesmal war der Deckel geschlossen und sie sah nichts bis auf ein klein wenig schwaches Sternenlicht ... dunkle, rennende Beine ... spritzendes Meerwasser ... ein Gewirr von Körpern, die an Deck kämpften ...

Angst und Sorge um ihren Vater zogen Aura den Magen zu einem Knoten zusammen. Sie wusste nicht recht, was dann geschah, aber ihre Sehnsucht, bei ihm zu sein, wurde so groß, dass sie spürte, wie sie über die Grenze hinauswuchs. Die Löcher im Himmel wurden größer und ein gezackter Ausschnitt Nacht erschien direkt vor ihr. Die Regenbogen flammten wieder auf. Ein blauer Blitz blendete sie – und ein Telchine rief von einem Ausguck her:

»Schiff voraus! Ein Menschenschiff!«

Die Ahne blickte auf das Meer hinaus, stieß einen Fluch aus und packte Aura am Arm. Sie machte den anderen ein Zeichen, dass sie das Geschenk in die Hütte zurückbringen sollten. Ihre Augen waren hart. »Was fällt dir denn ein, Mischlingsmädchen? Du hast Menschen über die Grenze gebracht! Ich wollte, dass du mit ihnen Verbindung aufnimmst, nicht, dass du sie herholst! Wer ist auf diesem Schiff? Dein Vater? Sag es mir!«

Im Sonnenlicht der Telchinenwelt schimmerte der Schnabel des Schiffes golden. Es hatte zwei Masten und zwei Reihen Ruder. Telchinen rannten den Strand hinunter, dass sie auf den glatten Kieseln nur so rutschten mit ihren Schwimmhäuten, dem Schiff entgegen. Dann platschten sie ins Wasser und tauchten unter. Aura sah, wie sich Ströme von Luftblasen auf die Ruder zubewegten, und ihr wurde flau im Magen. Rhodos' Griff war hart. Wieder lief blaues Licht in Wellen unter ihrer Haut entlang.

Elektra wurde blass. »Ach, bitte tut ihr nichts, Rhodos! Sie hat es nicht absichtlich getan!«

»Wer kommt da?«, bohrte Rhodos nach, und das Licht unter ihrer Haut wurde stärker.

»Mein Vater«, wisperte Aura und hoffte, dass es stimmte.

Sie starrte auf die flatternden Segel und ihr Magen spielte verrückt. Wer immer an Bord des Schiffes war, hatte keine Ahnung, wie man damit umging. Ein paar Ruder waren aus dem Takt und spritzten bloß Wasser hoch. Als die Luftblasen im Wasser näher kamen, versuchte jemand, das Schiff zu wenden, und Wind blähte für kurze Zeit eines der Segel, wodurch ein auffallendes Auge sichtbar wurde, schwarz auf rot gemalt.

»Meinst du, das sind König Ptolemaios und der Rat auf dem Weg nach Lindos zum Orakel?«, flüsterte Elektra.

Aura hielt den Atem an. Darauf war sie nicht gekommen. Womöglich waren die Nachtfalter noch immer gefangen und der Ratsherr hatte das Kommando auf dem Schiff und brachte seine Gefangenen nach Lindos, damit Aura ihm auch ganz bestimmt die Informationen lieferte, die er haben wollte? Sollte das stimmen, hatte sie soeben genau das Heer, vor dem sich die Telchinen fürchteten, über die Grenze geholt, und es konnte sie vernichten. Ihr wurde mulmig.

Auch die Telchinen hatten offenbar gedacht, das Schiff bringe ein Heer, und reagierten mit der Wildheit in die Enge getriebener Tiere. Aura sah ihre Hände aus dem Wasser auftauchen und die Ruder packen. Blaue Blitze sprühten, als sie ihren Augenzauber auf das Deck richteten. Schreie drangen über das Wasser, als die Menschen an Bord Deckung suchten. Aber die Telchinen zogen so stark an den Rudern, dass Körper im hohen Bogen über die Seite des Schiffes ins Meer flogen. Hände mit Schwimmhäuten packten sie und zogen sie unter Wasser, um sie zu bezwingen, bis das Wasser rings um das Schiff ein einziger Strudel von Luftblasen war.

Angesichts dieses schreckenerregenden Schauspiels konnte Aura nur noch denken, dass die Telchinen bisher wenigstens niemand getötet hatten und dass ihre Gefangenen viel kleiner aussahen als ihr Vater.

Dann keuchte Elektra: »Es sind die Nachtfalter, Aura! Ihr müsst den Kampf stoppen, Rhodos! Sie sind nicht gekommen, um euer Dorf zu zerstören. Sie sind Kinder, keine Soldaten! Die meisten waren Sklaven oder sind von ihren Familien weggelaufen, weil sie schlecht behandelt wurden. Sie haben uns geholfen. Sie sind unsere Freunde.«

Rhodos blickte mit gerunzelter Stirn die Novizin an. »Und das soll ich glauben?«

Aura riss sich zusammen. »Es ist wahr! Sie haben mir und meiner Mutter geholfen, dem Oberpriester zu entkommen. Sie waren es, die das Geschenk des Helios ... ich meine das Geschenk Poseidons ... vom Koloss weggemacht und gerettet haben. Ich denke, sie haben dieses Schiff gestohlen.«

Sie dachte fieberhaft nach, um zu verstehen, was sie vor sich sah. Rhodos hatte gesagt, dass die Zeit in der Menschenwelt schneller verging, was ja sogar schon zutraf, als sie im Dämonenteich tauchen war – aber wie viel schneller? Jedenfalls hatten die Nachtfalter offensichtlich genug Zeit gehabt, zu entkommen und wie geplant das ägyptische Schiff zu stehlen. Aber was immer geschehen war, jetzt war es hier und hatte die Truhe ihres Vaters an Bord, die die fehlenden Stücke des Geschenkes enthielt. Und die hätte Leonidus doch gewiss nicht bereitwillig preisgegeben?

Das Schiff trieb jetzt ohne Besatzung in der Strömung. Einige Nachtfalter schossen mit ihren Schleudern vom Deck aus Steine auf die Telchinen, um ihren Freunden zu helfen, wurden aber von den glühend heißen Blitzen des Augenzaubers zurückgetrieben. Manche sprangen ins Wasser und wurden ebenfalls untergetaucht. Der Abstand war zu groß, als dass Aura die Einzelnen erkennen konnte, aber sie glaubte, Timosthenes' blondes Haar im Meer zu entdecken und Chariklea zu sehen, die sich an das Takelwerk klammerte und Ratschläge brüllte.

»Bitte, Ahne«, sagte sie, noch immer verzweifelt ihren Vater suchend. »Gib ihnen wenigstens eine

Chance! Wenn du den Nachtfaltern das Leben schenkst, verspreche ich, dass ich dir helfen will, den Rest eures Geschenkes wiederzubekommen.«

Rhodos musterte sie. Sie beobachtete, wie noch ein paar Nachtfalter mehr unter Wasser gezogen wurden. Dann presste sie die Lippen zusammen und gab Phaeton ein Zeichen mit dem Kopf. »Geh und sage den anderen, sie sollen die Kinder lebend ans Ufer bringen. Falls sie Soldaten an Bord finden, sollen sie sie töten und alle anderen Erwachsenen fesseln. Das Schiff sollen sie für uns sichern. Vielleicht können wir es gebrauchen.«

Phaeton rannte ans Wasser. Er tauchte fast ohne Wellenschlag hinein und verschwand.

Aura sank zitternd auf die Kiesel. »Danke, Ahne«, flüsterte sie.

Schweigend sahen sie zu, wie die Nachtfalter halb ertrunken an den Strand gebracht und auf den Kies gelegt wurden. Manche kamen auf die Knie und erbrachen Wasser, klapperten mit den Zähnen und blickten verwirrt und ängstlich auf die Telchinen. Androkles hustete, bis er wieder zum Leben erwacht war, kroch dann zu Chariklea hinüber und schlang die Arme um sie. Als er Aura und Elektra bei der Ahne entdeckte, wurden seine Augen schmal. Timosthenes lag bleich und still da, während ein Mädchen ihm die Nase zuhielt und Mund-zu-Mund-Beatmung machte. Die Nachtfalter waren entwaffnet worden, als sie wehrlos unter Wasser zappelten. Ein paar hatten Kratzer und Blutergüsse, aber keiner schien ernstlich verletzt. Eine Sammlung Messer, Dolche und Schleudern wurde zu einer Hütte am Rand des Dorfes gebracht. Auras Blick wanderte ängstlich über die Gefangenen und fand schließlich Milo, der seinen Bruder in den Armen hielt. Sie war so erleichtert, dass sie ganz weiche Knie bekam.

Phaeton kehrte tropfnass, außer Atem und mit Seetang in den Haaren zurück. Er hielt die Hände gewölbt aneinander, und als er sie öffnete, kam ein Götteranhänger zum Vorschein, der hell strahlte. »Großtante Kamira hat gesagt, ich solle dir das hier bringen, Ahne, aber es ist nicht das einzige Stück. Es gibt eine ganze Truhe voll! Und es ist ein Menschenmann an Bord, der verlangt, seine Tochter zu sehen.« Er zwinkerte Aura zu. »Er sagt, er kennt Cousine Lindia.«

Aura wurde leicht ums Herz.

Es war ihr egal, dass Chariklea und ein paar andere Nachtfalter sie anfunkelten, als hätte sie sie verraten, egal, dass Milo ihr wieder einen seiner unergründlichen Blicke zuwarf, egal, dass sie Gefangene in der falschen Welt waren. Sie hatte nur noch Augen für den Mann, der viel mehr graue Haare hatte als in ihrer Erinnerung und der nun von den Telchinen aus dem Meer bugsiert wurde, die Hände auf dem Rücken gefesselt.

»Vater«, flüsterte sie. »O Vater!«

KAPITEL 12

DIE WIEDERVEREINIGUNG

Dieses Wiedersehen war ganz anders, als Aura es sich erhofft hatte. Die Telchinen führten Leonidus zu dem Treibholz und setzten ihn hin. Er schien benommen von der Überquerung der Grenze und wehrte sich nicht. Verwundert blickte er auf die Hütten, die erschöpften Nachtfalter, Rhodos mit dem leuchtenden Stück des Geschenkes in der Hand ... Seine Augen blieben an Aura hängen und er hielt reglos inne. Aufmerksam betrachtete er sie von oben bis unten. Froh, dass sie unverletzt war, schenkte er ihr ein trauriges kleines Lächeln.

»Es tut mir leid, Liebes. Ich hätte dich warnen sollen, dass das geschehen kann. Vermutlich sind wir in Lindias Welt? Sie ist unserer eigenen viel ähnlicher, als ich gedacht hätte ... bis auf die Telchinen, natürlich.« Wieder lächelte er. »Kaum zu glauben, dass ich tatsächlich einmal das echte Unsichtbare Dorf zu sehen bekomme!«

Aura zitterte. Sie wollte zu ihm hinlaufen, ihm die Arme um den Hals werfen und sich auf seinem Schoß zusammenrollen, wie sie es getan hatte, als sie noch klein war. Aber die Finger von Rhodos gruben sich in ihren Arm und hielten sie zurück.

»Mach dich nicht über uns lustig, Menschenmann!«, fauchte sie. Auf ein Zeichen von ihr schlug einer der Telchinen Leonidus ins Gesicht. Das Echo des Schlages hallte von der Felswand zurück. Leonidus konnte wegen seiner gefesselten Hände das Gleichgewicht nicht halten und fiel mit einem Schmerzenslaut von dem Treibholz herunter.

»Wage es ja nicht, ihm etwas zu tun!« Aura entriss der Ahne ihren Arm und funkelte sie böse an. Ehe sie Zeit hatte zu überlegen, was sie tat, hatte sie schon den Anhänger des Helios aus Rhodos-Stadt herausgezogen und weckte ihren Augenzauber.

Regenbogen füllten ihren Kopf, stärker als in der Menschenwelt. Aber der Anhänger in der Hand von Rhodos leuchtete ebenfalls auf und die Haut der alten Telchinin begann zu schimmern. Ihre gelben Augen bohrten sich wuterfüllt in die Auras. »So viel ist also dein Versprechen wert, Mischlingsmädchen?«, zischte sie. Aura wurde es flau im Magen, aber sie schaute nicht weg. Auf dem Strand zwischen ihnen erglänzten Streifen farbigen Lichts. Die anderen Telchinen erstarrten. Sie schlossen sich um Aura und unter ihrer Haut flackerte es blau.

Kamira flüsterte: »Jemand muss sie aufhalten. Sie weiß nicht, was sie tut.«

Elektra zwängte sich durch den Ring der Telchinen und fasste Aura am Arm. »Nein!«, schrie sie. »Nicht, Aura! Wenn du deinen bösen Blick gegen die Ahne richtest, bringen sie uns alle um!«

Aura ballte die Fäuste. Der Anhänger war der einzige Weg, der ihr geblieben war, um Zugang zur Macht des Geschenkes zu erhalten, aber sie wusste, dass die Novizin recht hatte. Und es war beängstigend, wie leicht ihr die Kraft zugeflogen war, fast als wolle das Geschenk, dass sie den Telchinen die Stirn bot. Mit größter Anstrengung schloss sie die Augen. Durch ihre Lider hindurch sah sie das Licht erst zu Orange, dann zu Rot, dann zu mattem Violett verblassen. Sie riskierte einen kurzen Blick durch ihre Wimpern. Rhodos leuchtete noch, aber das Licht unter der Haut der Übrigen war erloschen, als sie erkannten, dass sie nicht gegen sie kämpfen würde. Die Nachtfalter, die ihr Gemurmel unterbrochen hatten, um zuzuschauen, seufzten enttäuscht, als Aura den Kopf senkte und den Anhänger der Ahne aushändigte. Chariklea machte ein finsteres Gesicht. Milo zupfte Seetang aus den Haaren seines Bruders und warf ihr wieder einen seiner unergründlichen Blicke zu.

Wahrscheinlich denkt er, ich sei ein Feigling, dachte sie. Sie mied den Blick des Jungen von Chalki, denn diese Art von Herausforderung konnte sie im Moment nicht gebrauchen.

Leonidus verzog das Gesicht, als seine Bewacher ihm auf die Füße halfen. »Ich habe nicht über euch gelacht, Ahne. Ich mache dir keinen Vorwurf, dass du mir nicht traust, aber bitte glaub mir, wenn ich sage, ich bin nicht dein Feind. Wir müssen miteinander reden.«

»Was gibt es da zu reden, Mensch?«, sagte Rhodos. »Es ist ganz einfach. Wir haben endlich das Geschenk Poseidons wieder und du hast ein paar von seinen fehlenden Stücken gebracht, die eure Priester abgeschnitten hatten. Da wir der Grenze des Helios offenbar nicht mehr trauen können, werden wir das Geschenk heilen und es dann dazu benutzen, die Menschen für immer von unserer Insel zu vertreiben, wie wir es gleich am Anfang hätten tun sollen.«

Leonidus schüttelte den Kopf. »Hast du eine Vorstellung davon, wie viele Menschen inzwischen auf Rhodos leben?«

»Sie haben sich viele Male vervielfältigt, seit die Grenze unsere Welten geschieden hat, das weiß ich. Aber jetzt haben wir unser Geschenk wieder. Poseidon wird uns helfen.«

Kamira und einige andere Telchinen nickten eifrig.

»Du erwartest, dass nach so langer Zeit die Götter eingreifen? Ist das nicht ein bisschen optimistisch?«

»Poseidon hat das Mischlingsmädchen zu uns gebracht. Ist das nicht ein Zeichen seiner Gunst?«

Leonidus blickte auf Aura. »Mir scheint, meine Tochter ist nicht besonders erfreut darüber, dass sie hier ist.«

Das tat Rhodos mit einer Handbewegung ab. »Das Mischlingsmädchen wird sich für die richtige Seite entscheiden, wenn die Zeit gekommen ist. Sie ist natürlich verwirrt, da sie in der Menschenwelt aufgezogen wurde. Sie wusste nicht das Geringste von der Geschichte der Telchinen. Das lag vermutlich an dir, aber wie hast du Lindia davon abgehalten, ihr vom Geschenk Poseidons zu erzählen?«

»Lindia abgehalten, ihr davon zu erzählen?« Leonidus lächelte traurig. »Mir scheint, dass du deine eigene Tochter in mancher Hinsicht überhaupt nicht verstehst, Ahne. Wie wäre es, du würdest meine Fesseln lösen und wir würden unsere Lage wie zivilisierte Wesen besprechen? Wo ist Auras Mutter überhaupt?« Er blickte auf die Hütten. »Ist sie ebenfalls deine Gefangene?«

»Sie ist durch die Unterwassertunnel zur Grotte gegangen«, sagte Rhodos. »Anscheinend hatte sie zu viel Angst, ihre Tochter über die Grenze zu begleiten und uns gegenüberzutreten.«

»Ah.« Leonidus neigte den Kopf. »Du weißt, dass sie jetzt blind ist?«

»Wir haben davon gehört«, sagte Rhodos. »Ich nehme an, auch das war deine Schuld.« Dann seufzte sie. »Also gut, da du nun einmal da bist, werden wir uns anhören, was du zu sagen hast. Es gibt noch immer einiges, was ich nicht verstehe. Zum Beispiel, wie du Lindia überhaupt dazu bewogen hast, das Geschenk Poseidons in die Menschenwelt zu bringen, und was geschah, dass sie sich lieber davon die Augen ausbrennen ließ, als ihren Augenzauber zu nutzen.«

Die Telchinen trauten Leonidus nicht genug, um ihm die Handfesseln abzunehmen, aber sie erlaubten, dass er sich neben Aura auf das Treibholz setzte. Neu war nicht nur das Grau in Haaren und Bart, sondern auch eine Narbe am Oberschenkel. Aber er hatte noch dieselbe Kraft wie in ihrer Erinnerung und in seinen dunklen Augen lag eine ruhige Entschlossenheit.

»Sie hat es aus Liebe getan«, sagte er leise.

Stille trat ein. Sogar die Nachtfalter, die flüsternd begonnen hatten, Fluchtpläne zu schmieden, schwiegen, als Auras Vater seine Geschichte erzählte.

Ratsherr Iamus hatte leider nur allzu recht gehabt,

dass die Helios-Priester Menschenopfer darbrachten. Als die Riesenstatue des Helios beinahe fertig war, ließen sie eines Tages der Familie des Chares seinen Leichnam bringen und behaupteten, er habe sich umgebracht, weil er bei seinen Berechnungen einen Fehler gemacht habe, aufgrund dessen die Statue einem Erdbeben nicht standhalten könne. Aber als der Leichnam für die Beisetzung vorbereitet wurde, stellte man fest, dass sein Herz fehlte. Leonidus war damals erst zehn. Er rannte sofort zur Grotte und bat das alte Orakel weinend um Hilfe.

»Lindia sagte, wenn die Priester sein Herz herausgenommen hätten, bräuchten wir ihn nur mit dem Geschenk zu berühren, ehe sein Körper verwest, dann würde Poseidon ihm ein neues wachsen lassen«, erklärte Leonidus. »Ich konnte den Leichnam meines Vaters nicht zur Grotte tragen, deshalb brachte Lindia das Geschenk in die Menschenwelt, um mir zu helfen, meinen Vater zu heilen. Ich glaube, wir waren beide verrückt. Ich habe keinen Augenblick innegehalten und darüber nachgedacht, was die Leute denken würden, wenn ein Toter plötzlich wieder lebendig wurde, und Lindia hat nie überlegt, was mit der Grenze geschehen würde, wenn sie das Geschenk mit hinübernahm. Sie war viel jünger, als ich gedacht hatte. Aber der Zauber klappte wunderbar. An jenem Abend schlichen wir uns in das Zimmer in unserem Haus, in dem mein Vater aufgebahrt war, wickelten ihn aus den Leinenbinden aus und erweckten ihn wieder zum Leben.«

Die Nachtfalter wechselten Blicke voller Zweifel. Aber die Telchinen wirkten nicht sonderlich überrascht. Aura erinnerte sich, dass sogar das beschädigte, von Drähten durchzogene Geschenk in Ialysos Androkles' tödliche Wunde geheilt hatte, und erschauerte.

»Und was ist passiert, dass sie blind wurde?«, wollte Kamira wissen.

Leonidus schloss die Augen, als wäre die Erinnerung daran unerträglich für ihn. »Mutter bekam einen Schreikrampf und ließ die Priester holen. Sie zwangen mich, ihnen zu sagen, was wir getan hatten, und schleppten Chares in ihren Tempel mit. Dann versuchten sie, uns das Geschenk wegzunehmen. Lindia wandte ihren Augenzauber gegen sie an. Ihre Körper fingen Feuer und sie fielen tot um.«

»Gut so, Lindia!«, sagte Kamira. Mehrere andere Telchinen nickten mit grimmiger Miene.

Rhodos hielt eine Hand hoch. »Lasst den Menschen fortfahren.«

Leonidus sprach rasch weiter: »Ihr Anführer, ein junger Priester namens Xenophon, warf Lindia seinen Mantel über den Kopf und stieß sie die Treppe hinunter. Sie stürzte schwer. Als ich ihr zu helfen versuchte, muss sie gedacht haben, auch ich sei ein Feind, denn ihre Haut leuchtete blau auf, wie in dem Augenblick, in dem sie die Priester getötet hatte. Ich dachte, sie würde mich mit ihrem Zauber ebenso umbringen. Aber sie schrie erschrocken auf, presste die Hände auf ihre Augen und schloss sie fest. Xenophon entkam mit dem Geschenk. Lindia floh ans Meer zurück und verschwand. Kurz darauf begann Xenophon, Anhänger an die Tempel zu verteilen, die Stücke des Geschenkes enthielten. Er behauptete, sie wären ein Geschenk des Helios und würden die Menschen heilen. Meiner

Mutter sagte er, Chares sei von der Meeresdämonin verflucht worden, und befahl, ihn zu verbrennen, damit er nicht noch einmal zum Leben zurückkehren konnte. Niemand glaubte mir meine Geschichte von der Göttin und ihrem magischen Schwamm. Ich war erst zehn. Sie sagten, ich würde Dinge erfinden, weil ich über den ›Selbstmord‹ meines Vaters so aufgebracht sei, und natürlich stritten die Helios-Priester alles ab. Viele Jahre vergingen, bis ich merkte, dass sie mir etwas verbargen, und ich machte mich auf und suchte Lindia. Als ich sie schließlich auf Alimia fand, hatte sie keine Augen mehr.«

Die Telchinen schwiegen. Aura saß ganz still. Den Rest kannte sie.

Ihr Vater hatte sich aufgemacht, um den Priestern das Geschenk wieder wegzunehmen, damit Lindia zu ihrem Volk nach Hause gehen konnte. Überall, wo es ein Orakel gab, überall, wo es hieß, Statuen sprächen zu Priestern und Priesterinnen, reiste er als Pilger verkleidet hin. Wo immer er ein Stück des Geschenkes von Draht umkleidet im Anhänger eines Gottes fand, holte er es heraus und ließ stattdessen einen gewöhnlichen blauen Schwamm zurück. Er versteckte die Stücke, die er gesammelt hatte, in einer Unterwasserhöhle vor der Küste von Alimia, solange er unterwegs war, um weitere Stücke zu finden. Aber es war eine langwierige Arbeit und inzwischen schenkte Lindia einer Tochter das Leben …

Endlich blickte ihr Vater auf. »Es tut mir leid, Liebes. Es war rücksichtslos dir gegenüber, nicht wahr?«

»Ihr hättet mir von der Welt der Telchinen erzählen sollen und davon, wie das Geschenk Mutter blind gemacht hat!«, rief sie und sprang auf. »Warum habt ihr mir nichts gesagt?«

Auras Wangen waren heiß. Alle schauten sie an.

Leonidas sah aus, als hätte er Schmerzen. »Du warst zur Hälfte ein Mensch«, sagte er. »Du konntest keine Schwämme verdauen wie eine Telchinin. Es gab keine Anzeichen dafür, dass du später einmal Telchinenkräfte besitzen würdest wie deine Mutter. Du warst glücklich als Schwammtaucherin. Ich dachte, es gäbe noch reichlich Zeit, dir alles zu sagen, wenn es mir erst einmal gelungen wäre, genug Stücke des Geschenkes zu sammeln, um deine Mutter nach Hause zu schicken.«

Aura biss sich auf die Lippen und nickte. Sie gab sich alle Mühe, ihn zu verstehen.

Inzwischen betrachtete Rhodos die Anhänger, die sie in der Hand hielt – den, den sie Aura abgenommen hatte, und den, mit dem Phaeton von dem Schiff gekommen war. »Wie viele von diesen Stücken hast du über die Grenze gebracht?«

»Nicht alle«, sagte Leonidas. »Das sind nur die, die ich auf dem Mittelmeer mit mir herumgeschleppt habe. Es sind noch welche in meinem Unterwasserversteck bei Alimia, wenn das Erdbeben es nicht beschädigt hat.«

Aura erkannte, dass das Kommunikationssystem viel größer sein musste, als sie gedacht hatten. »Ich fürchte, das hat es vielleicht, Vater«, flüsterte sie und erinnerte sich an das erste Stück des Geschenkes, das sie gefunden hatte.

»Setz dich, Mischlingsmädchen«, sagte Rhodos. »Wir müssen über all das nachdenken.«

Aura setzte sich und blickte wie betäubt aufs Meer hinaus. Elektra legte ihr den Arm um die Schulter und flüsterte ihr tröstende Worte zu. Inzwischen fragte Rhodos Leonidus, was in den letzten paar Tagen in der Menschenwelt geschehen sei, wie sie aus der Haft entkommen seien und was der Oberpriester vorhabe. Aura konnte es nicht aufnehmen. Sie war noch damit beschäftigt, die Geschichte zu bewältigen, die ihnen Leonidus erzählt hatte.

Das Geschenk hatte ihrem Großvater Chares ein neues Herz gegeben und ihn dadurch wieder gesund gemacht, aber alle dachten, er sei verflucht, und so war er lebendig verbrannt worden. Und dann hatte es versucht, ihre Mutter dazu zu bringen, den Jungen zu töten, den sie lieb hatte, ebenso wie es versucht hatte, Aura in der Höhle beim Dämonenteich dazu zu bringen, ihren Freunden zu schaden. Ihre Mutter hatte recht. Es *war* tückisch.

Rhodos seufzte. »Also. Euer menschlicher Rat und der ägyptische König werden sich in Kürze nach Lindos aufmachen, um das Orakel zu fragen, ob sie die Riesenstatue des Helios wieder aufrichten sollen. Das ist die ideale Gelegenheit für uns, einen weiteren Krieg zu verhindern. Wir können das Geschenk benutzen, um mit ihnen in der Grotte zu reden, genau wie Kamira und Lindia es früher getan haben. Wir jagen dem Ratsherrn Angst ein, damit er den Koloss liegen lässt, wo er hingefallen ist. Aber zuerst müssen wir das Geschenk heilen, sonst hat es vielleicht nicht genug Kraft, uns über die Grenze hinweg kommunizieren zu lassen. Ich konnte es eben nicht benutzen, um Kontakt mit Auras Vater aufzunehmen.« Sie stand auf und brachte dabei mit ihrem Gewicht die Kiesel ins Rollen. »Holt die Truhe an Land, dann wollen wir sehen, wie viel vom Geschenk Poseidons wir haben.«

Die Dämmerung brach nun auch im Land der Telchinen herein und die ersten Sterne erglänzten über dem Meer. Das Schiff von König Ptolemaios schaukelte sanft, mit aufgerolltem Segel und säuberlich an Deck gestapelten Rudern. Während sie darauf warteten, dass die Telchinen die Truhe brachten, rückte Aura unauffällig näher an ihren Vater heran und lockerte die Knoten an seinen Handgelenken. Er lächelte sie an und bedankte sich leise. Draußen im Dämmerlicht platschte es kräftig. Die Telchinen erschienen wieder und schwammen Richtung Ufer, die Truhe, die Aura mehrmals in ihren Visionen gesehen hatte, zwischen sich. Aura wurde flau, als ein blauer Schein über dem Wasser schimmerte.

Rhodos blickte der Truhe mit zusammengekniffenen Augen entgegen. »Das sind also die Stücke, die von Rhodos aus rings um das Mittelmeer verteilt wurden, und Leonidus hat uns von seiner Unterwassersammlung bei Alimia erzählt. Wo sind noch weitere Stücke?«

»Im Tempel der Athene auf der Insel Chalki«, antwortete Elektra, die jetzt wieder etwas Mut fasste, da die Telchinen offenbar beschlossen hatten, nicht zu kämpfen.

»Das bekommen wir leicht. Ich werde durch das Geschenk eine Botschaft an die Oberpriesterin schicken und ihr sagen, sie solle es nach Lindos bringen. Sonst noch irgendwo?«

»Aura hat ein Stück im Hafen von Chalki verloren«, sagte Milo.

»Wer mit Leonidus geht, wenn er seine Sammlung von Alimia holt, kann das unterwegs auch noch auflesen.«

»An den anderen Statuen in Rhodos-Stadt?«, flüsterte Chariklea.

»Ja ... jemand wird in die Stadt gehen und sie stehlen müssen. Das dürfte nicht allzu schwer sein, wenn der Rat erst einmal nach Lindos aufgebrochen ist.«

»Im Tempel der Athene Lindia.«

»Ebenfalls leicht. Denn dorthin gehen wir selbst. Wir werden mit dem Schiff des Königs nach Lindos fahren, sobald das Geschenk geheilt ist.«

Leonidus blickte mit gerunzelter Stirn die Ahne an. »Hast du nicht gesagt, ihr müsstet zuerst die fehlenden Stücke von Alimia und Rhodos-Stadt haben?«

Rhodos sah zu, wie die Telchinen die Truhe ans Ufer zogen, und lächelte. »Nicht wir. Du. Du kannst ein paar von diesen einfallsreichen jungen Nachtfaltern mitnehmen, falls du Hilfe brauchst. Ihr könnt unsere Schwammboote nehmen. Sie werden weniger auffallen als das ägyptische Schiff. Wir behalten das Mischlingsmädchen und die übrigen Menschenkinder hier in unserer Welt, um sicherzustellen, dass ihr auch wiederkommt. Ihr könnt uns in der Grotte von Lindos treffen, wenn ihr die restlichen Stücke geholt habt, und dann wirst du den Rat dazu bewegen müssen, den ägyptischen König in die Grotte hinabzubringen und sich anzuhören, was das Orakel sagt. Wenn es uns gelingt, sie davon zu überzeugen, den Koloss des Helios nicht wieder aufzustellen, lassen wir das Mischlingsmädchen und die Menschenkinder nach Hause gehen.« Sie wandte sich den Telchinen zu. »Teilt die Kinder auf. Trennt alle, die aussehen, als seien sie enge Freunde. Bringt diejenigen, die mehr Zeit brauchen, um sich zu erholen, ins Dorf und bewacht sie. Der Menschenmann wird kooperativ sein, solange wir seine Tochter haben. Nehmt ihm die Fesseln ab.«

Es gab Proteste und Handgemenge, als die Telchinen auf das Häufchen Gefangene losmarschierten und stöhnende Nachtfalter den Armen ihrer Freunde entrissen. Milo wollte mit aller Kraft seinen Bruder festhalten, wurde jedoch zu Boden gestoßen. Androkles blieb nichts anderes übrig, als Chariklea loszulassen, als ein Telchine mit Hilfe seines Augenzaubers ein Loch in den Kies vor seinen Füßen brannte. Timosthenes wechselte einen Blick mit dem Anführer der Nachtfalter und humpelte dann mit den übrigen Verletzten und Kranken zum Dorf. Aura war ganz sicher, dass er schwächer tat, als er war, und fragte sich, warum.

Als eine Telchinin ihr die Hand auf den Arm legte, um sie hinter den anderen Geiseln her wegzuführen, leistete sie Widerstand. »Ihr könnt meinen Vater nicht so schnell wieder wegschicken! Ich möchte mit ihm reden!«

»Er kommt zurück, Mischlingsmädchen«, sagte Rhodos. »Sei bitte vernünftig. Du bist meine Enkelin. Wir werden dir nichts tun.«

»Aber . . .«

Elektra fasste ihre Hand. »Ich bleibe bei dir, Aura«, flüsterte sie.

Aura warf einen verzweifelten Blick auf ihren Vater, der seine Handgelenke rieb, während sich die Nachtfalter, die man für die Expedition ausgesucht hatte, um ihn scharten. Androkles flüsterte ihm etwas zu. Milos Augen waren dunkel und zornig, sein Mund ein grimmiger Strich. Sie wusste, beim leisesten Anlass würden sie kämpfen. Sie äugte zu dem leuchtenden Geschenk hinüber, das die Telchinen gerade wieder aus ihrer Hütte holten. Aber sie konnte ihr Versprechen nicht brechen. Wenigstens hatten die Telchinen gesagt, sie würden ihrer Mutter helfen. Sie senkte den Kopf, als Leonidus und die anderen die beiden Schwammboote der Telchinen an den Saum des Wassers zogen. Die Nachtfalter kletterten hinein und man reichte ihnen die Ruder. Leonidus stand bis zur Taille im Wasser und starrte zu ihr herüber.

»Lass mich ihm Auf Wiedersehen sagen«, bat Aura. »Bitte, Ahne.«

Rhodos sah sie durchdringend an. »Keine Tricks, Mischlingsmädchen.«

»Keine Tricks, ich verspreche es.« Sie sah der Ahne in die Augen und diese nickte knapp.

Aura rannte ins Wasser, dass es spritzte, und wilde Hoffnungen schossen ihr durch den Kopf. Vielleicht würde sich das Geschenk weigern, ihren Vater und die anderen wieder über die Grenze zurückzulassen? Vielleicht konnte sie im letzten Moment ins Boot springen und mit ihnen fahren ... Leonidus legte die Arme um sie und hielt sie fest. Sie drückte ihr Gesicht in seine feuchte Tunika und brach in Tränen aus.

Als sie den Kopf wieder hob, sah sie, dass sich die Telchinen um die Truhe versammelt hatten. Durch einen Schleier von Tränen schaute sie zu, wie Kamira die Schicht Gold hinauswarf, mit der ihr Vater die Stücke des Geschenkes abgedeckt hatte, um sie nach Rhodos zurückzuschmuggeln. Der übrige Schatz des ägyptischen Königs war vermutlich noch an Bord seines Schiffes. Sie fragte sich, ob die Telchinen vorhatten, ihm beides zurückzugeben. An Reichtümern waren sie offenbar nicht besonders interessiert. Die Münzen blinkten im Licht des Feuers kurz auf und verschwanden dann im Dunkeln zwischen den Kieseln. Das Geschenk Poseidons leuchtete, von seinen Drähten befreit, heller als die Sonne. Blaues und grünes Licht floss in Wellen aus der Truhe und badete die Gesichter der Telchinen. Sie traten zurück, bildeten einen Kreis um Rhodos und das Geschenk, hielten sich umgeben von den Lichtwellen an den Händen und sangen leise.

»Ich wollte dir alles erzählen, wenn ich dich für alt genug hielt, es zu verstehen, Aura«, sagte Leonidus. »Aber ich war zu lange weg und du bist so schnell groß geworden ... Ich möchte, dass du weißt, dass ich dich liebe. Es tut mir leid, dass ich nicht da war, als du mich gebraucht hast.«

»Ich komme schon klar«, sagte Aura und setzte eine tapfere Miene auf. »Aber du musst vorsichtig sein, Vater! Der Oberpriester will dich immer noch töten.«

»Keine Sorge, ich habe nicht die Absicht, mich Xenophon zu erkennen zu geben. Aber glaubst du, wir können dem Rat trauen? Seine Mitglieder waren von den extremeren politischen Vorhaben der Helios-Priester noch nie besonders begeistert. Wenn sie zur Wiederaufstellung des Kolosses das Orakel befragen wollen, heißt das ja wohl, dass sie den Oberpriester in diesem Punkt nicht unterstützen.«

Aura runzelte die Stirn. Sie hatte ihr seltsames Gespräch mit dem Ratsherrn Iamus im Wald fast vergessen. »Ich weiß nicht ...«

Ihre Worte wurden von einem Krachen am Strand übertönt, als Rhodos das Geschenk Poseidons in die Truhe senkte. Kies und blaue Funken flogen in die Luft. Am Himmel grollte Donner und die Erde bebte. Die Nachtfalter packten die Seitenwände ihrer Boote, als eine Welle über die Köpfe von Leonidus und Aura schwappte und sie auf die Knie warf. Ein intensives blaues Licht erleuchtete den Strand und machte das Meer taghell. Aura prustete und wusste nicht, ob sie Luft oder Wasser atmen sollte. Die Arme ihres Vaters schlossen sich fester um sie und sie hörte ihn ebenfalls husten, als er wieder auf die Füße kam.

Aura strich sich die nassen Haare aus den Augen und fürchtete, sie bekäme vielleicht Schlimmes zu sehen. Aber die Boote schwammen noch auf dem Wasser und alle – Telchinen und Menschen – hatten anscheinend die Wiedervereinigung überlebt. Das Geschenk Poseidons lag pulsierend auf dem Kies und seine Blau- und Grüntöne verblassten zu Violett, als das Licht erstarb. Es sah viel größer aus als vorher. Die Schatztruhe von König Ptolemaios stand in Flammen.

Rhodos reckte ihre Arme triumphierend zum Himmel empor. »Poseidon!«, rief sie. »Schicke diese Menschen zurück über die Grenze zwischen den Welten, damit sie die fehlenden Stücke deines Geschenkes retten können!«

Androkles und Milo griffen zu den Rudern. Leonidus drückte Aura einen Kuss auf die Stirn. »Ich muss jetzt gehen, Aura«, flüsterte er. »Sei tapfer. Wir sehen uns ja schon bald in Lindos wieder, und wenn wir erst wieder zusammen sind, lasse ich dich nicht mehr allein. Das verspreche ich dir.«

Als ihr Vater ins Boot kletterte, beugte sich Milo über den Rand und flüsterte ihr zu: »Wir passen für dich auf ihn auf. Hab du für mich ein Auge auf Kim. Wir kommen zurück, so schnell wir können.«

Androkles zwinkerte ihr zu. »Keine Sorge, Telchinen-Mädchen«, rief er. »Dieser Diebeszug wird uns nicht lange aufhalten!«

Aura stand am Wellensaum und sah die beiden Boote aufs Meer hinausrudern. Einen Moment lang umgab sie blaues Licht und Auras Nackenhaare sträubten sich. Ein Ruderschlag ... ein Aufleuchten von Regenbogen ... und sie waren verschwunden.

KAPITEL 13

IN LINDOS

Die Telchinen bereiteten sich ohne Zögern auf ihre Fahrt nach Lindos vor. Sie brachten das Geschenk Poseidons zusammen mit den Schleudern und Messern der Nachtfalter zum Schiff, zündeten Fackeln an, die das sternenhelle Meer erleuchteten, und rüsteten das Schiff für einen Kampf. Ihre Geiseln wurden inzwischen dicht gedrängt in eine Hütte im Dorf gesperrt.

Aura schlang die Arme um ihre Knie und starrte auf die beiden riesigen Telchinen, die die Tür bewachten. Sie wusste, dass sie etwas unternehmen sollte, um ihren Freunden zu helfen, aber sie konnte nicht klar denken. Sie brauchte Zeit, um all das zu verdauen, was ihnen Leonidus gesagt hatte, aber sie hatte keine. Ihre Mutter war vielleicht schon in Lindos in Gefahr, und ihr Vater würde ebenso sehr in Gefahr sein, wenn er nach Rhodos-Stadt ging, um die noch fehlenden Anhänger zu stehlen. Und sie selbst saß in der Welt der Telchinen fest und hatte nicht einmal einen Anhänger, mit dem sie die Kräfte des Geschenkes anzapfen konnte.

Eigentlich sollte ich dankbar sein, dachte sie. Wenigstens kann mir das Geschenk dann nicht die Augen ausbrennen wie meiner Mutter. Aber in diesem Moment wünschte sie sich inständig, sie könnte wie die Telchinen ein Scheibchen von dem Geschöpf verzehren und seine Kraft in sich halten. Denn dann könnte sie niemand von Vater und Mutter trennen.

Die Nachtfalter berieten flüsternd über ihre Lage.

»Warum müssen sie unsere Waffen behalten, wenn sie doch ihren Augenzauber haben?«, grollte der Junge, der sich vor der Höhle beim Dämonenteich das Bein gebrochen hatte. Elektras Schiene hielt zwar noch, aber durch das grobe Zupacken der Telchinen war sie nicht gerade stabiler geworden. »Sollen wir vielleicht mit bloßen Händen Fische fangen und ausnehmen? Ich habe in dieser Welt keine Dörfer gesehen, in denen wir uns etwas zu essen klauen könnten.«

»Und warum überhaupt diese Eile?«, fragte Chariklea. »Wenn Auras Vater nach Alimia gehen muss und Androkles und die anderen losgezogen sind, um Anhänger von den Statuen zu stehlen, dann dauert das mindestens ein oder zwei Tage – in Rhodos-Stadt gibt es Hunderte von Statuen! Ich habe schon immer gesagt, wir sollten sie kaputtschlagen, aber sobald es mal was zu tun gibt, was richtig Spaß macht, darf ich nicht mit.« Dass sie die Chance verpasste, Statuen zu zerschmettern, schien sie beinahe noch mehr zu ärgern, als dass sie eine Geisel war.

»Die Zeit läuft hier anders«, erinnerte Elektra die anderen. »Nach menschlichem Maß sind sie wahrscheinlich schon ein paar Tage unterwegs. Der Oberpriester hat sich inzwischen vielleicht schon so weit erholt, dass er reisen kann, also müssen sich die Telchinen beeilen, sonst verpassen sie den Rat und den ägyptischen König in Lindos und können ihnen nicht durch das Orakel verkünden, sie sollten den Koloss nicht wieder aufbauen. Nehmt es von der guten Seite – das Warten wird uns nicht so lang vorkommen.«

Die Nachtfalter begannen zu murmeln, als sie an den Zeitunterschied erinnert wurden. Chariklea machte ein finsteres Gesicht und sprach Auras heimliche Angst aus. »Und wenn sie nicht wiederkommen und uns holen? Wenn sie beschließen, die Grenze zu überqueren und doch noch zu kämpfen, und der Oberpriester kriegt das Geschenk und sperrt es wieder mit Drähten in seinen Koloss ein?«

»Eben!«, sagte ein Junge. »Und selbst wenn sie zurückkommen, was sollte sie daran hindern, uns alle mit ihrem bösen Blick zu verbrennen, wenn sie erst einmal die fehlenden Stücke ihres Geschenkes in der Hand haben? Wir hätten beim Ratsherrn Iamus bleiben sollen. Dort waren wir wenigstens in der richtigen Welt!«

Timosthenes schnitt eine Grimasse. »Ich kann mich nicht erinnern, dass ich Klagen gehört hätte, als ich euch aus dem Loch herausgelassen habe, in das euch die Soldaten gesperrt hatten! Jetzt ist es wieder genauso – wir müssen nur herausfinden, wie wir die Tür zwischen den beiden Welten öffnen können.«

»Wie?«, wollten mehrere Nachtfalter wissen.

»Wie seid ihr überhaupt aus Rhodos-Stadt entkommen?«, fragte Elektra, aber Timosthenes hieß sie still sein.

Er spähte zu den Wächtern hinüber und sagte leise: »Es ist ganz einfach. Wir müssen nur das Geschenk in die Hand bekommen, ehe das Schiff die Grenze überquert. Die Anhänger, die der Boss und Auras Vater holen gegangen sind, und das Geschenk ziehen einander an, also wird es uns ebenso nach Hause bringen, wie es uns hergebracht hat – nur andersherum.«

»Das ist leichter gesagt als getan«, sagte Chariklea mit immer noch bösem Gesicht. »Auf diesem Schiff wimmelt es von Telchinen! Und wie sollen wir das Geschenk-Dingsda dazu bringen, zu tun, was wir wollen, selbst wenn wir es wirklich wiederbekommen? Es hat nie einen von uns geheilt, wenn es keine Lust dazu hatte, oder? Und jetzt ist es seine Drähte los. Ich wette, es ist nicht scharf darauf, uns wieder nach Hause zu bringen, besonders, wo ihm die fette alte Telchinin alle möglichen Lügen über uns erzählt. Viel wahrscheinlicher holt es Androkles und die anderen hierher zurück, mitsamt den fehlenden Stücken, und dann sitzen wir alle fest.«

»Aura kann damit umgehen«, sagte Kimon mit dünner Stimme. »Sie kann es bitten, uns nach Hause zu bringen und die hässlichen Telchinen hier in ihrer Welt einzusperren, wie Lindia es gemacht hat.«

Es wurde still und alle blickten auf Aura.

Sie umschlang ihre Knie fester. »Das kann ich nicht tun.«

»Kann ich nicht oder will ich nicht?«, fragte Timosthenes. »Komm schon, Telchinen-Mädchen! Du bist uns etwas schuldig. Hätte dein Vater nicht Stücke des Geschenkes gesammelt, säßen wir jetzt nicht hier in der Klemme.«

»Das ist unfair!«, sagte Elektra und legte Aura den Arm um die Schulter. »Leonidus wollte nur ihrer armen Mutter helfen. Und überhaupt wart ihr diejenigen, die beschlossen haben, das Gold des ägyptischen Königs zu stehlen. Hättet ihr das nicht getan, wärt ihr gar nicht an dieser Küste entlanggesegelt, an der euch der Gott über die Grenze gebracht hat.«

Chariklea verzog das Gesicht. »Das Gold, ja … aber woher sollten wir wissen, dass eine dieser Truhen voll sprechender Schwämme war? Wir sind nur auf diesem Weg zurückgesegelt, weil der Junge von Chalki, Milo, darauf bestand, nach euch beiden zu suchen, und Leonidus wollte zum Unsichtbaren Dorf, für den Fall, dass ihr dort auf ihn wartet – o Götter, wie dumm waren wir! Der Rest des ägyptischen Goldes ist immer noch auf dem Schiff und jetzt bringen es die blöden Telchinen wieder dem Rat zurück! So viel vergebliche Mühe! Wir sind direkt in die Falle gesegelt. Mich würde es nicht wundern, wenn die Telchinen dich als Spionin zu uns in die Hütte gesteckt hätten.«

Aura starrte auf ihre Füße mit den Schwimmhäuten, zu elend, um zu protestieren.

Elektra funkelte die Nachtfalter böse an. »Seid doch nicht so abscheulich! Aura hat euch das Leben gerettet. Wenn sie nicht für euch eingetreten wäre, als ihr über die Grenze gekommen seid, hätten euch diese Telchinen allesamt ertränkt, ohne mit der Wimper zu zucken. Begreift ihr denn nicht? Sie hat ihnen versprochen, ihnen zu helfen. Deshalb kann sie den Gott nicht dazu bringen, das zu tun, was ihr wollt. Sie kann ihn ihnen nicht wieder wegnehmen, wie ihre Mutter es einst getan hat. Er gehört ihnen. Außerdem haben die Telchinen nichts davon gesagt, dass sie das Gold zurückgeben wollen, oder? Ich wette, es ist ihnen egal, was damit geschieht – ihr habt doch gesehen, wie sie die Münzen an den Strand geworfen haben.«

Es entstand ein kurzes Schweigen, solange die Nachtfalter das verdauten. Kimon begann zu schniefen. »Ich will nicht im Unsichtbaren Dorf bleiben, bis mein Bruder und meine Eltern alt sind und sterben. Ich will nach Hause.«

»Das wollen wir alle, Kim.« Elektra legte den Arm um den Jungen. »Sie können uns nicht für immer hierbehalten, keine Angst. Außerdem müssen wir nur den Gott dazu überreden, dass er uns wieder nach Hause schickt. Wir brauchen ihn nicht in der Menschenwelt, also müssen wir ihn auch nicht mitnehmen. Wir lassen ihn hier bei den Telchinen, wo er hingehört. Dabei wird uns Aura helfen – nicht wahr, Aura?«

Aura straffte die Schultern und warf ihrer Freundin einen dankbaren Blick zu. Sie hatte keine Ahnung, ob das mit der Grenze so klappen würde, und vermutete allmählich auch, dass das Geschenk gar nicht bei den Telchinen bleiben wollte, die Scheibchen davon verspeisten, sooft sie ihren Augenzauber wieder aufladen mussten. Aber sie holte tief Luft. »Ich werde es versuchen. Ich will genauso in die Menschenwelt zurückkehren wie ihr.«

Timosthenes schlug ihr auf die Schulter. »Das reicht. Fasst Mut, Nachtfalter. Seit wann lassen wir uns von irgendjemandem herumschubsen? Telchinen können vielleicht mit ihren Augen Menschen töten, aber Aura hat genauso viel Zauberkraft wie sie, wenn sie das Geschenk anfasst. Der Boss wird nicht von uns erwarten, dass wir hier sitzen bleiben und darauf warten, gerettet zu werden, also werden wir Folgendes tun ...«

Die Geiseln rollten sich auf ihren Matten zusammen, atmeten tief und taten so, als schnarchten sie. Als Rhodos gegen Mitternacht ans Ufer schwamm und nach ihnen sah, hatte es den Anschein, als schliefen sie tief und fest, wie nach einem so anstrengenden, schrecklichen Tag von normalen Kindern zu erwarten.

Die Ahne lächelte und legte Aura die Hand auf die Wange. Sie war kalt und nass vom Meer. »Es tut mir leid, dass es so sein muss, Mischlingsmädchen«, flüsterte sie. »Aber nach dem Trick mit dem Schiff traue ich dir nicht genug, um dich mitzunehmen. Wenn in Lindos etwas schiefgeht, können wir nicht brauchen, dass du uns ins Handwerk pfuschst. Du kannst viel besser mit dem Geschenk umgehen, als wir dachten.«

Nur mühsam konnte Aura ihren Atem gleichmäßig und ihre Augen geschlossen halten. Sie fragte sich, ob Rhodos das wohl gesagt hätte, wenn sie gewusst hätte, dass sie wach war.

Die Ahne wies die Wächter an, die Kinder bis zum Morgen in der Hütte zu behalten. Die beiden Telchinen ließen sich draußen nieder und man hörte ein schwaches Platschen, als Rhodos wieder zum Schiff zurückschwamm. Nun warteten die Kinder eine Weile, dann schlich sich Chariklea zur Tür und spähte hinaus.

»Das Schiff fährt ab«, flüsterte sie.

Schweigend band Elektra die Schiene vom Bein des verletzten Jungen ab. Timosthenes und Chariklea nahmen jeweils einen der Stöcke und versteckten sich im Schatten rechts und links der Tür. Die anderen ergriffen ihre Decken und machten sich bereit aufzuspringen. Dann nickte Timosthenes und der verletzte Junge begann zu schreien: »Mein Bein, mein Bein! Die Meeresdämonen haben mir ein Bein gebrochen!«

Die Telchinen kamen in die Hütte gestürzt und beugten sich alarmiert von seinem Geschrei über ihn. Wie die Nachtfalter gehofft hatten, merkten die Wächter offenbar nicht, dass der Junge bereits verletzt gewesen war, als er über die Grenze kam, und glaubten, einer der Ihren hätte ihm bei dem Kampf im Wasser das Bein gebrochen. Während sie ihm zu helfen versuchten, warfen ihnen die anderen Nachtfalter ihre Decken über den Kopf und Timosthenes und Chariklea schlugen sie von hinten bewusstlos. Die beiden Telchinen plumpsten zu Boden. Die Nachtfalter umringten sie keuchend und starrten betroffen auf ihre Wächter.

»Steht nicht einfach bloß herum!«, sagte Timosthenes. »Die rappeln sich schon wieder auf. Sie sind robuste Geschöpfe. Fesselt sie lieber, ehe sie wieder zu sich kommen, damit sie uns nicht folgen können. Alle, die meinen, sie könnten nicht bis Lindos rennen, bleiben hier und kümmern sich um die Verletzten. Die anderen kommen mit mir!«

Kimon und die Übrigen, die zu schwach waren, um weit zu gehen, suchten nach etwas, mit dem sie die bewusstlosen Telchinen fesseln konnten. Der Rest brach auf und folgte im Licht der Sterne im Dauerlauf dem Schiff Richtung Süden.

Den Rest der Nacht liefen sie mondhelle Strände entlang und wateten, bis zu den Hüften im Wasser, um Felsvorsprünge herum. Sie wagten nur im Flüsterton miteinander zu reden, damit die Ahne ja nicht merkte, dass sie aus der Hütte entkommen waren. Bei Sonnenaufgang erreichten sie die letzte Felsnase. Diesmal war der Weg um den Vorsprung herum zu weit, und Timosthenes hatte auch Sorge, sie würden im Morgenlicht entdeckt werden. Daher verließen sie den Strand und suchten sich einen Pfad die Felsen hinauf. Atemlos hielten sie oben inne und starrten hinaus auf die Bucht.

Unter ihnen funkelte das ägyptische Schiff in der aufgehenden Sonne und sah winzig aus. Es war das einzige Schiff in dem natürlichen Hafen. Die Telchinen hatten das Segel eingeholt und näherten sich nun mithilfe der Ruder der Steilküste. Die weißen Felsen ragten hoch über ihr auf, ohne ein Haus und bar jeglicher Anzeichen menschlichen Wirkens. Keine stolze Akropolis ragte über einer Stadt auf, es gab nur Vogelnester und schreiende Möwen.

»Bist du sicher, dass das Lindos ist?«, fragte Elektra.

Unter den Nachtfaltern entstand ein beklommenes Gemurmel. Aber Timosthenes straffte die Schultern. »Natürlich ist es Lindos! Die Telchinen wissen, wohin sie gehen, und ich erkenne die Orientierungspunkte. In der Menschenwelt ist dort oben auf der höchsten Stelle der Athene-Tempel und dieser Hügel ist von Häusern bedeckt. Die Hauptstraße windet sich jenen Hang hinauf. Dort unten sind die Werften und seht nur – ihr könnt den Eingang zur Grotte sehen! Das ist bestimmt das Ziel der Telchinen. Beeilen wir uns! Wir wollen sie nicht jetzt noch verlieren.«

Das letzte Stück zu der Grotte entpuppte sich als ziemliche Kletterpartie. Sie mussten dabei so leise wie möglich sein, denn das Schiff lag nur ein kurzes Stück von den Felsen unter ihnen entfernt vor Anker. Aura machte den Fehler hinunterzuschauen. Hinter den Köpfen der anderen wartete das Meer, tief und blau. Ihr wurde ganz schwindlig, und sie hatte ein überwältigendes Verlangen hineinzuspringen. Sie widerstand und kletterte vorsichtig weiter abwärts. Immer wieder ging sie in die Hocke, damit sie sich mit den Händen abstützen konnte, um nicht abzurutschen.

Timosthenes wartete, bis alle heil unten angekommen waren. »Wie viele Telchinen seht ihr?«, flüsterte er.

Sie duckten sich hinter die Felsen und spähten zu dem vor Anker liegenden Schiff hinüber. Es sah verlassen aus, was natürlich erklärte, warum die Telchinen sie nicht entdeckt hatten, als sie die Felsen hinabkletterten.

»Vielleicht sind sie schon in die Grotte gegangen?«, sagte ein Nachtfalter. »Wir können zum Schiff schwimmen und das Geschenk stehlen, solange sie weg sind.«

»Vielleicht ist es eine Falle!«, sagte Chariklea mit gerunzelter Stirn.

»Wahrscheinlich haben sie das Geschenk mitgenommen«, sagte ein anderes Mädchen mit einem nervösen Blick auf den Eingang der Grotte. »Und wenn

Telchinen im Wasser sind, will ich nicht ebenfalls drin sein.«

»Ich auch nicht«, stimmten mehrere Nachtfalter zu, die sich offensichtlich daran erinnerten, wie sie im Unsichtbaren Dorf beinahe ertränkt worden waren.

Timosthenes sah Aura an. »Glaubst du, du kannst dich an Bord schleichen und das Geschenk stehlen? Wenn du es nicht mitbringen kannst, dann benutze es, um über die Grenze zu gehen und deinen Vater zu suchen. Wir erwarten dich in der Grotte, damit du uns nachholen kannst.«

Aura beäugte das Schiff mit Unbehagen. Aber sie nickte.

»Du vertraust ihr so, dass du sie allein gehen lässt?«, fragte Chariklea, noch immer mit gerunzelter Stirn.

»Aura schwimmt am besten und die Telchinen sind ihre Verwandten. Wenn sie sie erwischen, tun sie ihr nichts, und sie lässt ihre Freunde nicht hier im Stich. Ja, ich vertraue ihr.«

Elektra ergriff Auras Hand. »Vergiss nicht, dass du den Ratsherrn Iamus dazu bewegen musst, den ägyptischen König zum alten Orakel in die Grotte hinunterzubringen, Aura! Sonst wird er König Ptolemaios einfach in den Tempel der Athene führen, wo sich vielleich der Oberpriester einmischt.«

Wieder nickte Aura.

Elektra kaute auf ihrer Unterlippe herum. »Nimm dich in Acht vor dem Gott. Er könnte noch einmal versuchen, dich auszutricksen.«

»Keine Sorge. Diesmal bin ich darauf vorbereitet.«

Sie hätte sich gerne so zuversichtlich gefühlt, wie sie tat. Sie sprang, tauchte beinah geräuschlos in die

Wellen und stellte auf Wasseratmung um. Die Spannung wich Zug um Zug aus ihrem Körper, als die Unterwasserwelt sie empfing, farbenprächtig und magisch. Hier unten brauchte sie weder über Schwimmhäute noch über Narben noch über ihre Mischlingsnatur nachzudenken. Hier war eine dritte Welt, in der sie sie selbst sein konnte. Sie war in Versuchung, ins Meer hinauszuschwimmen und es den Menschen und den Telchinen allein zu überlassen, um das Geschenk zu streiten. Aber sie konnte ihre Eltern und Freunde nicht im Stich lassen. Und auch das Geschenk brauchte sie.

Vor ihr schaukelte schemenhaft das Schiff, dessen Ankerstein Schlamm vom Meeresboden aufwirbelte. Unter Wasser hatte sie eine bessere Sicht der Grotte – sie war ein schmaler Spalt im Felsen, der unendlich weit in die Tiefe zu reichen schien. Am Eingang stand das Wasser fast bis oben, deshalb konnten die Telchinen ihr Schiff nicht hineinbringen, aber glitzerndes Licht dahinter deutete darauf hin, dass sich die Grotte unter dem Felsen öffnete.

Sie starrte fröstelnd auf die Grotte. An diesem Ort hatten ihre Mutter und ihr Vater vor 56 Jahren – in menschlicher Zeit gerechnet – das Gleichgewicht zweier Welten zerstört, um das Leben eines einzigen Mannes zu retten. War sie im Begriff, dasselbe zu tun?

Sie schüttelte den Gedanken ab und schwamm rasch zum Schiff. Nahe am Ankertau tauchte sie auf und benutzte es dazu, sich aus dem Wasser zu ziehen. Die Bordwand des Schiffes ragte über ihr auf wie eine hölzerne Klippe. Die Ruder waren eingezogen, also musste sie die Füße gegen die Planken stemmen und klettern. Ihre Armmuskeln protestierten. Früher hätte sie das niemals geschafft. Aber jetzt war sie schlanker und stärker. Sie biss sich auf die Lippen und hangelte sich Handbreit um Handbreit nach oben.

»Pass auf, Aura!« Elektras Ruf tönte schwach vom Felsen herüber.

Aura erstarrte, als sie über sich eine Reihe von Köpfen erblickte, deren Haut leuchtend blau war und deren gelbe Augen fest auf sie gerichtet waren.

»Ich hätte mir ja denken können, dass du so etwas versuchst, Mischlingsmädchen«, sagte die Ahne und schüttelte den Kopf. »Sieht so aus, als sei dein Vater nicht mit den fehlenden Stücken zur Stelle, also müssen wir das Schiff in die Menschenwelt hinüberbringen. Du kommst nicht mit. Lass das Tau los.« Sie beugte sich über die Bordwand und stieß mit einem Ruder gegen Auras Schulter.

Es tat weh, aber Aura hielt fest. Das Meer glitzerte. Der Spalt in den Felsen schwankte vor ihrem Blick.

»Lass mich versuchen, mit ihm in Verbindung zu treten, Ahne!«, sagte sie und überlegte dabei verzweifelt, was schiefgegangen sein mochte. »Bitte! Vielleicht hat er einfach nicht genug Zeit gehabt? Das Erdbeben hat sein Versteck bei Alimia beschädigt und die Nachtfalter sagen, es gibt Hunderte von Statuen mit Anhängern in Rhodos-Stadt ...«

»Tut mir leid, Mischlingsmädchen. Beim Gang der Zeit in der Menschenwelt hatte er mehr als genug davon, um mit den fehlenden Stücken hierher zurückzukommen. Selbst wenn die jungen Diebe in der Stadt auf Schwierigkeiten stießen, würde Leonidus die Stücke von Alimia so schnell wie möglich hierherbringen, um dich zu retten und Lindia zu finden. Es muss etwas geschehen sein, das ihn am Kommen hindert, also überqueren wir die Grenze, um herauszufinden, was es ist.«

»Aber wenn ihr über die Grenze geht, könnte es einen Krieg geben!«, sagte Aura.

»Dann gibt es eben einen«, antwortete Rhodos. »Jetzt sei vernünftig und lass los, sonst sind wir gezwungen, dir wehzutun.« Wieder stieß Rhodos sie mit dem Ruder.

Aura ließ sich außer Reichweite gleiten und schlang Arme und Beine um das Ankertau. Wenn das Schiff über die Grenze fuhr, mussten sie sie wohl oder übel mitnehmen.

Rhodos seufzte und murmelte dem Telchinen neben ihr etwas zu. Er beugte sich vor und begann mit einem Messer, das sie den Nachtfaltern abgenommen hatten, an dem Tau zu säbeln. Aura ließ sich ins Wasser zurückfallen und schwamm nach hinten zum Heck, um sich stattdessen am Steuer festzuhalten.

Die Ahne benutzte ihren Augenzauber, der zischend ins Meer fuhr, um sie abzuschrecken. Aura tauchte wieder und wollte unter dem Schiff wieder hochkommen. Aber die Telchinen hatten das Segel gesetzt. Ohne das Ankertau setzte sich das Schiff in Bewegung und drehte ab.

Sie schwamm ihm nach und verfluchte sich für ihre Dummheit. Wenn sie jetzt über die Grenze fuhren, blieb sie zurück. Sie hätte warten müssen, bis sie sicher war, dass die Telchinen nicht an Bord waren.

Gerade als sie die Hoffnung aufgeben wollte, platschte vor ihr etwas ins Wasser, das blau pulsierte.

Sie spürte die Kraft, die von ihm ausging, und erschauerte ... das Geschenk! Zuerst begriff Aura nicht, warum die Telchinen es über Bord geworfen hatten. Wirkte es auf dem Schiff nicht? Sollte es ihr die Augen ausbrennen wie ihrer Mutter? Ein Telchine sprang ihm nach und schubste es in ihre Richtung, worauf sie in Panik an die Oberfläche schwamm.

Phaetons Kopf tauchte neben ihr auf. »Schnell!«, flüsterte der Junge und warf ihr das Geschenk zu. »Bring es in die Grotte! Ich habe über das nachgedacht, was du gesagt hast, und du hast recht – es ist falsch, wieder einen Krieg anzufangen. Kannst du das Geschenk Poseidons dazu nutzen, über die Grenze zu kommen und deinen Vater zu finden? Ich werde mir alle Mühe geben, die anderen aufzuhalten, bis du weg bist.«

Es war keine Zeit zum Nachdenken. Weitere Telchinen sprangen vom Schiff und schwammen pfeilschnell auf die beiden zu, wobei ihre gelben Augen vor Zorn über Phaetons Verrat funkelten. Unter Wasser sahen sie furchterregend stark aus mit ihren geschmeidigen Muskeln, von ihren langen Haaren wie von silbernen Wolken umwogt. Aura packte das Geschenk und schwamm um ihr Leben. Es war jetzt schwerer, da es die Stücke in sich aufgenommen hatte, die ihr Vater ins Unsichtbare Dorf mitgebracht hatte, aber unter Wasser konnte sie es leicht mitnehmen. Als sie sich dem Spalt in den Felsen näherten, leuchtete es heller. Regenbogen flammten am Rand ihres Gesichtsfeldes auf.

In der Grotte hingen Stalaktiten, so groß wie Tempelsäulen, von der Decke herab und tauchten funkelnd ins Wasser rings um sie her. Phaeton blieb am Eingang zurück, um den Telchinen den Weg zu versperren. Das Geschenk war beinahe zu heiß zum Festhalten. Es erfüllte die ganze Grotte mit Licht und um es herum erschienen gezackte Löcher im Wasser, wie im Unsichtbaren Dorf die Löcher im Himmel. Durch sie hindurch erhaschte Aura einen Blick auf Eingänge zu Unterwassertunneln, aber sie hatte keine Zeit, nach ihrer Mutter zu suchen, denn über sich sah sie durch die Löcher in der Grenze die Unterseite eines Bootes.

Vater!, rief sie lautlos und schwamm aufwärts. *Vater, hörst du mich?*

Die Telchinen waren an Phaeton vorbeigekommen. Eine mit Schwimmhäuten bewehrte Hand packte Auras Knöchel. Sie strampelte sich frei und hielt auf das Boot zu, das Geschenk hinter sich herzerrend, damit es sie in die Menschenwelt hinüberbrachte. Aber die Ahne streckte ebenfalls die Hand nach dem Geschenk aus und sie kämpften um den Besitz des glitschigen Geschöpfes.

Das blaue Licht wurde heller. Alles wurde still. Einen schrecklichen Augenblick lang wusste Aura nicht mehr, wo oben und wo unten war, ob sie Wasser oder Luft atmete. Das Geschenk war ihrem Griff entglitten. Überall waren Luftblasen.

Dann tauchte sie auf.

Geschrei drang schwach aus der Bucht draußen herein. Die Luft, die in der Welt der Telchinen so rein gewesen war, roch stark nach Weihrauch, verfaulendem Fisch und Abwasser. Menschliche Geräusche, menschliche Gerüche.

Aura paddelte erleichtert auf der Stelle, versuchte zu sehen, wo das Geschenk geblieben war und ob Telchinen mit ihr die Grenze überquert hatten. Die Grotte war ziemlich dunkel an dieser Stelle. »Vater?«, flüsterte sie, unsicher geworden, ob überhaupt jemand in dem Boot war. Sie spähte in die Tiefe zu ihren Füßen, sah aber nichts als Schatten.

Als sie noch zögerte, kam pfeifend etwas aus dem Boot geflogen und ein Netz fiel ihr über den Kopf. Ehe sie sich befreien konnte, waren die beschwerten Enden unter ihren Beinen und zogen sich zu. Sie wurde unter Wasser gedrückt, erwischte eine Lunge voll Wasser gemischt mit Luft, wechselte zu Wasseratmung, dann wieder zu Luftatmung. Sie rang nach Luft und kämpfte mit wachsender Panik, als sie zu dem Boot gezogen wurde wie ein gefangener Fisch.

Wasser spuckend und von Schnüren umwickelt kam sie wieder hoch und sah drei vermummte Gestalten, die sich über sie beugten. Menschliche Hände zogen sie aus dem Wasser und warfen sie in das Boot, immer noch in dem Netz gefangen. Aura wehrte sich verzweifelt, als einer der Männer sie auf den Bauch drehte und sich auf sie setzte. Stricke schnitten ihr plötzlich in die Handgelenke und die Knöchel, ein Tuch legte sich über ihre Augen und nahm ein paar Haarsträhnen mit, sodass es ziepte, als es hinter ihrem Kopf verknotet wurde. Dann folgte eine Kapuze, die ihr so um den Hals gebunden wurde, dass sie kaum Luft bekam. Sie hörte das Klatschen von Rudern und spürte, dass sich das Boot bewegte.

Langsam kam sie wieder richtig zu sich. Der Lärm draußen ... er klang wie ein Kampf. Sie schrie, so laut sie konnte, obwohl sie wusste, dass der Schrei von der Kapuze erstickt wurde, und stemmte sich gegen ihre Fesseln.

»Lass das!« Ein Stock schlug ihr auf die Waden und sie erstarrte, als eine Stimme, die ihr ein Albtraum war, sagte: »Ich kenne alle deine Tricks, Aura von Alimia. Jetzt habe ich dich, und ich habe auch deinen Vater, den Verräter. Helios hat euch beide zur Bestrafung in meine Hände gegeben. Du entkommst mir nicht noch einmal.«

KAPITEL 14

DIE STRAFE

Der Oberpriester hatte auch ihren Vater gefangen. Das raubte Aura ihre restliche Kraft und sie lag zitternd auf dem Boden des Bootes, als es sie aus der Grotte hinaustrug. Wegen der Kapuze und der Augenbinde konnte sie nicht sehen, was vor sich ging, aber wenn der Oberpriester von ihrer Verabredung erfahren hatte, konnte es nichts Gutes sein.

Sie ruderten durch einen Wirrwarr von Rufen und spritzendem Wasser. Aura schrie noch einmal, aber Oberpriester Xenophon kicherte vor sich hin und stieß sie mit seinem Stock. »Mach dir keine Hoffnungen, Aura von Alimia! Diesmal wird dich niemand retten. Der ägyptische König war keineswegs erbaut davon, dass deine Nachtfalter-Freunde sein Schiff und sein ganzes Gold gestohlen haben. Er hat darauf bestanden, dass Ratsherr Iamus sie einkreist und bestraft. Es war ein Fehler von ihnen hierherzukommen.«

Die Rufe verhallten hinter ihnen. Eine plötzliche Kühle ließ Aura vermuten, dass sie in den Schatten eines Felsens kamen. Sie spürte, wie das Boot gegen

Stein stieß. Die Männer wickelten sie aus dem Netz und durchsuchten sie sorgfältig. »Sie hat es nicht, Eure Heiligkeit«, erklärte einer. Er klang ein wenig erleichtert.

Der Oberpriester knurrte: »Ich habe sie nicht für so dumm gehalten, dass sie es mitbringt, aber ich wette, sie weiß, wo es ist. Also gut, bringt sie hinauf in den Tempel der Athene.«

Das Boot neigte sich zur Seite, als die Männer herauskletterten. Alles war still. Wahrscheinlich waren sie um den Felsvorsprung herumgerudert, dachte Aura. Sie überlegte, ob sie sich wehren sollte, als sie an Land gehoben wurde. Aber mit diesen Fesseln würde sie nicht schwimmen können, und sie hatte keine Ahnung, ob jemand in der Nähe war, der ihr helfen konnte. Xenophons Männer legten sie mit dem Gesicht nach unten über etwas Warmes und Haariges, das sich unter ihrem Gewicht bewegte, und ihre Arme und Beine wurden mit Stricken an dem Geschöpf festgebunden, das sich wie ein Esel anfühlte und auch so roch. Das Tier setzte sich mit einem Ruck in Bewegung und begann zu klettern.

Aura biss die Zähne zusammen, als eine plötzliche Welle von Übelkeit in ihr aufstieg. Die Kapuze klebte an ihrem Gesicht und ließ sie kaum atmen. Sie versuchte, ihre Lage auf dem Rücken des Tieres ein wenig zu bessern, aber die Stricke saßen zu fest. Wenigstens kann ich nicht runterfallen, dachte sie mit einem verrückten kleinen Kichern und merkte gleich darauf, dass sie rutschte. Hinter ihren geschlossenen Lidern blitzte eine Vision davon auf, wie sie von den Hufen des Esels zertrampelt wurde.

Bis der Pfad endlich eben wurde, hatte sie einen schrecklichen Krampf. Der Esel blieb stehen. Sie hörte Xenophon keuchend näher heranhumpeln.

»Bequem?«, fragte er und stocherte mit seinem Stock an ihren gefesselten Füßen herum. »Wie ich sehe, ist dein Knöchel geheilt. Das verdankt sich wohl dem Geschenk des Helios. Diesmal muss ich wohl zu etwas drastischeren Maßnahmen greifen, um dich zu bremsen.« Der Stock zwängte sich zwischen zwei ihrer Zehen mit den Schwimmhäuten. »Deine Füße passen nicht zu deinen Händen, nicht wahr? Du kannst nicht dein ganzes Leben lang halb Mensch, halb Telchinin bleiben, Aura von Alimia. Es kommt eine Zeit, da musst du wählen, auf welcher Seite du stehst. Also, was willst du sein? Mensch oder Telchinin, hm?«

Aura bekam eine Gänsehaut. Bis jetzt war sie einfach erleichtert gewesen, dass der Aufstieg offenbar zu Ende war. Sie fragte sich, ob ihr Vater ebenfalls im Tempel gefangen gehalten wurde und ob sie an denselben Ort gebracht würde wie er. Dann wären sie wenigstens zusammen. Aber etwas im Ton des alten Priesters ließ sie frösteln. In genau demselben Ton hatte er damals gesprochen, als er sie im Tempel des Helios auf den verletzten Knöchel geschlagen hatte. Sie wappnete sich gegen einen Schlag und hoffte, er würde nicht danebentreffen und den Esel erwischen. Wenn das Tier den Felsenpfad wieder hinunterraste, solange sie noch auf seinem Rücken festgebunden war, würde sie zu Tode kommen.

»Da wir dir deine Schwimmhäute nicht gut wieder an die Finger kleben können«, sagte der alte Priester im selben erschreckenden Ton, »müssen eben die

Schwimmhäute an den Zehen weg. Macht es schnell und bringt sie nach drinnen, ehe Iamus damit fertig ist, diese Nachtfalter zu schnappen.«

Kaltes Grausen durchfuhr Aura, als Xenophon schlurfend zurücktrat. Jemand wendete den Esel und eine Hand drückte auf ihre Knöchel. Ihr Magen rebellierte, als sie die erste kalte Berührung der Klinge fühlte, die die zarte Schwimmhaut zwischen ihrer großen Zehe und der zweiten Zehe wegschnitt.

Vor Schmerz erbrach sie sich in die Kapuze. Sie schrie, falls jemand in der Nähe war, der befehlen konnte, dass sie aufhörten. Aber die Klinge hörte nicht auf. Sie schnitt auch die anderen drei Schwimmhäute weg und wiederholte die Aktion dann am anderen Fuß. Noch ehe sie vorbei war, fiel Aura in Ohnmacht.

Als sie wieder zu sich kam, lag sie auf kaltem Marmor. Die Kapuze war weg. Aber die Binde saß immer noch fest vor ihren Augen, und ihre Hände waren auf dem Rücken gefesselt, sodass sie die Binde nicht abnehmen konnte. Zwischen ihren Zehen brannte es wie Feuer und Tropfen rannen langsam heraus, sodass sie einen Augenblick brauchte, bis sie merkte, dass der raue Atem, den sie hörte, nicht ihr eigener war.

»Vater …?«, wisperte sie in die Dunkelheit.

»Mein armer Liebling! Endlich bist du aufgewacht.« Sie hörte das Rasseln von Metall. »Hör zu, Aura! Die Stücke des Geschenkes, die ich von Alimia mitgebracht habe, sind hier bei uns. Sie könnten dir helfen. Aber ich kann nicht zu dir kommen. Es tut mir leid. Ich bin an die Wand gekettet. Du musst zu mir herkommen.«

Aura biss die Zähne zusammen. Mühsam kam sie auf die Knie. Sie versuchte, einen Fuß zu belasten, gab es aber wieder auf, als Schmerz wie ein Pfeil ihr Bein hinaufschoss. »Wo bist du?«, fragte sie mit zitternder Stimme, erschreckt von dem Gedanken, sie könnte für immer blind sein, wie ihre arme Mutter.

»Hier. Es ist nicht weit. Lass dir Zeit.«

Aber es war weit. Eine endlose Fläche aus kaltem, hartem Marmor lag zwischen ihnen. Sie überquerte sie auf den Knien rutschend und versuchte, ihre verletzten Zehen vom Boden wegzuhalten. Da sie nichts sah, verlor sie immer wieder das Gleichgewicht, fiel hin und tat sich an den Armen weh.

Sie biss die Zähne zusammen und war entschlossen, nicht zu weinen. »Wie hat er dich gefangen?«

Leonidus knurrte frustriert. »Seine Männer erwarteten mich auf Alimia. Milo war bei mir. Wir tauchten, um die Stücke zu holen, die ich unter Wasser versteckt hatte. Es dauerte ziemlich lange, weil du recht hattest und sie tatsächlich während des Erdbebens verstreut wurden. Als wir wieder auftauchten, warfen Xenophons Männer ein Netz über uns. Ich habe sie hingehalten, damit Milo entkommen konnte. Androkles fuhr mit dem zweiten Boot direkt in die Stadt. Hat er es geschafft, die Anhänger von den Statuen zu den Telchinen zurückzubringen?«

»Ich glaube nicht.« Aura berichtete von dem Kampf in der Bucht. »Der Oberpriester hat gesagt, die Soldaten würden die Nachtfalter einkreisen, weil sie das Schiff des ägyptischen Königs und sein Gold gestohlen haben.«

Leonidus seufzte und wieder rasselte seine Kette.

»Gib die Hoffnung nicht auf. Der junge Androkles ist einfallsreicher, als Xenophon ahnt. Aber wie hat der Oberpriester dich gefangen, mein Liebling? Ich dachte, du wärst bei den Geiseln im Unsichtbaren Dorf zurückgeblieben?«

»Wir sind dem Schiff nach Lindos gefolgt und Phaeton hat mir geholfen. Aber die anderen sitzen noch in der Welt der Telchinen fest. Ich weiß nicht, ob das Geschenk mit mir über die Grenze gekommen ist. Wenn nicht, wird die Ahne es dazu benutzen, das Schiff und die Telchinen in die Menschenwelt zu bringen, und wenn die Soldaten dann noch in der Bucht sind, gibt es einen neuen Krieg.«

Leonidus wurde still. »Glaubst du, du könntest mit Hilfe der Stücke, die ich gesammelt habe, Verbindung zu den Telchinen aufnehmen und sie davor warnen, ihre Seite der Grenze zu verlassen?«

»Ich weiß nicht. Ich habe über die Grenze hinweg Kontakt bekommen, als ich im Unsichtbaren Dorf bei den Telchinen war, aber ich traue dem Geschenk nicht. Manchmal tut es einfach nicht, was ich will.« Aura fiel zum fünften Mal hin und verlor den Kampf gegen die Tränen. »Es tut mir leid, Vater! Es ist alles meine Schuld. Mutter hat mich gewarnt, dass das Geschenk uns austricksen würde, aber ich habe nicht auf sie gehört. Es hat ihr etwas so Schreckliches angetan, dabei hat sie das Geschenk nur in die Menschenwelt gebracht, um dir zu helfen. Wie kann etwas, das man aus Liebe tut, derart schiefgehen?« Sie konnte nicht einmal ordentlich weinen mit ihrer Augenbinde.

Leonidus gab einen erstickten Laut von sich. »Aura, bleib, wo du bist. Versuche nicht mehr weiterzukommen. Ich sehe jetzt, was er mit deinen Füßen gemacht hat. Es ist schlimmer, als ich gedacht hatte. Wenn ich freikomme, bringe ich ihn um.« Seine Stimme war hart und gepresst.

Aura kämpfte sich wieder auf die Knie. »Es ist nichts anderes als das, was ich selbst mit meinen Fingern gemacht habe«, sagte sie, erschreckt von seinem Hass. »Du erinnerst dich doch noch daran? Weißt du noch, wie ich hinterher ohnmächtig wurde und du mich zu Mutter zurücktragen musstest? Meine Finger sind geheilt und meine Zehen werden auch heilen. Jetzt bin ich ein richtiger Mensch!«

Sie rutschte noch ein wenig weiter über den Marmor. Jetzt spürte sie die Stücke des Geschenkes. Vor sich, nah. Sie biss sich auf die Lippen, als ihre verletzten Zehen wieder auf den Boden aufschlugen.

»Oberpriester Xenophon hat kein Recht, uns so zu behandeln«, sagte Leonidus. »Wenn wir hier herauskommen, werde ich eine offizielle Beschwerde einreichen. Der Rat wird Xenophon die Priesterwürde nehmen und ihn aus Rhodos verbannen. Dann sorge ich dafür, dass er für das büßt, was er dir angetan hat. Ein bisschen weiter links, Liebling. Tapferes Mädchen. Du bist beinahe da.«

Auras Ellbogen streifte etwas Hartes. Sie drehte sich mit kleinen Rucken um und ertastete Holz, auf dem zahlreiche Seepocken saßen. Ihr Mut sank etwas. »Sie sind in einer Truhe!«

»Ja. Ich musste sie in etwas hineintun. Aber du solltest den Deckel heben können. Er ist nicht allzu schwer und auch nicht verschlossen.«

Aber angesichts ihrer gefesselten Hände und ihrer

blutenden Zehen, die sie nicht zur Wahrung des Gleichgewichts einsetzen konnte, war das leichter gesagt als getan. Als ihre Finger abrutschten, stieß sich Aura die Schulter an einer Ecke der Truhe. Sie kämpfte gegen die Tränen, richtete sich mühsam wieder auf, und nach mehreren schmerzhaften Versuchen konnte sie den Deckel weit genug aufstemmen, um die Ellbogen in den Spalt zu zwängen. Sie tastete blindlings hinter sich herum und schließlich berührte sie einen der Anhänger, die ihr Vater gesammelt hatte.

»Kann jemand mich hören?«, flüsterte sie und stellte sich dabei ein Bild von der Grotte vor.

Das Stück, das sie berührte, wurde warm. Regenbogen leuchteten in ihrem Kopf auf und der Schmerz in ihren Zehen flaute ein wenig ab. Aura merkte es kaum, so sehr war sie damit beschäftigt, die Vision zu verstehen, die sich ihr bruchstückhaft zeigte.

Geisterhaftes, blaues Licht, das von funkelndem Gestein abstrahlte … ein Unterwassertunnel, ein Stück weit erleuchtet, der Rest im Dunkeln … eine Telchinin, die Aura die Hände entgegenstreckte, einen Ausdruck von Schrecken und Verwunderung in ihrem Gesicht ohne Augen …

»Mutter!«, rief Aura und ließ fast den Anhänger fallen, den sie festhielt. »Wo bist du? In welcher Welt bist du?«

Aber da kam ein blauer Blitz, als hätte jemand sie auf die Augen geschlagen, und die Vision wechselte.

Telchinen und Menschen und spritzendes Wasser in der Grotte, die von dem Geschenk blau beleuchtet war … Regenbogen, so hell, dass sie keine Gesichter erkennen konnte, nur Umrisse … ein Gewirr von erregten Stimmen … dann wieder ein blauer Blitz und unverkennbar Elektras Stimme, die schrie: »Wo ist Aura? Hat jemand gesehen, was mit Aura passiert ist …?«

»Elektra!«, rief Aura. »Kannst du mich hören? Du musst der Ahne sagen, sie solle nicht gegen die Menschen kämpfen! Ich glaube, Ratsherr Iamus ist auf unserer Seite. Wir sind im Athene-Tempel in Lindos gefangen. Wenn du mich hören kannst, hilf uns bitte …« Der Deckel rutschte von ihren Ellbogen und fiel auf ihre Handgelenke herunter, sodass sie den Anhänger, den sie festhielt, mit einem Schmerzensschrei fallen ließ.

»Macht nichts, Liebling«, sagte Leonidus. »Es war einen Versuch wert.«

Aura kämpfte gegen eine Woge von Schwindel. Offensichtlich war ihm nicht klar, dass ein Kontakt entstanden war. »Hör zu, Vater! Ich habe Mutter in einem Unterwassertunnel gesehen. Das Geschenk ist noch immer in der Grotte, wo ich es fallen ließ, und ich denke, es hat Elektra über die Grenze in unsere Welt geschickt, als ich eben mit ihm in Verbindung war. Aber ich konnte nicht sehen, ob Timosthenes und die anderen Nachtfalter ebenfalls hinübergekommen sind und was mit den Telchinen geschehen ist. Ich muss einen dieser Anhänger aus der Truhe herauskriegen und noch einmal versuchen, Verbindung zu ihnen aufzunehmen. Vielleicht kann ich ihn in meiner Hand verstecken, damit ich meinen Augenzauber benutzen kann, wenn der Oberpriester mir die Binde abnimmt …«

»Wohl kaum, Aura von Alimia«, sagte die unheimliche Stimme des Oberpriesters quer durch den Raum. »Immerhin weiß ich jetzt alles, was ich wissen wollte. Nun sei ein braves Mädchen und geh von der Truhe weg, ehe ich dich mit Gewalt wegholen muss, ja?«

Aura erstarrte, die Finger unter dem Deckel eingeklemmt, und bekam eine Gänsehaut.

Leonidus' Kette klirrte. »Sohn eines Maultiers!«, rief er. »Wenn Ihr meine Tochter auch nur anrührt, werde ich ...« Etwas pfiff durch die Luft, dann folgte ein dumpfer Schlag. Leonidus schrie laut auf und fiel mit rasselnder Kette hin.

»Darf ich dich daran erinnern«, sagte Xenophon, »dass du hier der Verräter bist? Die heiligen Anhänger der Götter zu stehlen und sie durch gewöhnliche blaue Schwämme zu ersetzen! Hast du wirklich gedacht, ich würde den Unterschied nicht bemerken? Ich bin völlig im Recht. Du wirst feststellen, dass der Rat keinerlei Macht über die Angelegenheiten des Tempels hat, wenn jemand die Götter verraten hat.«

Aura sprang auf die Füße und taumelte zwei Schritte weit auf die Stimme des Oberpriesters zu. »Lasst ihn in Ruhe!«, schrie sie. »Er ist kein Verräter. Ihr seid ein Verräter! Ihr habt den Telchinen das Geschenk Poseidons gestohlen und es benutzt, um Euch als Gott auszugeben! Es ist Eure Schuld, dass das Geschenk versucht hat, Lindia dazu zu bringen, ihren Augenzauber gegen meinen Vater zu wenden. Wenn Ihr meinen Großvater nicht Eurem Koloss geopfert hättet, könnte meine Mutter vielleicht noch sehen!«

Der Oberpriester humpelte über den Marmorboden zu ihr hin und berührte ihre verstümmelten Zehen mit seinem Stock, sodass sie zusammenzuckte.

»Schon wieder auf den Füßen?«, fragte er. »Du bist zäher, als ich gedacht habe. Oder hat das Geschenk sie geheilt, als du gerade damit Verbindung aufgenommen hast? Danke für die Informationen, übrigens. Ich hatte gehofft, du würdest mehr herausfinden, aber egal. Wenn von diesen Telchinen welche über die Grenze kommen, werden die Soldaten sie in Empfang nehmen. Deine diebischen Nachtfalter sind anscheinend wieder verschwunden, zweifellos unterwegs, um das ägyptische Gold zu verstecken, das sie gestohlen haben, aber wir werden sie bald aufspüren und sie dazu bringen, uns zu sagen, wo es ist. Ratsherr Iamus ist derzeit damit beschäftigt, den ägyptischen König hinsichtlich der Macht unserer Götter zu beruhigen. Sobald ich mithilfe der Anhänger der dummen Orakelpriesterin, die im Heiligtum der Athene ihren Rauch atmet, mitgeteilt habe, was sie sagen soll, habe ich die Erlaubnis des Rates, die Helios-Statue wieder aufzubauen – und wenn wir die Nachtfalter erwischen, habe ich das ägyptische Gold, mit dem ich das finanzieren kann. Alles, was ich jetzt noch brauche, ist das Geschenk des Helios, damit ich es wieder dort hintun kann, wo es hingehört.« Der Stock kroch über Auras großen Zeh. »Du denkst also, das Geschenk ist in der Grotte? Und du kannst offensichtlich die Stücke, die dein Vater freundlicherweise von Alimia geholt hat, benutzen, um es aufzuspüren. Gut! Dann kannst du ihm vielleicht das Leben retten, indem du ein bisschen besser mit mir zusammenarbeitest als letztes Mal. Weißt du noch, was ich mit deinem Großvater

Chares gemacht habe? Helios hat Hunger auf ein weiteres Opfer, und das Herz deines Vaters eignet sich bestens, um ihn zu stillen.«

Aura wurden die Knie weich, als ihr klar wurde, was das bedeutete. Der Stock, der langsam über ihre pochenden Zehen kroch, verursachte ihr Übelkeit. Sie sank zu Boden, dem Oberpriester vor die Füße, und er lachte in sich hinein.

»Also doch nicht so hart im Nehmen. Was ist los? Hast du gedacht, ich würde dich auf deine armen Zehen schlagen?«

»Lass sie in Ruhe!«, rief Leonidus und seine Ketten klirrten. »Wenn Ihr ihr noch ein einziges Mal wehtut, reiße ich Euch das Herz heraus und stecke es in Euren Koloss! Ich schwöre es!«

Der Oberpriester lachte. »Oh, ich denke, das Telchinen-Gör hat seine Lektion gelernt. Du hast Angst vor mir, nicht wahr, Aura von Alimia?«

Sie versuchte, ihr Zittern zu kontrollieren. »Nein.«

Er grunzte ärgerlich. »Du machst mir nichts vor. Du bist jetzt ein braves Mädchen und tust genau das, was ich dir sage. Später, wenn die Orakelpriesterin der Athene den Spruch ihrer Göttin weitergegeben hat, um den ägyptischen König zufriedenzustellen, bringe ich dich hinunter zur Grotte und lasse dich tauchen. Du wirst das Geschenk des Helios finden und es mir bringen, denn wenn du es nicht findest, wird dein Vater sterben. Als kleine Vorsichtsmaßnahme werde ich ihm das Herz herausnehmen, ehe du tauchst. Wie du weißt, ist das Geschenk das Einzige, das ihm das Leben wiedergeben kann. Das dürfte sicherstellen, dass du nicht trödelst. Du hast die Lungen einer

Schwammtaucherin, also solltest du das Geschenk finden können, ehe sein Körper verwest. Ach ja, fast hätte ich es vergessen ... falls du zufällig irgendwelchen Telchinen begegnen solltest, solange du dort unten bist, musst du dich vielleicht entscheiden, auf welche Seite du dich schlägst. Aber ich denke, du wirst die richtige Wahl treffen, wenn du es recht überlegst, nicht wahr?«

»Ihr seid verrückt«, flüsterte Leonidus.

Wieder kicherte der Oberpriester. »Die Ärzte sagen, das kann passieren, wenn einem ein Stein auf den Kopf fällt und man einen Schädelbruch erleidet«, sagte er. »Aber in meinem Fall hat es die Dinge nur klarer gemacht. Helios hat zu mir gesprochen. Ich bin sein Erwählter. Wenn du nicht dasselbe Schicksal erleiden willst wie dein Vater Chares, dann rate ich dir, alles in deiner Macht Stehende zu tun, damit deine Tochter mir hilft, das Geschenk des Helios wiederzubekommen.«

Aura schluckte. »Ich werde einen Anhänger aus der Truhe brauchen. Sonst kann ich das Geschenk nicht finden.«

»Dafür wird gesorgt, wenn es so weit ist. Ich muss die Anhänger für die Frage der Orakelpriesterin vorbereiten. Lästig, ich weiß, aber eine notwendige Täuschung, da der ägyptische König hier ist. Fürs Erste treffen wir eine weitere Vorsichtsmaßnahme ...« Der Oberpriester humpelte davon, und als er zurückkam, zog er etwas Rasselndes über den Marmor. Aura hörte ihren Vater protestieren und das Herz wurde ihr schwer, als sie eine Fußfessel um ihren Knöchel zuschnappen fühlte.

»Wir können schließlich nicht erlauben, dass du dich am Eigentum der Götter vergreifst, nicht wahr?«, sagte der Oberpriester und tätschelte ihr das Bein. »Erspare dir unnötige Schmerzen und verzichte auf einen fruchtlosen Versuch. Die Kette ist zu kurz. Ich habe es überprüft.«

Als die Tür zuschlug, sprach lange Zeit keiner von beiden. Beobachtete der Oberpriester sie noch immer durch ein verborgenes Guckloch? Lauschte er, wie vorhin? Dieser Gedanke ließ Aura beinahe ebenso frösteln wie das, was er ihrem Vater angedroht hatte.

Schließlich seufzte Leonidus. »Ich glaube, er ist weg, Aura. Wir haben ihm sowieso schon alles gesagt, was er wissen wollte. Ich dachte mir schon, dass er einen Grund dafür hatte, dich hier mit mir zusammen einzusperren. Ich dachte, er wolle mir zeigen, was er mit dir gemacht hat, und mich dadurch schwächen … Ich hatte keine Ahnung, wie verrückt er ist. Es tut mir leid. Es war dumm von mir, mich erwischen zu lassen.«

»Ich werde nicht zulassen, dass er dir das Herz herausnimmt!«, sagte sie grimmig. »Er muss mir die Augenbinde abnehmen, wenn ich tauche. Und er muss mir ein Stück des Geschenkes geben, also werde ich meinen Augenzauber gegen ihn einsetzen können.«

»Wir werden schon vorher hier rauskommen«, sagte Leonidus, so zuversichtlich er konnte. »Vielleicht musst du ein bisschen auf deinen schmerzenden Füßen rennen, mein tapferer Liebling. Aber wir werden diese Ketten loswerden, das verspreche ich dir. Und dann fliehen wir.«

Aura biss sich auf die Lippen. Sie hatte versucht, die Augenbinde an der hochgezogenen Schulter abzustreifen, aber sie saß zu fest. Wie sie Fußfesseln aus Metall ohne Hilfe lösen konnten, war ihr völlig unklar. Ihr kamen all die Dinge in den Sinn, die sie ihrem Vater sagen wollte, all die kleinen Geständnisse und Fragen, die sie in den langen Jahren seiner Abwesenheit in ihrem Herzen bewahrt hatte. Aber der Gedanke, dass der Oberpriester vielleicht noch immer dort draußen war und horchte, lähmte ihr die Zunge.

Sie lehnte den Kopf an die Wand. »Aber er irrt sich, wenn er meint, die Nachtfalter hätten das ägyptische Gold – die Telchinen haben die Schatztruhen des Königs noch auf dem Schiff. Warum ist es so still? Glaubst du, der Rat hat den ägyptischen König womöglich schon zur Grotte hinuntergeführt, damit er das alte Orakel hört? Vielleicht hat Elektra den Ratsherrn Iamus dazu überreden können, hinunterzugehen. Aber wenn wir deine Stücke aus Alimia hier oben haben und Androkles die Stücke von den Statuen in Rhodos-Stadt noch nicht gebracht hat, ist das Geschenk vielleicht sowieso zu schwach, um über die Grenze hinweg zu kommunizieren, also ist alles umsonst … ach, ich wollte, ich wüsste, was die Telchinen im Schilde führen!«

Leonidus brummte: »Wollen wir hoffen, dass sie warten. Ich vermute, die Priesterin und der Rat sind in einem anderen Teil des Tempels. Ich denke, wir sind in einer Art unterirdischem Lagerraum. Aber er ist leer. Ich könnte etwas zu trinken brauchen.«

»Ich auch«, sagte Aura, die nach der langen Zeit,

die sie ohnmächtig gewesen war, einen trockenen Mund hatte.

»Vielleicht beschließen die Männer des Oberpriesters, uns etwas zu essen zu geben, und wir können entkommen, wenn sie das Essen bringen?«

»Ich glaube nicht, dass sie zweimal auf denselben Trick hereinfallen.« Aura erzählte schweren Herzens, wie sie und ihre Mutter aus dem Tempel des Helios geflohen waren. »Wenn sie uns tatsächlich etwas bringen, passen sie gut auf.«

»Deine arme Mutter ... Ich wollte, ich hätte eine Chance gehabt, mich von ihr zu verabschieden. Ich habe euch so viel allein gelassen, als ich unterwegs war und nach Stücken des Geschenkes gesucht habe. Das hatte sie nicht verdient und du auch nicht.«

»Wir werden sie finden«, sagte Aura. »Sobald wir hier herauskommen, tauche ich in die Unterwassertunnel und suche sie. Ich glaube, sie ist immer noch in der Menschenwelt. Sie hat zu viel Angst vor dem Geschenk, als dass sie es benutzen würde, um über die Grenze zu kommen.«

Jetzt seufzte Leonidus. »Sie schafft es vielleicht, wenn die Telchinen ihr helfen. Ich glaube nicht, dass sie dich verlassen hätte, solange du klein warst. Aber wenn die Ahne Rhodos ihr verziehen hat, geht sie, glaube ich, schon nach Hause.«

Aura wollte einwenden, das sei nicht wahr. Aber sie erinnerte sich, dass ihre Mutter gesagt hatte, sie sei jetzt erwachsen. Frustriert zog sie an der Kette. Ihre Zehen fühlten sich ein wenig besser an ... vielleicht. Aber das half ihnen jetzt auch nicht.

»Wenn ich eine richtige Telchinin wäre, könnte ich

uns ruckzuck befreien«, sagte sie. »Dann bräuchte ich die Stücke des Geschenkes nicht zu berühren. Ich hätte einfach eine Scheibe davon verspeisen und die Kraft in mir halten können. Dann hätte ich mit jemand Verbindung aufnehmen und ihn bitten können, dass er uns hilft ... bloß sind keine Anhänger mehr in den Tempeln und die Priester und Priesterinnen denken alle, die Botschaften kämen von den Göttern ...« Wieder musste sie eine Träne wegblinzeln und versuchte, ihre wunden Handgelenke zu lockern. »Ach, es ist hoffnungslos, nicht wahr?«

Eine Pause entstand.

»Vielleicht nicht«, flüsterte Leonidus.

Auras Haut prickelte. »Warum?«, fragte sie mit klopfendem Herzen.

»Weil die Truhe leuchtet. Es kommt blaues Licht unter dem Deckel heraus.«

Hoffnung keimte in ihr auf, als sie sich erinnerte, wie die Ahne sich über sie gebeugt hatte, als sie glaubte, sie schliefe, und sagte: Du kannst viel besser mit dem Geschenk umgehen, als wir dachten. »Dann hat mich Elektra wohl doch gehört!« Aber der nächste Gedanke, der ihr kam, ließ sie frösteln. »Oder die Telchinen sind in die Menschenwelt durchgekommen, um mithilfe des Geschenkes zu kämpfen ...«

»Oder Xenophon hat Androkles gefangen und bringt ihn vielleicht mit den Anhängern, die er in Rhodos-Stadt gestohlen hat, hierher.«

Sie hielten den Atem an, als sie draußen Schritte hörten und jemand an der Tür vorbeiging. Nur zwei Füße. Kein pochender Stock. Kein Humpeln, wie beim Oberpriester.

»Hilfe!«, rief Leonidus. »Wir sind hier drinnen! Hilfe!«

Die Schritte stockten, als lausche jemand.

»Hilfe!«, schrie Aura. »Bitte!«

Die Schritte gingen zögernd weiter, verlangsamten sich, hörten auf und kehrten um. Der Riegel an der Tür ging quietschend auf und frische Luft strömte in ihr Gefängnis. Jemand sog scharf die Luft ein.

»Aura von Alimia!«, rief die Stimme einer Frau. »Wie kommst du denn hier herein, Liebes?«

Auras ganzer Körper erschlaffte vor Erleichterung. Es war die Priesterin Themis von Chalki.

KAPITEL 15

DER GERECHTE LOHN

Zuerst konnte Aura sich nicht vorstellen, wie die Priesterin Themis ausgerechnet hierher in die Akropolis kam. Dann erinnerte sie sich, dass die Telchinen ihr durch das Geschenk eine Botschaft geschickt hatten, in der sie sie baten, den Anhänger der Athene Chalkia nach Lindos zu bringen.

»Wer hat dich denn so übel gefesselt?«, rief die Priesterin aus. »Und was hast du mit deinen armen Zehen gemacht? Komm, ich nehme dir die Augenbinde ab, ja …?«

Aura holte Luft, um der Priesterin alles zu sagen. Aber noch ehe sie ihre Gedanken ordnen konnte, erscholl ein Ruf auf dem Korridor und das gefürchtete Klopfen des Stockes kam durch die Tür. Der Oberpriester fauchte: »Lasst das, Themis!«, und Aura wurde das Herz wieder schwer, als die Finger, die begonnen hatten, den Knoten an ihrem Hinterkopf zu lösen, sich zurückzogen.

»Aber was hat das Mädchen hier drinnen zu suchen, angekettet wie eine Sklavin?« Die Priesterin

Themis klang verwirrt. »Ich hatte sie mit dem Rats-herrn Iamus nach Rhodos hinübergeschickt, damit man sich ordentlich um sie kümmert. Und wer ist die-ser Mann?«

»Dieser Mann ist ein gefährlicher Verbrecher«, sagte der Oberpriester. »Und das Mädchen hilft mir bei einer wichtigen Angelegenheit des Tempels. Es ist bedauerlich, dass Ihr sie so sehen müsst, aber die Fesseln und die Augenbinde sind zu ihrem eigenen Besten da. Sie hat immer wieder versucht, sich zu ver-stümmeln, wie Ihr sehen könnt. Seht Euch ihre Füße an! Sie ist nicht richtig im Kopf.«

»Das ist eine Lüge«, sagte Aura verzweifelt. »Er hat seinen Männern befohlen, mir die Schwimmhäute zwischen den Zehen wegzuschneiden! Sind sie hier? Fragt sie!«

Xenophon seufzte. »Priesterin Themis weiß darü-ber Bescheid, dass du dir selbst die Schwimmhäute zwischen den Fingern herausgeschnitten hast, als du noch jünger warst, Aura. Und jetzt hast du dir eben die an den Füßen auch weggeschnitten. Es nützt nichts, dass du es leugnest. Ich bringe dich bald hinunter ans Meer, dann kannst du deine armen Zehen baden. Salz ist gut für Wunden.«

»Hört nicht auf ihn!«, schrie Aura.

»Diese Schnittwunden sind nicht harmlos«, sagte Themis. »Das Mädchen braucht einen Arzt. Sie dürfte nicht hier mit einem Verbrecher gefangen gehalten werden.«

»Das ist nur vorübergehend«, sagte der Priester un-geduldig. »Sie sind beide aus guten Gründen angeket-tet. Ich nehme an, Ihr seid nach Lindos gekommen, um dabei zu sein, wenn das Orakel spricht. Wächter! Begleitet die Priesterin nach oben!«

Leonidus sagte in ruhigem Ton: »Priesterin, ich bin Auras Vater, Sohn des Chares von Lindos. Bitte geht zum Ratsherrn Iamus und sagt ihm, dass wir hier sind. Sagt ihm auch, Oberpriester Xenophon werde versuchen, den Rat zu täuschen, und die Anhänger der Götter benutzen, um ihnen seine eigene Botschaft zu schicken, wobei er so tut, als sei er das Orakel.«

Themis zögerte: »Spricht dieser Mann die Wahrheit, Eure Heiligkeit?«

Der Oberpriester lachte. »Schenkt Ihr dem Wort eines Verbrechers eher Glauben als dem des Auserwählten des Helios?«

»Ich glaube dem Wort meiner Göttin«, sagte Themis, und Aura wurde starr, als Regenbogen hinter ihren Augenlidern aufflammten.

Leonidus flüsterte: »Sie hat einen Anhänger, Aura! Er leuchtet, wie die in der Truhe.«

Der Oberpriester zischte durch die Zähne: »Wer hat Euch die Erlaubnis gegeben, den Anhänger von der Statue der Athene Chalkia zu entfernen?«

»Die Göttin selbst«, sagte die Priesterin Themis. »Ich fand die Aufforderung dazu ziemlich merkwürdig, aber jetzt verstehe ich, warum sie mir befahl, ihn nach Lindos zu bringen. Er hat mich an diesen Ort geführt. Offensichtlich hat mich Athene hierhergeschickt, damit ich diesem armen Mädchen und seinem Vater helfe.«

Einen Augenblick herrschte Stille.

»Ah ja, natürlich …« Der Oberpriester hüstelte. »Die Göttin hat Euch hergeschickt, Themis, aber nicht, um die Gefangenen zu retten. Sie will, dass Ihr mir helft.«

»Euch helfen, Eure Heiligkeit?« Wieder klang die Priesterin verwirrt. »Wobei?«

Der Oberpriester lachte vor sich hin. »In eben-diesem Moment befragen der Rat von Rhodos und König Ptolemaios von Ägypten das Orakel. Ich hatte gehofft, die Sache allein durchführen zu können, aber seit der Sonnengott umgestürzt ist, hatte ich einige Schwierigkeiten, mit den Göttern zu sprechen. Dieses dumme Mädchen hat den Anhänger des Helios von Rhodos gestohlen, und ihr Vater hat die Drähte von den Anhängern in dieser Truhe entfernt, deshalb funktionieren sie nicht mehr so, wie sie sollten.« Aura hörte, wie der Deckel der Truhe aufgeklappt wurde, und die Regenbogen in ihrem Kopf wurden heller.

»Die Stücke des Geschenkes leuchten noch immer, Aura«, flüsterte Leonidus.

»Aber seit Eurer Ankunft sind sie offenbar aufge-wacht«, fuhr Xenophon fort. »Kommt her und bringt Euren Anhänger. In Kürze werden wir die Orakel-priesterin der Athene Lindia fragen hören, ob der Rat die Statue des Helios wieder aufstellen soll. Wenn sie ihre Frage stellt, will ich, dass Ihr mit Ja antwortet.«

Die Priesterin Themis sog scharf die Luft ein und hielt den Atem an. »Ich soll Euch helfen, beim Orakel zu betrügen?«

»Tut einfach, was ich Euch sage, Themis! Uns läuft die Zeit davon! Später werde ich Euch alles ausführ-lich erklären. Die Göttin Athene hat Euch zu mir geschickt, erinnert Ihr Euch? Helios muss ihr gesagt haben, sie solle Euch zu mir schicken.«

»Sie hat nichts davon gesagt, dass ich mich beim Orakelspruch einmischen soll.« Die alte Priesterin war unbeirrbar. »Ich denke, ich werde mich lieber erst bei ihr vergewissern.«

Der Stock des Priesters knallte gegen die Wand. »Sie wird Euch nicht antworten, dummes Weibsbild! Sie hat zu tun. Die Orakelpriesterin spricht schon zu ihr, um das Orakel für den Rat zu bekommen!«

»Dann warte ich, bis sie fertig ist.«

Oberpriester Xenophon knurrte frustriert und Leonidus lachte.

»Was ist los, Xenophon? Bekommen Eure Götter in diesen Tagen nicht die Botschaften, die Ihr ihnen geben wollt? Das könnte nicht zufällig etwas damit zu tun haben, dass die Telchinen die Drähte entfernt haben, die Ihr so sorgfältig durch ihr Geschenk gezogen hattet, oder? Was glaubt Ihr, was sie mit Euch machen werden, wenn sie Euch fangen? Falls sie hier in der Menschenwelt sind, schätze ich, dass Ihr ganz schön in der Patsche sitzt.«

»Schweig, Verräter!« Xenophons Stock pfiff wieder durch die Luft. Leonidus stieß einen Schmerzenslaut aus, und Auras Herz zog sich vor Mitleid zusammen.

»Eure Heiligkeit!«, rief die Priesterin Themis aus, eine Spur von Furcht in der Stimme. »Ich werde nicht einfach dastehen und ruhig mit ansehen, dass Ihr die Gefangenen so behandelt! Selbst wenn dieser Mann ein Verbrecher ist, verdient er einen gerechten Prozess, ehe er bestraft wird. Und ich verlange, dass ich mich um eine anständige Versorgung für das Mädchen kümmern darf.«

»Nachdem Ihr mir mit dem Orakel geholfen habt!«,

fauchte Xenophon. Es entstand ein Geräusch, als würde die Priesterin zur Tür rennen. Xenophon holte Luft und fuhr in einem vernünftigeren Ton fort: »Kommt schon, Themis. Ihr wisst, dass wir den Helios-Koloss irgendwann wieder aufstellen müssen. Alle auf Rhodos wollen, dass ihr Sonnengott wieder hoch in den Himmel ragt. Er ist das Symbol für unseren Stolz und unsere Unabhängigkeit. Wir können ihn nicht einfach auf der Erde liegen und zerfallen lassen.«

»Wenn wir ihn wieder aufstellen sollen, wird das Orakel es uns sagen«, sagte die Priesterin im Brustton der Überzeugung.

»Und warum, glaubt Ihr, hat Euch die Göttin Athene mit ihrem Anhänger hierhergeschickt, wenn nicht, um sicherzustellen, dass das Orakel die richtige Antwort gibt?«

»Ich … sie hat gesagt, ich solle den Anhänger nach Lindos bringen, und zwar an den Ort, wo das Orakel spricht …« Themis zögerte.

»Genau! Sie hat gemeint: hierher.«

»Aber sie könnte auch die Grotte gemeint haben, in der früher das alte Orakel gesprochen hat. Ich war auf dem Weg dort hinunter, als ich ihre zweite Botschaft bekam, in der sie mir sagte, ich solle den Gefangenen helfen.«

Der Oberpriester seufzte. »Sie hat Euch hergeschickt, damit Ihr mir helfen könnt, Themis. Als Oberpriester des Helios will ich nur das Beste für Rhodos. Telchinen sind gefährliche Meeresdämonen, die weder Helios noch Athene anerkennen. Das wisst Ihr doch, oder?«

»Ich nehme an …« Themis zögerte, und Aura hörte, dass sie sich von der Tür entfernte.

»Priesterin Themis!«, rief sie, voller Angst, sie könnte nachgegeben haben. »Im Tempel von Chalki hat nicht die Göttin zu Euch gesprochen. Es war der Oberpriester Xenophon, der so getan hat, als sei er Athene! Er hat die Anhänger der Götter dazu benutzt, Botschaften zu allen Tempeln zu schicken – sie sind Stücke eines Geschöpfes aus dem Meer, das Poseidon den Telchinen vor Jahrhunderten geschenkt hat, damit sie sich gegen die Menschen verteidigen konnten, die sie jagten. Aber weil ich zur Hälfte Telchinin bin, kann ich das Geschenk ebenfalls dazu benutzen, Botschaften zu schicken und meinen bösen Blick zu wecken. Deshalb hat er mir die Augen zugebunden. Wenn Ihr mir nicht glaubt, fragt Eure Novizin, Elektra! Sie ist irgendwo hier in Lindos. Sie und ich haben die Anhänger in den Allerheiligsten benutzt, um miteinander zu sprechen, in der Nacht, in der ich im Tempel des Helios gefangen war. Deshalb hat sie Geld aus Eurem Tempelschatz gestohlen und ist nach Rhodos gegangen. Ich habe ihr gesagt, dass sie das tun soll, nur hat sie damals gedacht, ich sei die Göttin Athene, deshalb war es nicht ihre Schuld und …«

»Erfinden Kinder nicht die allererstaunlichsten Geschichten?«, sagte Oberpriester Xenophon mit einem kleinen Lachen. »Kümmert Euch nicht um das Mädchen, Themis, und lasst uns weitermachen. Wir haben schon genug Zeit verschwendet.«

Aber die Priesterin Themis lachte nicht. »Elektra«, sagte sie. »Ich habe mich schon gefragt, warum sie mitten in der Nacht einfach weggelaufen ist. Es hat so gar nicht zu ihr gepasst. Und ich dachte doch, die letzte Botschaft hätte nicht danach geklungen, als hätte die Göttin gesprochen.« Sie hielt inne. »Also ... deshalb ist einer dieser Anhänger im Allerheiligsten der Athene Lindia, nicht wahr? Damit Ihr behaupten könnt, Ihr sprächet mit der Stimme der Göttin, und das Orakel kontrollieren könnt?«

»Ja!«, sagten Aura und Leonidus gleichzeitig.

Themis sagte gepresst: »Und immer, wenn ich die Statue der Göttin auf Chalki zu mir sprechen hörte, wart Ihr es, Eure Heiligkeit? Die ganze Zeit?«

Aura dachte, der Oberpriester würde weiter leugnen. Aber er seufzte und sagte: »Was hattet Ihr denn gedacht, Themis? Dass Ihr plötzlich die Gabe erlangt hättet, mit den Göttern zu sprechen? So etwas wie ein echtes Orakel gibt es gar nicht, das wisst Ihr doch, nur Priester, die mit Tricks alle zu dem Glauben bringen, das gäbe es. In Delphi mussten wir dasitzen und zuhören, wie die alte Priesterin Unsinn brabbelte, während sie im Rauch saß und ihren Singsang von sich gab, als sei sie in Trance. Es war schon immer die Aufgabe des Oberpriesters, einen Sinn in das Ganze zu bringen – festzulegen, was zum Wohle aller gesagt werden muss. Das hier ist im Grunde auch nicht viel anders. Alles, was ich von Euch verlange, ist ein einfaches Ja. Der Tempel des Helios wird Euch belohnen, keine Angst. Und sollte das nicht funktionieren, könnt Ihr mir helfen, dieses Mädchen für uns zum Antworten zu zwingen. Sie ist bockig, aber ich glaube, ich habe einen Weg gefunden, sie zur Mitarbeit zu bewegen. Wir brauchen dafür nichts anderes zu tun, als ihrem Vater das Herz herauszunehmen, und ...«

»Jetzt verstehe ich, warum ich hierhergeschickt wurde!«, sagte die Priesterin Themis.

Sie bewegte sich schnell für eine alte Frau. Der Oberpriester stieß ein überraschtes Grunzen aus und sein Stock fiel klappernd zu Boden. Auras Augenbinde wurde weggezogen. Feuer flammte auf, verband sich mit den Regenbogen in ihrem Kopf und trieb ihr Tränen in die Augen. Sie sah ihren Vater, von Blutergüssen bedeckt und an den Handgelenken an die gegenüberliegende Wand gekettet. Eine Lampe war umgestürzt und brennendes Öl war auf den Fußboden geflossen. Der Oberpriester lag ausgestreckt auf der offenen Truhe und den leuchtenden Stücken des Geschenkes, seine juwelenbesetzten Gewänder waren von Salz aus der Grotte und von Speichel befleckt, der ihm aus dem Mund rann. Sein Stock war an die Wand gerollt und ohne ihn konnte er nicht aufstehen.

Die Priesterin Themis nahm die Fesseln von Auras Handgelenken ab und drückte ihr den Anhänger der Athene Chalkia in die starren Finger. Er wärmte sie sofort und brachte die Durchblutung wieder in Gang. »Benutze ihn, Liebes«, sagte Themis. »Ich sehe jetzt, wie verrückt Xenophon ist. Es tut mir leid, dass ich damals auf Chalki nicht auf dich gehört habe.«

Der Anhänger strahlte heller, ebenso die in der Truhe, die einen blauen Lichtkreis um den Körper des Oberpriesters zogen. Aura schloss die Augen, als die Regenbogen wild und heftig in ihren Kopf strömten. Sie konnte nicht gegen das Geschenk kämpfen, selbst wenn sie es gewollt hätte.

Als die Stücke in der Truhe unter Xenophon heißer wurden, hörte sie ihn kreischen: »Nein, lasst sie nicht …!« Dann öffnete sie die Augen und die Kraft schoss in einem Gewitter blauer Blitze aus ihr heraus.

Mein ist die Rache, hörte sie eine Stimme in ihrem Kopf flüstern.

Die Blitze trafen den Oberpriester, schleuderten ihn hoch und schmetterten ihn gegen die Wand, wobei seine Gewänder in Flammen aufgingen und sein ausgemergelter alter Körper sich darin aufbäumte. Er schrie wie ein Tier. Der Schmerz, den sie ihm zufügte, verursachte Aura Übelkeit und beim Geruch seines brennenden Fleisches wollte sie sich übergeben. Hätte sie gekonnt, hätte sie in diesem Moment vielleicht alles gestoppt. Aber sie war ebenso unfähig, dem Geschenk die Benutzung ihrer Augen als Kanal für seine Kraft zu verweigern, wie der Oberpriester seiner Rache entgehen konnte.

Und endlich begriff sie. Der letzte Streich des Geschenkes hatte nicht ihr gegolten. Xenophon hatte Stücke von dem armen Geschöpf abgeschnitten und es mit Drähten in seinem Koloss befestigt, wo es ihm wie ein Sklave 56 Jahre hatte dienen müssen.

Das Geschöpf verlangte nach gerechter Strafe.

Es war sehr schnell vorbei. Das blaue Licht verblasste zu Violett, und die Anhänger wurden wieder matt. Der Körper des Oberpriesters plumpste zu Boden, schwarz und verschrumpelt. Seine einst so schönen Gewänder waren jetzt rauchende Lumpen, sein Mund breit gezogen von seinem letzten Schrei. Die Tür hing schief in den Angeln und brannte. Die Wächter kamen hereingestürzt und starrten verwirrt auf die verkohlte Leiche.

Die Priesterin Themis hatte sich platt an die Wand gedrückt und ihre Augen gegen das blaue Licht geschützt. Aber als Aura zu Boden sank, riss sie sich zusammen und schloss den Deckel der Truhe.

»Ein schrecklicher Unfall«, erklärte sie. »Er hat die Lampe umgeworfen und seine Gewänder haben Feuer gefangen. Ich konnte nichts dagegen tun. Es war Helios' Wille. Bitte bringt den Leichnam irgendwohin, wo er für die Überführung in die Stadt vorbereitet werden kann, und lasst diese Gefangenen frei. Sie sind von Alimia, das unter dem Schutz der Athene Chalkia steht. Von jetzt an bin ich für sie verantwortlich. Sagt, hat das Orakel von Lindos schon auf die Frage des Rates geantwortet?«

Die Wächter starrten auf den Leichnam ihres Oberpriesters, sichtlich unsicher, ob es wirklich ein Unfall gewesen war, wie die Priesterin behauptete. Aber da es keine Anzeichen für etwas anderes gab, beschlossen sie, das weiße Gewand der Priesterin und ihren gebieterischen Ton zu respektieren. »Nein, Priesterin«, sagte einer. »Aber sie sind schon eine Weile drinnen. Es dürfte nicht mehr lange dauern.«

Aura schloss ihre Hand fester um den Anhänger, den die Priesterin Themis ihr gegeben hatte, und horchte aufmerksam in sich hinein. Aber sie konnte die Stimme der Orakelpriesterin nicht hören. Was, wenn die Priesterin ihre Frage gestellt hatte, während Aura ihren Augenzauber eingesetzt hatte?

Sie war nicht sicher, dass die Männer des Oberpriesters tatsächlich gewillt waren, sie zu befreien, und hoffte, dass sie ihren Augenzauber nicht noch einmal anwenden musste. Aber einer der Wächter tätschelte ihr die Wange und schloss ihre Fußfessel auf. »Keine Sorge, Mädchen, wir haben dich bald hier raus. Wenn du mich fragst – ich bin nicht traurig, dass der alte Xenophon tot ist. Er war schon früher verrückt genug, aber er ist zehnmal schlimmer geworden, seit er den Stein auf den Kopf gekriegt hat. Keinem von uns hat es gefallen, als er uns befahl, deine Zehen so zu verstümmeln. Jetzt halt die Luft an und schließ die Augen, solange wir durch die Flammen an der Tür gehen.« Er hielt sie mit fester Hand, aber um sie zu stützen und nicht, um sie in Schach zu halten. »Priesterin, wohin sollen wir die beiden von Alimia bringen, bis Ihr sie mit nach Hause nehmen könnt?«

Themis sah auf Auras blutverkrustete Zehen und zog eine Grimasse. »Bringt uns in die Privatgemächer der Orakelpriesterin. Und bringt auch die Truhe, ehe sie verbrennt. Wir haben einige wichtige Dinge zu besprechen und wollen dabei nicht gestört werden.«

Ein Wächter trug Aura einige Stufen hinauf, und als sie nach draußen kamen, empfing sie ein herrlicher Sonnenuntergang, der den Marmor rings um sie her in ein zartes Rosa tauchte. Als sie die säulengesäumten Wege zum Tempel auf der höchsten Stelle der Akropolis emporstiegen, schimmerte die Bucht unter ihnen ruhig und friedlich. Falls die Telchinen in der Menschenwelt waren, hielten sie sich außer Sichtweite. Weiter unten am Hang zogen sich zwischen Terrassengärten und Marmorstraßen die ziegelgedeckten Dächer von Lindos den Hügel hinab. Überall waren Statuen und Blumen. Aura bekam beim Anblick dieser unerwarteten Schönheit feuchte Augen.

»Komm, komm«, sagte der Wächter, der ihre Tränen für ein Zeichen von Angst hielt. »Du brauchst nicht zu weinen. Bei der Priesterin von Chalki werdet ihr es gut haben. Der alte Xenophon ist weg. Er kann dir nichts mehr zuleide tun.«

Aura fragte sich unwillkürlich, ob der Mann, der sie trug, einer von denen gewesen war, die ihr die Schwimmhäute zwischen den Zehen weggeschnitten und ihren Vater geschlagen hatten. Sie seufzte. Es spielte keine Rolle mehr. Jetzt musste sie über wichtigere Dinge nachdenken.

Novizen und Sklaven starrten sie neugierig an, aber alle respektierten fraglos das weiße Gewand der Priesterin Themis. Sie eilten einen Säulengang entlang und betraten einen kleinen, aber bequem ausgestatteten Raum.

Zwei Sklaven, die sich um die Lampen kümmerten, sprangen auf und neigten den Kopf. »P...Priesterin?«, stotterten sie und blickten auf Leonidus und Aura. »Wir hatten Euch nicht erwartet. Priesterin Melito atmet den Rauch für den ägyptischen König!«

»Ich weiß.« Themis bedeutete den Männern, die Truhe in der Nähe der Tür abzustellen. »Wir warten. Geht mit diesen Männern und helft ihnen, meine Novizin von Chalki zu suchen. Sie heißt Elektra. Wenn ihr sie findet, sagt ihr, ich möchte sie sofort sprechen. Und bringt uns Verbandszeug, warmes Wasser, Kräuter und etwas zu essen.«

»Jawohl, Priesterin.« Wieder verneigten sich die Sklaven und gingen mit den Wächtern weg.

Das Essen und die Heilkräuter kamen. Themis verband Auras Füße, ganz entsetzt über ihren Zustand.

Aber sie schien erfreut darüber, wie gut Auras Knöchel geheilt war. Es war einfacher, die Priesterin in dem Glauben zu lassen, das verdanke sie ihrer Fürsorge auf Chalki, als die Heilkräfte des Geschenkes zu erklären. Aura kuschelte sich in Leonidus' Arm in die Kissen, lehnte sich aber nur vorsichtig an ihn, damit seine blauen Flecken ihm nicht wehtaten. Er hielt sie sanft fest, während er der Priesterin Themis die ganze Geschichte davon erzählte, wie Oberpriester Xenophon Priester und Priesterinnen getäuscht und Orakel im gesamten Mittelmeerraum kontrolliert hatte.

Aura ließ sich von seiner Stimme einhüllen. Geborgen in den Armen ihres Vaters und endlich einmal wieder satt, spürte sie eine wohlige Wärme in sich. Der Anhänger, den sie in der Hand hatte, war seit dem Tod des Oberpriesters matt geblieben, und die Regenbogen waren aus ihrem Kopf verschwunden. Der Raum mit seinen Kissen und Teppichen war gemütlich. Das Lampenlicht brachte die Goldfäden in den Wandbehängen ringsum zum Funkeln. Mehrere Szenen zeigten die Göttin Athene: einmal entsprang sie voll ausgewachsen und gerüstet dem Haupt des Zeus, einmal war sie als Siegerin in einer Schlacht zu sehen, dann wieder als Hüterin der Gerechtigkeit … Die Bilder verschwammen vor Auras Augen und sie schlief ein und hatte einen wunderbaren Traum, in dem sie mit ihrer Mutter durch Unterwassertunnel schwamm und Schwämme von den Felsen erntete, und ihre Mutter konnte wieder sehen.

Ein zaghaftes Klopfen an der Tür holte sie in die Gegenwart zurück.

Elektras Stimme sagte: »Priesterin Themis?«

Die Priesterin strich ihre Gewänder glatt. Ihr Gesicht nahm einen ernsten Ausdruck an, als sie der Novizin sagte, sie solle eintreten.

Elektra schlüpfte ins Zimmer. Ihr Haar war unordentlich und ihr Novizinnengewand noch schmutziger als beim letzten Mal, als Aura sie gesehen hatte. Das Mädchen sah blass aus, aber ihre Augen leuchteten vor Freude auf, als sie Aura sah.

»Aura! Athene sei Dank, du bist in Sicherheit! Wir sind den Telchinen in die Grotte gefolgt, und mir war, ich hätte dich rufen hören, als der Gott uns über die Grenze schickte. Timosthenes sagte, du hättest dich bestimmt mit deinem Vater getroffen, wie geplant. Aber als wir in die Menschenwelt kamen und dich nicht fanden, fürchteten wir das Schlimmste … Was ist mit deinen Füßen passiert?«

»Das ist jetzt nicht wichtig, Elektra«, sagte Themis mit strenger Stimme. »Du hast ein heiliges Gut veruntreut, als du Geld aus dem Tempel der Athene gestohlen hast. Von Rechts wegen sollte ich dich von deinen Pflichten entbinden, aber Aura hat mir gesagt, du seist durch eine Täuschung zu dem Glauben gebracht worden, die Göttin hätte zu dir gesprochen.«

Elektra wurde rot. Ihr Blick ging kurz zu Aura und sie versuchte zu erraten, wie viel sie der Priesterin erzählt hatte.

»Es war nicht ihre Schuld, Priesterin!«, erinnerte sie Aura. »Bitte bestraft sie nicht dafür.«

Themis gebot ihr mit einem Wink zu schweigen und sagte mit einem wehmütigen Lächeln: »Allem Anschein nach bist du jedoch nicht die Einzige, die durch Täuschung zu dem Glauben verleitet wurde, die Statue spräche mit der Stimme der Göttin, also gebe ich dir eine Chance, deine Verfehlung wieder gutzumachen. Öffne diese Truhe.«

Elektra gehorchte, noch immer nervös. Sie lächelte, als sie die Stücke des Geschenkes sah. »Ihr habt sie.«

»Das ist Leonidus' Sammlung von Alimia«, sagte Themis. »Und Aura hat den Anhänger der Athene Chalkia. Da ihr beide offenbar zwei dieser … äh … Stücke des Geschenkes dazu benutzt habt, miteinander zu kommunizieren, nachdem der Koloss umgestürzt war, möchte ich, dass ihr jetzt versucht, die Stücke dazu zu bewegen, eine Botschaft zu dem Anhänger im Heiligtum der Athene Lindia zu schicken, wo der ägyptische König auf das Orakel lauscht, genau wie der Oberpriester es geplant hatte – nur nicht die Botschaft, die er geschickt hätte. Also, jetzt nimm dir ein Stück und setze dich neben Aura. Sie kann nicht aufstehen. Ihre Zehen sind verletzt.«

Elektra ließ sich in die Kissen fallen, schob eine kalte Hand in die Auras und drückte sie fest. »Den Nachtfaltern geht es gut«, flüsterte sie. »Milo ist bei ihnen. Sie verstecken sich unten in den Werften mit den Anhängern, die sie in Rhodos-Stadt gestohlen haben. Nachdem wir über die Grenze gekommen waren, brachten die Telchinen den Gott zurück auf das Schiff und haben es nach uns ebenfalls herübergebracht – aber wir konnten sie dazu überreden, nicht zu kämpfen, und sie sind in die Werften gegangen, um den Gott wieder ganz zu machen. Sie haben noch immer das ägyptische Gold, das an Bord war …«

»Pst!«, zischte die Priesterin. »Wir wollen nicht, dass der Rat das hört!«

Elektra hielt ihr Stück des Geschenkes fest, ganz starr vor Eifer, sich als würdige Priesterin zu erweisen. »Was sollen wir sagen?«, flüsterte sie.

Aura schauderte, als der Anhänger, den sie hielt, wieder zu leuchten begann. Sie konnte nur an ihre Mutter in den Unterwassertunneln denken. Sie wollte hinab zur Grotte laufen, ins Wasser springen und sofort nach ihr suchen. Aber sie dachte, sie müssten erst einmal dem Rat sagen, der Koloss solle nicht wieder aufgestellt werden, und dank dem Oberpriester konnte sie sowieso kaum humpeln, sodass sie nicht allein ans Meer hinuntergehen konnte.

»Bitte hilf mir, meine Mutter zu finden«, hauchte sie dem Geschenk zu. »Wenn du das tust, helfe ich dir zu fliehen, das verspreche ich dir.«

Die Priesterin Themis kaute an einem Fingernagel. »Wir brauchen ein echtes Orakel, das uns sagt, was wir tun sollen«, beschloss sie, als hätte sie eine Botschaft von ihrer Göttin erhalten. »Ich möchte, dass ihr der Priesterin Melito sagt, sie möge den ägyptischen König und den Rat veranlassen, dass alle in die Grotte hinabsteigen und den Rat der alten Lindia suchen sollten, wie die Menschen in früheren Zeiten.«

KAPITEL 16

DIE PROPHEZEIUNG

Leonidus trug die Truhe mit den Stücken des Geschenkes, Elektra stützte die humpelnde Aura, und so folgten sie der Priesterin Themis, so schnell sie konnten, durch die Gänge des Tempels. Sie erreichten das Allerheiligste just in dem Augenblick, als die Türen aufflogen und König Ptolemaios von Ägypten herausschritt.

Die Gewänder des Königs funkelten von noch mehr Gold und Silberfäden als die des verstorbenen Oberpriesters. Sein breiter Halsschmuck enthielt so viele Edelsteine, dass er heller leuchtete als die Lampen, die den Raum hinter ihm erhellten. Die Augen des Königs waren mit Kajal umrandet und er trug genau die seltsame Krone mit dem über seiner Stirn aufgerichteten Schlangenkopf, die Aura in ihrer Vision von seinem Schiff gesehen hatte. Seiner Miene nach schäumte er vor Wut.

Als seine Leibwächter ihm nacheilten, um ihn einzuholen, drehte sich der König um und knurrte etwas auf Ägyptisch, das nicht sehr höflich klang. Ratsherr

Iamus kam hinter ihm herausgestürzt und entschuldigte sich für die Verwirrung. Er sprach mit sanfter, eindringlicher Stimme auf den König ein und konnte ihn schließlich beruhigen und aus dem Tempel führen, wobei er versprach, das Orakel in der alten Grotte werde ihnen eine bessere Antwort geben und ihm sagen, wo er seine verlorenen Schatztruhen wiederfinden könne. Die anderen Ratsherren folgten, murmelten leise miteinander und warfen finstere Blicke auf die Priesterin hinter sich.

»Es hat geklappt!«, flüsterte Elektra. Sie kicherte. »Aber was wir gesagt haben, hat dem ägyptischen König nicht besonders gefallen.«

»Still!«, zischte Themis. »Wir müssen den Anhänger der Athene Lindia aus dem Allerheiligsten holen, damit niemand ihn noch einmal auf dieselbe Weise benutzen kann. Wo stecken bloß diese schlafmützigen Novizinnen? Die arme alte Melito fällt jeden Moment von ihrem Dreifuß!«

Aura spähte in das Allerheiligste. Eine Statue der Athene stand in der Mitte, eingehüllt in Rauch. Der Anhänger zwischen ihren marmornen Brüsten leuchtete noch immer schwach. Die Orakelpriesterin kauerte auf einem hohen, dreibeinigen Hocker zu Füßen der Göttin, den Kopf auf die Knie gebeugt, sodass ihr Haar das Gesicht verbarg. Bei Themis' Worten eilten Novizinnen in den Raum, halfen der halb ohnmächtigen Frau vom Dreifuß und legten sie auf eine Trage.

Elektra wurde ernst, als sie sie hinausbrachten. »Wir sind kein Haar besser als der Oberpriester, wir haben sie genauso getäuscht.«

»Sie wusste genug, um die Worte der Göttin zu

erfinden, wenn ihr danach war«, sagte die Priesterin Themis, etwas weniger mitfühlend als vorher.
»Schnell jetzt. Nehmt den Anhänger von der Statue
und lasst uns in die Grotte hinuntergehen. Ich will das
alte Orakel sprechen hören.«

Der Anhänger war mithilfe von Athenes Speer
leicht zu lösen und Elektra legte ihn zu den übrigen
in die Truhe. Mondlicht, gespiegelt vom Marmor, erhellte ihren Weg, als sie aus dem Tempel eilten. Themis fand einen Esel für den Transport der Truhe.
Schon allein der Anblick des Tieres ließ Auras Zehen
pochen, und sie war froh, als ihr Vater darauf bestand,
sie selbst die Stufen hinunterzutragen. Der Anhänger
der Athene Chalkia, der sicher in ihrer Tunika steckte,
wo sie ihn verborgen hatte, nachdem sie die Botschaft
ins Allerheiligste geschickt hatte, wurde wärmer, als
sie hinabstiegen. Sie schloss ihre Hand darum und
versuchte, Kontakt zu den Telchinen aufzunehmen,
aber sie erhielt nur Fetzen einer Vision von Tunneln
und einem mondhellen Meer.

»Wir müssen dem Ratsherrn Iamus die Wahrheit
über die Telchinen und das alte Orakel sagen«, flüsterte sie. »Wenn er seine Frage stellt, ehe das Geschenk mit dem Rest seiner Stücke vereint ist, wird er
keine Antwort bekommen.«

Leonidus umfasste sie fester. »Ich mache mir größere Sorgen, dass sie schon in der Grotte sein und versuchen könnten, den ägyptischen König zu ermorden.
Dann bricht tatsächlich ein Krieg aus – unter den
Menschen. Rhodos wird zwischen die Fronten geraten
und zerstört werden.«

Auras Magen zog sich zusammen. »Das tun sie

bestimmt nicht.« Aber sie war sich nicht so sicher. Das Geschenk hatte viel mehr Macht, als irgendeiner von ihnen erkannt hatte. Was würde geschehen, wenn die Telchinen versuchten, es als Waffe zu benutzen? Die verletzten Nachtfalter würden im Unsichtbaren Dorf gefangen bleiben und ihre arme Mutter müsste für immer in den Unterwassertunneln umherirren.

Sie wünschte sich Flügel, um zum Meer hinabfliegen zu können. Aber Leonidus musste alle zehn Stufen stehen bleiben und ausruhen, und der Esel erschrak vor jedem Schatten, weil seine leuchtende Fracht ihn nervös machte. Die Priesterin Themis blickte sich fortwährend um und war ebenso ungeduldig, die Grotte zu erreichen, wie sie selbst.

»Setze mich ab«, flüsterte Aura. »Ich halte euch auf. Lass mich zu Fuß gehen, dann kannst du die Truhe tragen.«

»Du kannst mit diesen Zehen nicht zu Fuß gehen, rede keinen Unsinn.«

»Dann bring mich an den Rand des Felsens. Ich kann hinunterspringen, die Telchinen suchen und ihnen sagen, dass ihr die übrigen Stücke des Geschenkes bringt und der Ratsherr zur Grotte unterwegs ist, um das alte Orakel zu befragen, dann brauchen sie nicht zu kämpfen.«

Leonidus blickte auf das dunkle Meer unter ihnen. Er schüttelte den Kopf. »Es ist zu riskant, im Dunkeln dort hinunterzuspringen, wo Felsen im Wasser sind, und ich lasse dich nicht noch einmal allein Gefahren bestehen. Wir gehen zu den Werften, wo Elektra die Nachtfalter verlassen hat, und schauen, ob die Telchinen noch dort sind.«

Aura sagte sich, das sei ein vernünftiger Plan. Sie gab sich damit zufrieden, den Anhänger zu umfassen und der Ahne Rhodos eine Botschaft zuzuflüstern, obwohl ihr nicht klar war, ob die Telchinin sie hörte.

»Ich bin Aura, das Mischlingsmädchen! Wir sind unterwegs. Wir haben die übrigen Stücke des Geschenkes. Der Rat und der ägyptische König sind unterwegs zur Grotte, wie geplant. Ihr braucht nicht zu kämpfen. Bitte wartet!«

Als sie am Fuß des Felsens angelangt waren, hatte sich dort eine stattliche Menschenmenge versammelt. Fackeln loderten und beleuchteten die Felsen taghell. Ein Boot mit dem Ratsherrn Iamus, König Ptolemaios und seinen Leibwächtern wurde gerade um die Felsen herumgerudert, auf den Eingang der Grotte zu. Die übrigen Ratsherren standen mit flatternden Gewändern im Nachtwind am Ufer und schüttelten die Köpfe, als missbilligten sie das ganze Unternehmen. Themis versuchte, sich mit ihrem Grüppchen zwischen ihnen durchzudrängen, aber eine Reihe rhodischer Soldaten versperrte ihnen den Weg.

»Niemand darf durch, solange der ägyptische König draußen auf dem Wasser ist«, sagte ihnen ein Anführer. »Seine Sicherheit ist unser oberstes Anliegen.«

»Ihr Dummköpfe!«, sagte Leonidus. »Wisst ihr denn nicht, dass Telchinen in der Bucht sind? Hier draußen seid ihr nicht viel nütze, wenn sie angreifen. Ihr solltet bei ihm in der Grotte sein.«

Der Anführer runzelte die Stirn. »Und wer seid Ihr, wenn ich fragen darf?«

»Leonidus, Sohn des Chares von Lindos! Und das ist

meine Tochter Aura. Lasst uns durch. Wir müssen zu den Werften.«

»Und ich muss sofort den Ratsherrn Iamus sprechen«, fügte die Priesterin Themis hinzu. »Ich habe wichtige Informationen für ihn, die den Oberpriester und die Orakel betreffen.«

Der Anführer schüttelte den Kopf. »Tut mir leid, Priesterin. Ich darf auf keinen Fall jemanden durchlassen, solange der ägyptische König in der Grotte ist. Befehl vom Rat.«

Die Menge wurde größer und lauter, als immer mehr Menschen von dem Besuch beim alten Orakel erfuhren und den Hang herabströmten, um zu sehen, ob es antwortete. Jemand fuchtelte mit einer Fackel dem Esel vor der Nase herum und er scheute vor den Flammen, wobei er Elektra die Zügel aus der Hand riss. Themis stieß einen Laut der Frustration aus. »So wird das nichts. Wir müssen ein Boot finden ...«

»Tut es auch ein Schiff?«, sagte eine Knabenstimme hinter ihnen und Auras Herz machte einen seltsamen kleinen Hüpfer.

»Milo«, hauchte sie und drehte sich in den Armen ihres Vaters um.

Der Junge von Chalki mit den dunklen Augen lächelte sie an. »Aura«, sagte er leise. »Ich wusste, du würdest wiederkommen, aber die Ahne Rhodos denkt, du hättest sie an die Menschen verraten. Sie ist mit den Telchinen in die Grotte zurückgekehrt, um dem Rat aufzulauern – die Nachtfalter warten mit dem Schiff direkt hinter dem großen Felsvorsprung. Sie haben es wieder übernommen, nachdem die Telchinen es verlassen hatten.«

Er führte sie über Felsenpfade dorthin, wo die Menge sie nicht mehr sehen konnte. Dann setzte Leonidus Aura endlich ab und eilte davon, um dem Schiff ein Signal zu geben. Elektra und die Priesterin zogen den Esel hinter sich her. Milo führte Aura an eine Stelle am Wasser, wo sie sich setzen konnte.

Im Dunkeln legte er ihr den Arm um die Schultern und sagte: »Ich habe dir so viel zu erzählen! Nachdem dein Vater gefangen wurde, bin ich nach dem Stück des Geschenkes getaucht, das du im Hafen von Chalki verloren hast, und habe es mit an Land genommen, um zu sehen, ob es Vater heilen würde, ehe ich es nach Rhodos zurückbrachte … aber er war schon geheilt! Die Priesterinnen der Athene sagten, vor einigen Tagen habe der blaue Anhänger der Göttin den ganzen Tempel in blaues Licht getaucht und danach sei es allen Verletzten besser gegangen. Sie hielten es für ein Wunder, aber es muss der Tag gewesen sein, an dem die Telchinen die Drähte aus dem Geschenk genommen haben. Ich musste mir eine Geschichte ausdenken, um zu erklären, warum Kim nicht bei mir war, damit sich meine Mutter keine Sorgen machte, dann brachte ich unser Boot hierher zurück und ging zu den Nachtfaltern.« Er starrte dem von Blutergüssen übersäten Leonidus nach. »Hat das der Oberpriester gemacht?«

»Ja«, sagte Aura gepresst. »Aber Xenophon wird niemandem mehr etwas antun.« Sie erzählte ihm, wie sie in dem Lagerraum ihren telchinischen Augenzauber benutzt hatte.

Beeindruckt stieß er einen Pfiff aus. »Gut gemacht!«

Sie schüttelte den Kopf. »Das war nicht ich. Es war das Geschenk. Ich konnte nichts dagegen tun. Es wollte Rache für das, was der Oberpriester ihm angetan hatte, als er es mit Draht in seinem Koloss befestigte und Stücke davon abschnitt, um andere Statuen damit auszustatten. Ich war nur sein Werkzeug, das ist alles.«

Milo äugte auf ihre verbundenen Füße hinab und sagte heftig: »Er hat auch dich verletzt!«

»Das ist jetzt egal.« Obwohl ein Teil von ihr für immer und ewig mit Milo auf diesem Felsen unter den Sternen sitzen wollte, wusste sie, dass ihnen die Zeit davonlief. Sie wand sich aus seinem Arm heraus und zupfte an den Leinenbinden. »Hilf mir, die Verbände wegzumachen, Milo! Ich kann damit nicht ordentlich schwimmen. Ich muss die Telchinen finden, ehe sie einen neuen Krieg anfangen. Ich kann nicht auf das Schiff warten. Die letzten Stücke des Geschenkes sind in der Truhe meines Vaters. Bringt sie auf das Schiff und kommt damit zum Eingang der Grotte. Dort treffe ich euch zusammen mit den Telchinen … hoffe ich.«

Milos Augen wurden dunkel, als er ihre blutverkrusteten Zehen sah. Dann zog er seine Tunika über den Kopf.

Zerstreut runzelte Aura die Stirn. »Was machst du da?«

»Ich komme natürlich mit dir. Dein Vater wird schon wissen, wie er die Truhe transportieren kann.«

»Nein, Milo …«

»Versuch nur, mich abzuhalten. Schwammtaucher-kodex, weißt du noch?«

Aura zog den Anhänger heraus, der sofort heller wurde und blaues Licht auf die Wellen warf. Er wusste, dass das Geschenk in der Nähe war. Sie schloss ihre vernarbten Finger um das leuchtende Stück. Irgendwie musste sie Milo dazu bringen, zu bleiben.

»Vergiss den blöden Kodex!«, sagte sie. »Willst du wissen, warum ich im Dämonenteich nicht ertrunken bin? Ich bin eine Telchinin, Milo! Ich kann unter Wasser atmen. Deshalb kann ich so lange unten bleiben – es hat nichts damit zu tun, dass ich die Lungen einer Schwammtaucherin habe oder die Luft anhalte. Es wird nie etwas werden mit uns. Wir sind zu verschieden. Als Helios Rhodos liebte, hat das zu einem Krieg zwischen Telchinen und Menschen geführt. Und das Geschenk hat meine Mutter dafür bestraft, dass sie einen Menschen liebte, indem es ihr die Augen ausgebrannt hat. Du kannst nicht dorthin mitkommen, wo ich hingehe. Du wirst ertrinken.«

Verletzt starrte er sie an.

Sie hatte keine Zeit zu bereuen, was sie gesagt hatte. Ehe Milo sie aufhalten konnte, glitt Aura von dem Felsen ins dunkle Meer. Sie wechselte zur Wasseratmung und tauchte sofort, schnell und tief. Sie verbannte den Jungen von Chalki aus ihren Gedanken und konzentrierte sich auf den Anhänger. Er erhellte die Bucht mit einem geisterhaften violetten Licht, beleuchtete die Schwämme, die ringsherum an den Felsen saßen, und ließ Schwärme kleiner Fische hell schimmern.

Die Schnittwunden an ihren Zehen bluteten wieder. Sie presste die Lippen zusammen, um den Schmerz zu verbeißen, und schwamm durch den Spalt in die Grotte, wobei sie sich so tief unten wie möglich hielt, damit der Ratsherr und der ägyptische König sie nicht entdeckten.

Zuerst sah sie die Telchinen nicht. Aber als sie weiter in die Grotte hineinschwamm, kam ein Schimmer von blauem Licht aus einem der Unterwassertunnel und die Telchinen schossen mit dem Geschenk pfeilschnell an ihr vorbei nach oben, wobei sie sie mit ihren massigen Körpern beiseitestießen. Aura drehte sich mit klopfendem Herzen um. Aber sie schwammen nicht auf das Boot des Ratsherrn zu, wie sie gefürchtet hatte. Sie strebten dem Eingang zu, wo die Ruder des Schiffes von König Ptolemaios, das die Nachtfalter gestohlen hatten und das jetzt die restlichen Stücke des Geschenkes an Bord hatte, ruhig im Wasser lagen. Aura sah, wie sie die Ruderblätter ergriffen und sich umsprudelt von Bläschen aus dem Wasser zogen. Offenkundig hatte das Geschenk seine fehlenden Stücke auf dem Schiff gespürt und die Telchinen wollten sie um jeden Preis zurückhaben.

In neuer Angst um ihren Vater und ihre Freunde griff Aura nach dem Anhänger und strampelte aufwärts. Das ägyptische Schiff blockierte den Eingang, sein Mast kratzte am Felsen. Zwischen den Stalaktiten sah sie ein Gewirr von tretenden Beinen und kämpfenden Körpern. Die Soldaten am Ufer warfen, als sie das gestohlene Schiff sahen, Speere nach den Nachtfaltern, die Nachtfalter ihrerseits schossen mit Schleudern Steine auf die Soldaten. Die Telchinen, die dachten, die Steine, die nicht weit genug flogen und ins Wasser fielen, gälten ihnen, hatten sich in den Kampf eingemischt. Speere, Steine und die blauen

Blitze des Augenzaubers wühlten rings um Auras Kopf das Meer auf. Erschrocken tauchte sie wieder unter. Alles ging gründlich schief.

Dann rief ihr Vater etwas und warf seine Truhe mit den Anhängern über Bord. Es gab ein Krachen, ein wildes Aufflackern von Licht und die Telchinen wurden rückwärtsgeschleudert, als das Geschenk wieder zu einem Ganzen zusammenwuchs. Riesig, pulsierend, kraftvoll sank es auf Aura zu, denn es spürte den Anhänger in ihrer Hand.

Aura zögerte und ihr Herz raste. Mehrere Telchinen verfolgten das Geschenk. Sie bog mit Gewalt die Drähte des Anhängers der Athene Chalkia auseinander und riss sich dabei in ihrer Panik einen Fingernagel ab. Das letzte Stück des Geschenkes verschmolz mit dem Lichtring, der das Geschöpf umgab, und vervollständigte es. Sanft wie ein Seufzer schmiegte es sich in ihre Arme und die gezackten Löcher in der Grenze schlossen sich mit leisen Geräuschen, die sich wie Küsse anhörten. Wärme durchfloss Aura, als die Regenbogen sie einhüllten, und sie merkte, dass ihr Finger aufgehört hatte zu bluten und ihre Zehen nicht mehr schmerzten. Sie blickte nach unten und fragte sich ein wenig ängstlich, was sie wohl sehen würde. Aber ihre Zehen waren noch immer ohne Schwimmhäute und die Wunden hatten sich geschlossen und waren mit neuer rosa Haut überwachsen.

Sie blickte auf die Telchinen, die ihre Hände mit den Schwimmhäuten ausstreckten, um ihr Geschenk zurückzuholen, und wusste plötzlich, was sie tun musste, wenn sie dem Geschenk helfen wollte, ihre

Mutter zu finden. Sie schloss die Arme fester um das Geschöpf und schwamm aufwärts.

Als sie auf Luftatmung umstellte, ertönte ein schreckliches Krachen wie bei einem Sommersturm und eine Wand aus Licht teilte die Grotte in zwei Teile. Überall waren Regenbogen. Auras Atem ging schneller, als beide Welten mit ihren Geschöpfen gleichzeitig sichtbar wurden – auf der einen Seite die Telchinen, die in ihre Welt zurückgeworfen wurden, auf der anderen die Abordnung der Menschen, die mit Verwunderung und Schrecken auf die Regenbogen rings um sie her starrten.

Aura schauderte. So musste die Grotte ausgesehen haben, ehe ihre Mutter das Geschenk in die Menschenwelt gebracht hatte.

Als die Telchinen erkannten, dass das Geschenk die Grenze zwischen ihnen und ihren Feinden wiederhergestellt hatte, schwammen sie zornentbrannt auf das Boot zu, stießen mit ihren Händen gegen die Wand aus Licht und versuchten, die Menschen zu erreichen. Die Leibwächter von König Ptolemaios beugten sich über den Bootsrand, um mit Speeren nach den Telchinen zu stoßen, aber die Waffen schienen in den Regenbogen zu verschwimmen und schnellten wieder zurück. Auf einer Felskante nahe dem Eingang der Grotte kämpfte Milo mit einem Soldaten, der versuchte, seinen Bogen zu heben und Aura zu erschießen.

Zerlumpte Gestalten stellten sich an der Reling des ägyptischen Schiffes auf, die Gesichter hell von den Regenbogen beleuchtet. Einer von König Ptolemaios' Leibwächtern geriet in Panik und warf einen

Speer nach Aura, aber er prallte am Geschenk ab und platschte wirkungslos ins Wasser. Die Nachtfalter schrien und schossen Steine auf das Boot.

Inmitten all dieses Trubels kletterte Aura auf die Felskante, hob das tropfende Geschenk hoch über ihren Kopf und schrie: »AUFHÖREN!«

Es wurde still und alle starrten sie an. Wellen schlugen klatschend gegen die Stalaktiten und die Felswände. Die Spitze des Schiffsmasten brach ab, als Leonidus die Ruderpinne im Stich ließ, auf die Seite lief und rief: »Aura, sei vorsichtig!«

Die Augen vom Ratsherrn Iamus weiteten sich, als er sie erkannte, und Milo schrie: »Nein, Aura! Geh hier raus! Es passiert gleich etwas Schlimmes!«

Aura lächelte. Die Regenbogen flossen an ihr herab wie Öl. Sie fröstelte, war aber ohne Furcht. Die Kraft baute sich hinter ihren Augen auf, wie zuvor im Lagerraum. Aber diesmal hatte sie die Kontrolle. Die Ahne Rhodos kletterte auf der Telchinenseite der Grenze aus dem Wasser und versuchte, sie am Arm zu fassen, konnte sie aber dank der Regenbogen nicht berühren. Der Soldat stieß Milo zur Seite und versuchte ebenfalls, Aura zu packen, hatte aber dasselbe Problem.

»Gib uns das Geschenk Poseidons!«, sagte Rhodos. »Es gehört uns.«

Aura schüttelte den Kopf. »Es gehört niemandem. Es ist lebendig und es will frei sein.«

»Ist das das Geschenk des Helios?«, fragte Ratsherr Iamus und winkte den Ruderern, das Boot näher an die Felskante heranzubringen. »Ich dachte, du wärst ums Leben gekommen, als du von dem Felsen gestürzt bist! Hat es die Macht, Menschen von den Toten auf-zuerwecken? Gib es mir, sei ein braves Mädchen.«

Aura schüttelte ein zweites Mal den Kopf, biss die Zähne zusammen, um die Regenbogen zu bändigen, die in ihrem Kopf tobten, und sagte: »Ich werde es in die Tiefe zurückkehren lassen, wo es hingehört. Wenn das geschieht, werden Menschen und Telchinen nicht mehr über die Grenze hinweg miteinander reden können. Also müsst ihr Frieden schließen, jetzt sofort. Alle miteinander!« Ihr entschlossener Blick umfasste auch die Nachtfalter. »Andernfalls löse ich mithilfe meines bösen Blickes ein Erdbeben aus und zerstöre die Grotte mit allen, die darin sind. Ihr wisst, dass ich das kann. Das Geschenk wird mir die Macht dazu geben.«

Ratsherr Iamus blickte misstrauisch auf das Ge-schenk und Auras leuchtende Haut. Er äugte zu den Telchinen hinüber. »Sie sind in unsere Welt gekom-men und haben uns angegriffen.«

»Das werden sie nicht mehr tun können, wenn das Geschenk nicht mehr da ist. Sie werden in ihrer eige-nen Welt bleiben und euch nicht mehr belästigen. Sie wollen nichts anderes, als in Frieden gelassen werden. Die Menschen haben angefangen und sie als Erste gejagt.«

Der Ratsherr strich sich den Bart. »Ich brauche ein Versprechen von ihnen.«

»Ahne?«, sagte Aura und wandte sich Rhodos zu. »Bist du damit einverstanden, das Geschenk freizuge-ben, und in Zukunft alle Versuche zu unterlassen, die Grenze zu übertreten?«

Die alte Telchinin runzelte die Stirn. »Aber das

heißt, dass die Menschen Rhodos haben! Es gehört uns!«

»Ihr werdet Rhodos doch ebenfalls haben, nicht wahr? Das Rhodos der Telchinenwelt. Und ihr werdet dort in Sicherheit leben können, weil auch die Menschen das Geschenk nicht besitzen.«

Die Ahne legte Phaeton eine Hand auf den Kopf. »Woher sollen wir wissen, dass die Menschen nicht versuchen werden, das Geschenk zu finden und uns mit seiner Hilfe wieder zu jagen?«

»Ihr habt mein Wort«, sagte Ratsherr Iamus. »Die Menschen, die euch gejagt haben, ehe die Grenze geschaffen wurde, sind lange tot.«

»Versprecht es auf das Geschenk, alle beide«, sagte Aura und hielt es ihnen hin.

Argwöhnisch berührte der Ratsherr das schimmernde Geschöpf. Die Ahne tat dasselbe. Das Geschenk leuchtete auf und das Versprechen durchlief Aura Wort für Wort, sodass sie wusste, es war gegeben worden.

»Xenophon wird das nicht gefallen«, murmelte der Ratsherr, als er die Hand zurückzog. »Ich glaube noch immer, es wäre besser, ich würde das Geschenk des Helios irgendwo sicher aufbewahren ...«

»Der Oberpriester ist tot«, sagte Aura schnell. »Die Lage hat sich geändert.«

Der ägyptische König, der nur die Hälfte dieser Unterredung hörte, wurde ungeduldig. Er beugte sich über den Bootsrand und beäugte Aura. »Ist das die Priesterin, die hier unten für die Orakel zuständig ist, Iamus?«, rief er. »Wenn ja, dann sag ihr, sie solle endlich anfangen. Wir trödeln schon viel zu lange in diesem altertümlichen Nest herum, und da du jetzt mein Schiff und das Gold gefunden hast, das ich euch als Erdbebenhilfe mitgebracht habe, muss ich nach Alexandria zurück. Habe ich recht verstanden, dass sie gesagt hat, euer verrückter alter Oberpriester sei tot?«

Ratsherr Iamus warf ihm einen zerstreuten Blick zu. Seine Augen wurden schmal, als er erfasste, was Aura gesagt hatte. »Xenophon ist tot?«

»Helios hat ihn erschlagen!«, rief die Priesterin Themis von Deck des Schiffes herüber. »Ich habe es gesehen. Ihr werdet einen neuen Oberpriester für Euren Sonnengott ernennen müssen.«

Ratsherr Iamus sah sich in der regenbogenerfüllten Grotte um. »Xenophon ist tot ...« Ein listiges Schmunzeln erschien auf seinem Gesicht und er verkündete mit vollendeter Sicherheit, als hätte er die ganze Sache arrangiert: »Eure Majestät! Das ist die Orakelpriesterin der alten Grotte. Sie ist zwar noch jung, aber wie Ihr seht, ist sie begnadet! Sie wird uns das Orakel verkünden.«

Er flüsterte Aura zu: »Um Helios' willen, sag Nein. Wir können es uns nicht leisten, Xenophons monströse Statue wieder aufzubauen, besonders jetzt, da wir auch noch seine Beisetzung organisieren und obendrein alle unsere Städte wieder aufbauen müssen.«

Der Ratsherr und der ägyptische König, die Ahne Rhodos, Phaeton und die Telchinen, Milo und die verwirrten Soldaten, die Priesterin Themis und Elektra, Leonidus und die Nachtfalter ... alle hielten den Atem an, um zu hören, was Aura sagen würde. Sie schloss die Augen und holte tief Luft. Aber noch ehe sie etwas sagen konnte, strömten die Regenbogen in ihren Kopf und eine gewaltige Stimme erfüllte dröhnend die Grotte.

WENN DER KOLOSS VON RHODOS WIEDER AUFGERICHTET WIRD, WIRD DIE INSEL RHODOS ZERSTÖRT UND UNHEIL KOMMT ÜBER ALLE, DIE AN IHREN GESTADEN LEBEN.

Das Geschenk versengte Aura die Finger und sie ließ es ins Wasser fallen. Verdutzt öffnete sie die Augen und sah es in der Tiefe versinken und immer kleiner und kleiner werden – ein violetter Stern, der die Regenbogen hinter sich herzog und im Fallen die Wand aus Licht verdunkelte, bis die Telchinen hinter der wiedererrichteten Grenze verschwanden. Erst da erkannte sie, dass es sie ein letztes Mal ausgetrickst hatte.

Es hatte sie in der Menschenwelt zurückgelassen und ihre Mutter irrte noch in den Unterwassertunneln umher.

»Nein, warte!«, schrie sie. »Du sollst mir doch helfen, meine Mutter zu finden! Warte auf mich!«

Sie sprang von der Kante und tauchte ihm nach. Verzweifelt schwamm sie abwärts, den letzten Lichtfunken hinterher. Die Tunnel lagen als schwarze Löcher vor ihr. Hunderte von ihnen. Aura starrte sie unglücklich an. In welchem hatte sie ihre Mutter gesehen, als sie im Lagerraum des Tempels ihre Vision gehabt hatte?

Ihren Lungen war schon die Luft ausgegangen und sie musste auf Wasseratmung umstellen, ehe sie erkannte, dass Milo, der Idiot, ihr nachgesprungen war. Er packte sie am Knöchel, und als sie sich umsah, blickte sie in sein bittendes Gesicht. Seine Backen waren aufgeblasen vom Luftanhalten. Er war schon zu weit unten, um mit dem Rest seiner Luft wieder an die Oberfläche gelangen zu können, aber er hatte offenkundig nicht die Absicht, ohne sie zurückzukehren. Bläschen stiegen von seinen Lippen auf und versiegten dann. Seine dunklen Augen blickten sie fest an und drehten sich dann nach oben, als Wasser in seine Lungen eindrang und er zu ertrinken begann.

Aura zerriss es fast das Herz. Ihre Mutter war in den Tunneln sicher, ob sie sie fand oder nicht. Wenn sie in die Welt der Telchinen zurückgekehrt war, kümmerte sich die Ahne um sie. Aber wenn sie Milo hier unten ließ, musste er sterben. Es war klar, wie sie sich entscheiden musste.

Sie schlang die Arme um den Jungen und schwamm wieder aufwärts. Tief unter ihnen erschütterte ein dumpfer Schlag den Meeresboden und Scharen von Fischen stoben in Panik davon, als das Geschenk aus der Welt verschwand. Aura und Milo wurden aufwärtsgeschwemmt, fest aneinandergeklammert und hilflos in silbernen Blasen kreiselnd.

Immer weiter nach oben, dem Licht eines neuen Tages entgegen.

KAPITEL 17

ENTSCHEIDUNGEN

Die Antwort des Orakels hallte laut durch die ganze Bucht von Lindos und drang wie ein Flüstern durch den Felsen zum Tempel der Athene hinauf, wo sich die Priesterin Melito in ihrem bleiernen Schlaf regte und seufzte. Nachdem so viele Menschen die Antwort gehört hatten, hatte der Rat nicht mehr viel Wahlfreiheit. Die Ratsherren dankten König Ptolemaios für seine großzügige finanzielle Hilfe und sagten ihm, sie würden den Koloss nicht wieder aufstellen, weil er offensichtlich zu groß sei, um Erdbeben standzuhalten. Seiner Heimreise nach Ägypten mit seinem Schiff, das er wohlbehalten zurückbekommen hatte, stünde nun nichts mehr im Wege. Sie versicherten ihm, die Nachtfalter würden für den Diebstahl angemessen bestraft. Der ägyptische König war nicht mehr ärgerlich. Er hatte in der Grotte seltsame Lichter gesehen und den Spruch eines echten Orakels gehört. Das allein war die Reise schon wert gewesen.

Nachdem Aura zusammen mit dem halb ertrunkenen Milo direkt vor dem Ratsherrn Iamus aufgetaucht war und die Nachtfalter von den Soldaten an Land eskortiert worden waren, hatten Fluchtversuche nicht mehr viel Sinn. Die Priesterin Themis zog Elektra mit sich fort, um nach der Priesterin Melito zu sehen, alle anderen wurden auf die Akropolis gebracht, wo sie den Beschluss des Rates abwarten mussten, der sich nun mit dem Diebstahl des Helios-Goldes und des Schiffes des ägyptischen Königs befasste. Timosthenes wurde ohne Erklärung im Marmorhof von ihnen getrennt, und die Soldaten ließen keinen von ihnen den Raum verlassen, daher war die Atmosphäre gespannt.

Androkles ging auf und ab und blickte finster auf die Tür, sooft er an ihr vorbeikam. Chariklea redete ihm zu, etwas von dem Käse und den Oliven zu essen, die der Rat ihnen hatte schicken lassen; die anderen kauerten in Grüppchen beisammen und schmiedeten flüsternd Fluchtpläne für den Fall, dass die Lage ungemütlich wurde. Milo, der sich ein wenig von seinem lebensbedrohlichen Tauchgang erholt hatte, lag auf einem Bett aus Kissen. Aura saß neben ihm und war zu müde, um über das nachzudenken, was in der Grotte passiert war. Sie wusste nur, dass zum ersten Mal seit dem Erdbeben Ruhe in ihrem Kopf herrschte und die Regenbogen verschwunden waren. Leonidus legte ihr den Arm um die Schultern und hielt sie schweigend an sich gedrückt.

Endlich ging die Tür auf und Timosthenes kam herein. Er trug eine Tunika mit rot-grünen Ärmeln, sein Haar war gekräuselt und mit einem Silberreif geschmückt. Er roch nach Rosenblättern und sah sehr erwachsen aus.

Alle starrten ihn entgeistert an. Auch Milo regte sich und blickte erstaunt auf den blonden Jungen. »Wie? Ist das wirklich Timosthenes ...?«

»Pst!«, sagte Aura und begann zu ahnen, was Timosthenes die ganze Zeit vor den Nachtfaltern verborgen hatte.

Androkles' Stirnrunzeln vertiefte sich. Er stemmte die Hände in die Hüften. »Wo hast du die feinen Klamotten her?«, wollte er wissen. »Du hast uns verraten, was? Ich warne dich ... wenn du dem Rat gesagt hast, wo das Gold, das wir uns vom Koloss geholt haben, versteckt ist, bringe ich dich um. Ich habe dir vertraut wie einem Bruder!«

Timosthenes fuhr sich mit der Zunge über die Lippen. »Natürlich habe ich ihnen nicht gesagt, wo eure Verstecke sind. Hört zu. Vat... Ratsherr Iamus hat uns einen Handel angeboten. Ich denke, er klingt gut. Aber du bist der Boss, also entscheidest du.«

Er erläuterte die Einzelheiten. Alle Nachtfalter, die das wollten, konnten zu ihrer Familie nach Hause gehen, ohne eine Strafe zu erhalten. Die anderen konnten nach Ialysos zurückkehren und dort nach ihren eigenen Regeln leben wie vorher, aber unter der Bedingung, dass sie dem Rat von Zeit zu Zeit bei verschiedenen Geheimaufträgen halfen, bei denen sie sich etwa still und leise irgendwo einschleichen mussten, um Gespräche zu belauschen, und wieder wegkommen mussten, ohne sich erwischen zu lassen. Auf diese Weise wollte der Rat die Art von Informationen gewinnen, die vorher nur den Priestern durch das Geschenk des Helios zugänglich gewesen waren, und sie zum Wohle von Rhodos verwenden. Als Gegenleistung für ihre Dienste sollten die Nachtfalter Essen und etwas Geld bekommen, damit sie ordentlich leben konnten, ohne die Rhodier bestehlen zu müssen. Alles, was sie bis jetzt gestohlen hatten und was bei dem Überfall auf die Ruinen nicht den Soldaten in die Hände gefallen war, durften sie behalten. Aber jeder Nachtfalter, der das Abkommen brach und in Zukunft beim Stehlen erwischt wurde, werde wie ein Verbrecher behandelt und den anderen werde das Geld so lange gekürzt, bis die Schuld zurückgezahlt sei.

Androkles überlegte mit zusammengekniffenen Augen. Chariklea wollte gerade sagen, der Plan klinge gar nicht so schlecht, aber der Boss der Nachtfalter schnitt ihr das Wort ab. »Und?«, sagte er.

»Und was?«

Androkles zupfte am Ärmel von Timosthenes' Tunika. »Das hier! Müssen wir alle in feinen Klamotten herumspazieren und uns jeden Tag mit Rosenwasser waschen?«

Timosthenes lächelte. »Nur wenn ein Auftrag es verlangt. Der Rat wird wahrscheinlich für jede Aufgabe die passenden Leute aussuchen. Wenn wir uns unter gebildete Leute mischen müssen, könnte ich machen. In einer raueren Umgebung könntest du dich unauffällig bewegen oder auch Chariklea.«

»Gut«, sagte Chariklea. »Denn du stinkst!«

Androkles warf ihr einen warnenden Blick zu. »Und wie kommt es, dass du immer eine Extrawurst gebraten kriegst? Genau wie neulich, als wir in Rhodos-Stadt gefangen waren – du gehst alleine mit den Soldaten weg und kommst frei wie ein Vogel zurück, um uns zu retten. Wir sind schließlich nicht blöd, weißt du. Dir lag doch gerade ein anderes Wort auf der Zunge. Du wolltest gerade ›Vater‹ sagen, nicht wahr?«

»Mensch, jetzt kapiere ich!«, flüsterte Milo. »Timosthenes ist der Sohn von Ratsherr Iamus!«

Timosthenes lief dunkelrot an. »Ich wollte es dir sagen, Boss, aber zum richtigen Zeitpunkt.«

»Du gemeiner Spion!«, sagte einer der Jungen und sprang auf. »Ich fand schon immer, dass du wie diese hochnäsigen Jungen redest, die auf die Schule der Redekunst gehen. Und mir ist auch aufgefallen, dass du ziemlich wenig Lust gezeigt hast, den Ratsherrn anzugreifen, als er uns am Dämonenteich in die Falle lockte. Jetzt wissen wir, warum. Du hast deinem lieben Vater gesagt, dass wir das Geschenk zum Unsichtbaren Dorf bringen, nicht wahr? Kein Wunder haben uns die Soldaten dort aufgelauert! Wie lange hast du uns schon an den Rat verpfiffen, du Petzer? Lass mich ihm eine Lehre erteilen, Boss ...«

Androkles hielt die Hand hoch. »Warte. Wir sind noch nicht fertig und wenn hier jemand eine Lehre braucht, erteile ich sie ihm selbst.« Er schüttelte den Kopf über den erröteten Timosthenes. »Also, stellen wir die Sache klar. Wir können frei leben, wenn wir versprechen, nicht zu stehlen? Es wird schwierig sein, manche Leute davon abzubringen. Wie du weißt, hatten wir nicht alle das Glück, im Reichtum aufzuwachsen.«

»Ich weiß, dass es nicht leicht sein wird. Aber es ist das beste Abkommen, das ich aushandeln konnte. Ihr braucht nicht wirklich zu stehlen, wenn ihr Essen vom Rat bekommt. Und ihr dürft das Gold vom Strahlenkranz des Kolosses behalten – da sie den Koloss nicht wieder aufbauen, brauchen sie es nicht mehr.«

Androkles kniff die Augen zusammen. Einen Augenblick lang dachte Aura, er würde ablehnen. Dann grinste er. »Einverstanden! Es wird harte Arbeit sein, die Nachtfalter dazu zu bringen, ihre Lebensweise zu ändern, aber diese Aufträge des Rates klingen so, als könnten sie Spaß machen. Wir probieren es auf alle Fälle einmal.«

Timosthenes sah erleichtert aus, aber Charikleas Miene war finster. »Glaub ja nicht, dass wir dir je noch einmal über den Weg trauen. In Zukunft sorgen wir dafür, dass du nichts mehr von unseren Plänen erfährst!«

»Das kann ich euch nicht verdenken«, sagte der blonde Junge. »Falls es euch tröstet: Ich fühle mich schlecht, weil ich euch verraten habe. Ich habe wirklich geglaubt, dieses Geschenk würde uns alle den Tod bringen. Erst als Aura und Elektra im Unsichtbaren Dorf von dem Felsen gefallen sind, merkte ich, dass Vater ebenso viel Angst vor dem Geschenk hatte wie wir. Aber ihr braucht euch keine Sorgen zu machen, denn ich werde nicht mit euch nach Ialysos zurückkehren.«

Chariklea runzelte die Stirn. »Du bleibst also kein Nachtfalter?«

Timosthenes blickte zur Tür. »Also, es ist Teil der Abmachung, dass ich nach Hause komme ...« Als Chariklea ein langes Gesicht machte, lächelte er und sagte: »Aber das heißt nicht, dass ich euch nicht ab und zu besuchen kann. Ihr braucht alle Unterricht im richtigen Sprechen. Vater hat mich damit beauftragt, oben in Ialysos eine Schule einzurichten ...«

»Eine Schule?«, brummte Androkles. »Was ist verkehrt mit der Art und Weise, wie wir reden, du hochnäsiger Ratsherrenbengel? Im Übrigen kennst du die Strafe für Verrat an deinen Nachtfalterfreunden.« Noch ehe Timosthenes begriff, was auf ihn zukam, hatte er ihn zu Boden geschlagen.

Aura zog ihre Füße aus dem Weg, als die beiden Jungen in die Kissen rollten und boxten und traten, während die übrigen Nachtfalter einen Kreis um sie bildeten und sie anfeuerten. Chariklea kreuzte die Arme vor der Brust und grinste, als die feinen Kleider von Timosthenes zerrissen und Blutflecken bekamen.

Die Wächter an der Tür kamen hergerannt, um zu sehen, was der Lärm zu bedeuten hatte, aber Leonidus winkte sie zurück.

»Keine Sorge, sie feiern nur«, sagte er mit einem Lächeln. »Ich denke, du kannst Ratsherrn Iamus sagen, dass die Nachtfalter sein Angebot angenommen haben.«

Am Morgen verabschiedeten sie sich von Elektra, die die Priesterin Themis nach Chalki zurückbegleitete. Die Nachtfalter durften mit einem alten Fischerboot der Küste entlang nach Norden fahren, um die Freunde zu suchen, die sie im Unsichtbaren Dorf zurückgelassen hatten, und ihnen die guten Neuigkeiten zu berichten. Aura, Leonidus und Milo fuhren mit ihnen – Milo, um seinen kleinen Bruder abzuholen, und Aura, um ihrem Vater den Dämonenteich zu zeigen, wo Lindia in die Unterwassertunnel abgetaucht war.

Sie waren ein Häufchen von Verwundeten. Androkles hatte von dem Kampf mit Timosthenes am Abend vorher Kratzer im Gesicht und ein verstauchtes Handgelenk. Leonidus' Blutergüsse waren noch grün und blau, Auras Zehen waren erst frisch vernarbt und Milo war noch schwach vom Tauchen, also blieb es Chariklea überlassen, das Segelboot zu steuern – was sie mit unerwarteter Geschicklichkeit tat. Sie fuhr mit gutem Tempo nach Norden.

Aura hatte ein wenig Angst gehabt, was sie wohl vorfinden würden, denn sie misstraute dem Geschenk und war nicht sicher, dass es ihnen allen nicht noch einen letzten Streich gespielt hatte. Aber am Strand wimmelte es von zerlumpten Gestalten, die singend um Freudenfeuer herumtanzten, die sie entzündet hatten, um ihre Freunde zur richtigen Stelle zurückzuleiten. Es waren aber so viele, dass es unmöglich nur die Nachtfalter sein konnten, die sie an dem Abend zurückgelassen hatten, an dem sie den Telchinen nach Lindos gefolgt waren, und als sie näher heranfuhren, sahen sie Männer und Frauen in zerrissenen Kleidern, die sich rund um die Feuer an den Händen hielten.

»Das müssen die Dorfbewohner sein, die verschwunden sind, als Lindia das Geschenk über die Grenze gebracht hat, um das Herz meines Vaters wieder lebendig zu machen«, flüsterte Leonidus. »56 Jahre und sie sind kaum gealtert!«

Kimon kam ihrem Boot entgegengeschwommen

und rief, die Erde hätte gebebt und der Himmel sei mit Blitzen und Regenbogen in zwei Teile zerrissen. Anscheinend hatten die Dorfbewohner im Wald gelebt und sich vor den Telchinen versteckt, waren aber herausgekommen, um zu sehen, was los war, als sie die Regenbogen sahen. Ihre beiden Telchinen-Gefangenen waren in ihrer eigenen Welt zurückgeblieben, als die Grenze wieder aufgerichtet wurde – ohne Zweifel waren sie jetzt bei ihrem Volk und versuchten, der Ahne zu erklären, wie ihnen ihre Geiseln entkommen waren. Während ihrer Wartezeit hatten die verletzten Nachtfalter die Münzen gesammelt, die Kamira an den Strand geworfen hatte, also waren sie recht zufrieden mit sich, besonders, als sie hörten, dass der Rat die entwendeten Schätze abgeschrieben hatte, sodass sie sie behalten konnten. Als Androkles die Nachtfalter beruhigt und ihnen vom Angebot des Rates berichtet hatte, begann das Fest wieder von vorn. Jeder wollte Aura auf den Rücken klopfen, weil sie alle wieder in die richtige Welt zurückgebracht und die Grenze wieder aufgerichtet hatte. Aber Aura fühlte sich innerlich leer, weil sie an ihre Mutter dachte. Sobald es ging, verschwanden sie und ihr Vater in Richtung Dämonenteich. Milo und Kimon nahmen sie mit.

Die Sonne ging schon fast unter, als sie ankamen. Bronzefarbenes Licht fiel schräg durch die Bäume und spielte auf der Oberfläche des Teiches, wodurch er magisch und geheimnisvoll wirkte. Aura blieb am Rand der Lichtung stehen, wo ihr die Erinnerung fast den Atem nahm, und Milo – der ihr kaum von der Seite gewichen war, seit sie in der Grotte von

Lindos zusammen aufgetaucht waren – drückte ihre Hand.

»Ich weiß, es war eine schwere Entscheidung für dich, Aura«, flüsterte er. »Aber du wärst nicht wirklich glücklich geworden, wenn du bei den Telchinen leben würdest. Oder?«

Aura biss sich auf die Lippen, als sie sah, dass ihr Vater sich dem Teich näherte. Er starrte in die Tiefe, kniete sich hin und neigte den Kopf. Sie beobachteten, wie er mit der hohlen Hand Wasser schöpfte, es an seine Lippen führte und es küsste. Er flüsterte etwas und ließ das Wasser wieder durch seine Finger zurückrinnen.

»Ich bin froh, dass ich mich entschieden habe zu bleiben«, sagte sie. »Ehrlich. Es ist nur …«

Kimon, der neugierig in die Tiefe gespäht hatte, sprang zurück und deutete aufgeregt auf den Teich. Auras Haut prickelte. Ihr Vater starrte mit einem Ausdruck der Verwunderung ins Wasser. Sie schluckte und rannte zum Ufer, Milo hinter sich herziehend.

Im Teich, direkt unter der Oberfläche und umgeben von einem Ring aus Regenbogen wie eine Vision des Geschenkes, schwamm das Gesicht ihrer Mutter. Aura schaute hinab auf die Telchinin und wagte nicht, sich zu rühren oder zu sprechen.

Zwei gesunde gelbe Augen blickten zu ihr herauf, umgeben von einer Wolke wogender silberner Haare. Lindia blickte zuerst auf Leonidus, dann auf Aura, als wolle sie sich ihre Züge ins Gedächtnis einprägen. Dann lächelte sie, hob zum Abschied die Hand und sank in die Tiefe. Ihre schönen, wieder geheilten Augen waren das Letzte, was verschwand.

In Auras Herz kämpften zwei Gefühle miteinander: der Schmerz über den Verlust und die Freude, dass ihre Mutter wieder sehen konnte. Leonidus seufzte und eine Träne tropfte von seiner Wange ins Wasser. Milo hielt Aura fest an der Hand, als der letzte Lichtstrahl über dem Teich erlosch. Offenbar fürchtete er, sie könnte versuchen, ihrer Mutter nachzutauchen, wie das letzte Mal, als sie hier waren.

Als sie die Frage in seinen Augen sah, lächelte sie. »Schon gut, Milo, ich gehe nicht weg. Das war eine Vision, die mir das Geschenk als Dank dafür gewährt hat, dass ich ihm zur Freiheit verholfen habe. Mutter ist jetzt nach Hause gegangen. Sie war nie wirklich glücklich in unserer Welt. Ich werde sie vermissen, aber sie hat recht. Ich bin jetzt erwachsen. Ich brauche sie nicht mehr so wie früher, als ich noch kleiner war, und ich habe ja jetzt Vater wieder. Ich bin froh, dass er eine Chance hatte, sich zu verabschieden, und ich bin froh, dass sie eine Chance hatte, mich zu sehen. Das Geschenk hat ihr offenbar neue Augen gegeben, wie es Chares ein neues Herz wachsen ließ. Es hat ihr verziehen.« Mit einem Seufzer lehnte sie den Kopf an Milos Schulter. Durch seine Arme floss wohlige Wärme in ihren Körper. Ihre Füße fühlten sich merkwürdig an ohne ihre Schwimmhäute, aber auf eine besondere Weise schön. Sie hatte noch nie Gras zwischen den Zehen gespürt.

»Tun sie noch weh?«, fragte Milo und berührte eine der Narben.

»Nein, das Geschenk hat sie geheilt, wie es Mutters Augen geheilt hat. Und es hat das Orakel in der Grotte verkündet. Vielleicht hatte Elektra die ganze Zeit recht. Vielleicht war es ein Gott.«

»Poseidon oder Helios?«, fragte Milo neckend mit einem Lächeln.

»Ist das wichtig? Es ist weg und es kommt nicht zurück. Wir wollen es vergessen, Milo. Bitte.«

Er betrachtete sie nachdenklich. »Du bist jetzt also ganz und gar ein Mensch?«

»Sieht so aus.« Aura lächelte und wackelte mit ihren Fingern und Zehen. »Siehst du, keine Schwimmhäute mehr!«

»Das habe ich nicht gemeint.«

Sie blickte in seine unergründlichen Augen und wurde ernst. »Ich weiß, was du gemeint hast. Ich habe nicht gemeint, was ich gesagt habe, ehe ich in die Grotte tauchte. Und ich habe nachgedacht. Vielleicht geht es trotz allem gut mit uns. Helios und Rhodos waren Gott und Telchinin. Sie mussten an Land zusammenkommen, wo keiner von beiden glücklich war. Lindia und Vater sind Telchinin und Mensch. Sie mussten wählen, auf welcher Seite der Grenze sie leben wollten, und ganz gleich, welche Seite sie wählten, einer von ihnen wäre immer unglücklich gewesen, wenn sie zusammengeblieben wären. Wir sind anders. Ich bin zur Hälfte ein Mensch und wir sind beide in derselben Welt geboren. Also vielleicht ...«

Milo drückte sie fester an sich. »Vergiss all das! Natürlich wird es gut gehen. Wir haben mehr gemeinsam als unser menschliches Blut. Wir sind beide Taucher, nicht wahr? Uns verbindet der ...«

Er kam nicht dazu, es zu sagen.

Als Leonidus vom Wasser aufblickte und sie anlä-
chelte, klatschte Kimon in die Hände und hopste begeistert herum.

»Schwammtaucherkodex!«, rief er. »Milo und Aura
bleiben für immer zusammen, weil sie ihr Schwamm-
taucher-Ehrenwort gegeben haben!«

FÜHRER ZU AURAS WELT

Aura und ihre Freunde lebten auf Rhodos und seinen Nachbarinseln, als 227 v. Chr. das gewaltige Erdbeben stattfand, bei dem die Riesenstatue des Helios (die unter dem Namen »Koloss von Rhodos« bekannt ist) umstürzte. Sie war eines der sieben Weltwunder des Altertums. Die Riesenstatue hatte nur 56 Jahre gestanden, aber ein Orakel warnte die Rhodier davor, sie wieder aufzustellen, und prophezeite ihnen Unheil und Zerstörung für den Fall, dass sie es doch tun würden. Interessanterweise traf die Insel nur drei Jahre später ein weiteres schweres Erdbeben.

Das Gebet zu Helios in Teil 1 war wahrscheinlich Teil einer Weihinschrift, die in den Sockel des Kolosses von Rhodos eingemeißelt war. Das Gebet zu Poseidon in Teil 2 habe ich erfunden, ebenso wie die Welt der Telchinen.

Akropolis: Eine Festung in griechischen Städten, meist auf einem Hügel innerhalb der Stadtmauern gelegen.
Alimia: Eine kleine, unbewohnte Insel vor der Küste von Rhodos.
Athene: Griechische Kriegs- und Friedensgöttin, in voller Rüstung aus dem Haupt des Zeus entsprungen. Auf Rhodos und den umliegenden Inseln waren ihr zahlreiche Tempel gewidmet. Um Verwechslungen zu vermeiden, gab man der Statue der Göttin jeweils den Namen des Ortes, an dem ihr Tempel stand: z. B. war »Athene Chalkia« die Athene auf der Insel Chalki, »Athene Lindia« die in der Stadt Lindos.

Augenzauber: Eine Zaubergabe der Telchinen, die ihnen vom »Geschenk« verliehen wurde und ihnen ermöglicht, tödliche Blitze aus ihren Augen zu schleudern. Menschen bezeichnen diese Fähigkeit als »bösen Blick«.

Chalki: Eine kleine Insel vor der Küste von Rhodos, die für ihre Schwämme berühmt ist.

Dämonenteich: Ein sehr tiefer Teich mit Unterwassertunneln, die ihn mit der Grotte in Lindos verbinden. Heute heißt er »Sieben Quellen« und soll von Nymphen bewohnt sein.

Das Geschenk Poseidons / Das Geschenk des Helios: Ein blaues, schwammähnliches Geschöpf mit magischen Kräften.

Die Grenze: Eine Art unsichtbare Trennwand, die Helios schuf, um den Krieg zwischen den Telchinen und den Menschen zu beenden. Die Grenze trennt zwei Welten, die gleichzeitig im selben Raum bestehen, deren Bewohner – die Telchinen auf der einen Seite, die Menschen auf der anderen – die jeweils anderen aber nicht sehen können.

Helios: Sonnengott, oft als Wagenlenker mit einem Strahlenkranz auf einem vierspännigen Wagen dargestellt, der seine feurigen Rosse am Tag über den Himmel lenkt. (Später manchmal mit Apoll gleichgesetzt.)

Ialysos: Das Versteck der Nachtfalterbande: Eine Ruinenstadt auf einem Berg im Norden von Rhodos, die von ihren Bewohnern verlassen wurde, als man weiter unten Rhodos-Stadt erbaute.

Kamiros: Eine Stadt an der Westküste von Rhodos.

Koloss: Ursprünglich bedeutete das Wort einfach »Statue« und erlangte erst später, nach der Aufstellung der gewaltigen Statue auf Rhodos die Bedeutung von »Riesenstatue«. Auf Rhodos standen über hundert Kolosse.

Koloss von Rhodos: Eine riesige Bronzestatue des Sonnengottes Helios, die größte aller Riesenstatuen. Sie stand in Rhodos-Stadt, bis sie bei dem Erdbeben von 227 v. Chr. umstürzte, und war eines der sieben Weltwunder des Altertums.

Lindos: Eine Stadt an der Ostküste von Rhodos mit einer Grotte, in der einst das Orakel der alten Göttin Lindia weissagte.

Orakel: Ein Ort, an dem Götter oder Heroen zu Menschen sprachen und ihnen Weissagungen machten (die Weissagungen selbst nannte man ebenfalls »Orakel«). Meist verkündete eine

Priesterin, die durch Drogen in Trance versetzt wurde, das Orakel und ein Priester-Prophet deutete ihre Aussage für den Fragenden.

Poseidon: Gott des Meeres, Bruder des Zeus. Mit seinem Dreizack spaltet er Felsen und wühlt das Meer auf, er kann Seesturm und Erdbeben hervorrufen, das Meer aber auch wieder beruhigen.

Ptolemaios: König Ptolemaios III. von Ägypten, der Gold für den Wiederaufbau des Kolosses anbot, nachdem der bei dem Erdbeben umgestürzt war.

Schwamm: Ein unter anderem im Mittelmeer lebendes, auf dem Grund festsitzendes, oft große Kolonien bildendes, niederes Tier von sehr einfachem Aufbau. Im alten Griechenland verwendete man Schwämme zur Polsterung von Helmen und zum Waschen. Die meisten heutigen Schwämme sind synthetisch, aber auf Rhodos werden noch echte Schwämme verkauft.

Telchinen: Der Sage nach Meeresdämonen, die auf Rhodos lebten, ehe Menschen auf die Insel kamen.

Unsichtbares Dorf: Ein Dorf an der Ostküste von Rhodos, in dem die Grenze zwischen den beiden Welten dünn ist. So benannt nach dem modernen Dorf Afandou (was »verborgen« bedeutet).

Wasseratmung: Eine alternative Atemtechnik der Telchinen, die ihnen erlaubt, wie Fische Sauerstoff aus dem Wasser zu gewinnen und lange Zeit unter Wasser zu schwimmen.

DER KOLOSS VON RHODOS

Der Koloss von Rhodos war eine rund 32 Meter hohe Statue des Sonnengottes Helios, des Schutzgottes von Rhodos. Vermutlich stand sie in der Nähe des Hafens, aber der genaue Ort konnte bis heute nicht eindeutig geklärt werden. Die Rhodier errichteten sie als Dank dafür, dass sie ihre Unabhängigkeit bewahren konnten:

Nach dem Tod Alexanders des Großen im Jahr 323 v. Chr. stritten sich seine ehemaligen Feldherren um sein Erbe. In Vorderasien herrschte Antigonos I., der auch Rhodos in seine Gewalt bringen wollte. Im Jahr 305 v. Chr. schickte er daher seinen Sohn Demetrios *Poliorketes* (Städtebelagerer) mit Tausenden von Soldaten und Hunderten von Schiffen nach Rhodos, um es zu erobern. Die Rhodier wehrten sich jedoch erbittert, also belagerte Demetrios die Stadt. Er setzte unter anderem einen riesigen fahrbaren Belagerungsturm, genannt *Helepolis* (Städtebezwinger), ein, konnte auch immer wieder Breschen in die Stadtmauern schlagen, aber die Rhodier bauten über Nacht jeweils die Mauer wieder auf oder errichteten hinter der Mauer eine neue, sodass die Feinde nicht in die Stadt eindringen konnten. Nach einem Jahr befahl Antigonos seinem Sohn, die kostspielige Belagerung abzubrechen und einen Friedensvertrag mit Rhodos zu schließen.

Als Dank an Helios wollten die Rhodier ihrem Schutzgott ein Standbild errichten und gaben es beim Bildhauer Chares von Lindos, Schüler des berühmten Bildhauers Lysipp, in Auftrag. Er und seine Helfer brauchten zwölf Jahre, um das gewaltige Werk zu vollenden. Es war so groß, dass es in Abschnitten gegossen werden musste und starke innere Stützen brauchte. Daher machte man ein Eisengestell der Figur, füllte es mit gewaltigen Quadersteinen, fügte Stangen und Verstrebungen aus Eisen ein und ummantelte dann das Ganze mit Lehm. Um diese Rohform schüttete man nach und nach Erde auf, sodass man jeweils »ebenerdig« arbeiten und die Außenhaut aus Bronze gießen konnte. Wie der antike Schriftsteller Philon berichtet, wurden insgesamt 300 Talente Eisen (ca. 9 Tonnen) und 500 Talente Bronze (ca. 15 Tonnen) verbaut. Ein großer Teil davon bestand aus dem zurückgelassenen Kriegsgerät des Demetrios. Dennoch hatte Chares die Kosten für eine so riesige Statue bei Weitem unterschätzt, ging bankrott und nahm sich das Leben.

Wie der Koloss genau aussah, weiß man nicht; sicher ist jedoch, dass er nicht mit gespreizten Beinen über der Hafeneinfahrt stand, wie auf vielen Bildern zu sehen. Wahrscheinlich war Helios bis auf einen hochgerafften Umhang nackt, hatte die rechte Hand zum Gruß erhoben und trug in der linken eine Peitsche, die an seinen von Pferden gezogenen Sonnenwagen erinnerte. Sein Haar war vergoldet und der Kopf von einem ebenfalls vergoldeten Kranz von sieben Strahlen umgeben. Bei einem schweren

Erdbeben im Jahr 226 oder 227 v. Chr. brach der Koloss an den Knien ab und stürzte um. Aber selbst seine Trümmer wurden noch rund 900 Jahre lang von Reisenden bestaunt.

Nach dem antiken Autor Plinius hatte er nur 56 Jahre gestanden, nach neueren Forschungen könnten es auch 66 Jahre gewesen sein – das hängt davon ab, wann genau Chares mit seiner Arbeit begonnen hat.

Franz Hohler
Tschipo und die Pinguine

ISBN 978-3-423-**62163**-2

Wenn Tschipo nachts träumt, findet er immer ein Stück sei-
nes Traums am nächsten Morgen in seinem Zimmer. Dies-
mal ist es ein Pinguin. Doch etwas stimmt nicht mit ihm.
Statt frischem Fisch bevorzugt der seltsame Vogel nämlich
Thunfisch aus der Dose. Tschipo beschließt, mit seinem
Freund Tschako den Pinguin zurück in seine Heimat, die
Antarktis, zu bringen. Die Reise wird zu einem spannenden
Abenteuer...

Katherine Roberts
Mord im Mausoleum

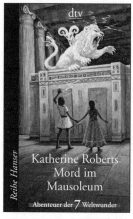

ISBN 978-3-423-**62303**-2

Alex verdächtigt seine schöne Stiefmutter, seinen Vater ermordet zu haben, und versucht, sie zu überführen. Dabei bekommt er unverhoffte Hilfe von Prinzessin Phoebe, die ihrem Vater im Kampf gegen Alexander den Großen helfen will. Verblüfft stellt Alex fest, dass die große Politik etwas mit seinem privaten Kummer zu tun hat, und macht sich auf, das Rätsel zu lösen. Endlich scheint auch seine magische Fähigkeit zu etwas gut: Als er aber die grausame Chimäre zum Leben erweckt, werden seine kühnsten Albträume übertroffen ...